*J'espère que ce livre
te permettras d'aborder
certaines situations sereinement.
Bisous
Camay*

BÉBÉ
MADE IN FRANCE,

PAMELA DRUCKERMAN

BÉBÉ
MADE IN FRANCE

Préface d'Élisabeth Badinter

Flammarion

Traduction de Valérie Latour-Burney

Ouvrage publié pour la première fois en anglais sous le titre
Bringing Up Bébé par The Penguin Press, New York, 2012.
© Pamela Druckerman, 2012

Pour l'édition française :
© Flammarion, Paris, 2013
Tous droits réservés
editions.flammarion.com
ISBN : 978-2-0812-9068-6

Pour Simon,
grâce à qui tout prend sens.

Note

Certains noms et détails caractéristiques ont été modifiés pour protéger la vie privée des personnes concernées.

Les petits poissons dans l'eau
Nagent aussi bien que les gros.

PREFACE

C e n'est pas parce qu'un sujet est traité avec humour qu'il n'est pas sérieux. Le propos de Pamela Druckerman est on ne peut plus important, puisqu'il traite de façon très particulière de la maternité et de l'éducation « à la française ». Nous pensons tout savoir sur ces sujets et nous découvrons en la lisant que nos évidences ne sont pas les siennes, que nos priorités et nos façons de faire et de dire sont loin d'être identiques à celles qu'elle connaît aux États-Unis. Au-delà de la mère et de son enfant, ce sont certaines caractéristiques de notre société qu'elle met en lumière et dont nous n'avons pas totalement conscience. Rien de plus passionnant que cette découverte de nous-mêmes et de ce qui nous distingue de nos sœurs d'outre-Atlantique.

Avant de lire Pamela Druckerman, nous pensions que la grossesse, l'accouchement et l'éducation des petits enfants étaient sensiblement les mêmes dans les sociétés occidentales. Mais c'était sans compter avec nos traditions les plus anciennes, notre conception du rôle des femmes, l'importance (excessive ?) accordée à notre corps, à la séduction et au plaisir. « Moi d'abord », disent les Françaises ; « *Child first* », répondent les Américaines. Et tout le reste en découle… Pour nous autres, la maternité est un élément essentiel de notre vie et nous faisons davantage d'enfants que la plupart des

Européennes. Mais ce n'est pas le tout de notre vie de femme. Notre couple compte tout autant, sans parler de nos désirs de liberté tant professionnelle que personnelle. « Égoïstes », « hédonistes », diront certains des mères françaises, et l'on comprend pourquoi ce livre a fait scandale aux USA. Mais pour autant, les petits Français sont-ils plus malheureux et moins bien développés que les petits Américains ? Telle est la grande question que pose l'auteur tout au long de son essai. Elle a scruté avec étonnement, voire une certaine méfiance, nos us et coutumes maternels et éducatifs : l'obsession de retrouver notre silhouette après l'accouchement, notre légèreté à l'égard de l'allaitement et surtout notre enseignement très précoce de la frustration à nos petits.

À ce propos, le chapitre intitulé « Attends ! » est une véritable révélation. Ne pas courir aux premiers pleurs du bébé, faire attendre un enfant qui interrompt une conversation entre adultes ou refuser de le nourrir quand ce n'est pas l'heure est le premier principe d'éducation hexagonale. J'avoue que pour ma part, je n'avais pas vraiment réalisé auparavant toute l'importance de ce simple mot – « Attends ! » – que nous prononçons vingt fois par jour au jeune enfant. Cela va de soi pour nous, mais pas pour une « bonne » mère américaine. Sans parler de la mise à la crèche, puis à l'école maternelle, autant d'usages jugés par d'autres comme un véritable abandon d'enfants, et donc une pratique de mère indigne.

Le « cas des Françaises », comme l'ont souvent dit des psychologues et anthropologues étrangers traitant de la maternité, n'a pas bonne presse. Or surprise pour les uns, scandale pour les autres, Pamela Druckerman conclut que, tout compte fait, notre éducation n'est pas si mauvaise qu'on le croit, et même qu'elle est plutôt bonne, au point de l'adopter peu à peu pour ses propres enfants.

Si ce livre est intéressant et convaincant, c'est que le point de vue de Pamela Druckerman est, comme je l'ai dit, *très* particulier. Journaliste installée à Paris depuis plusieurs années, mariée à un journaliste anglais, elle a parcouru le monde, connaît plusieurs langues et se passionne pour les différences culturelles. En vérité, cette journaliste fait œuvre, à notre propos, d'ethno-anthropologie. Elle nous a observés avec toute la distance d'un Lévi-Strauss étudiant les Bororos du Brésil. Elle n'est pas spécialement francophile et dit volontiers qu'elle ne se voit pas finir ses jours dans nos contrées. Mais contrairement à l'ethnologue, elle est partie prenante du sujet qu'elle traite. C'est en France qu'elle a découvert la maternité – elle a trois enfants – et la question cruciale de l'éducation. Entre distance et proximité, elle est sans conteste la mieux placée pour poser les bonnes questions, voir ce qui nous échappe, mettre en lumière nos particularismes, et en contrechamp ceux de son pays d'origine.

Le ton léger et drôle de ce livre ne doit pas nous tromper. L'analyse comparée des cultures maternelles est un sujet grave qui en dit long sur nos sociétés respectives. Une bonne occasion de réflexion et de modestie.

Élisabeth Badinter

LES PETITS FRANCAIS NE JOUENT PAS
AU FRISBEE AVEC LEUR PAIN !

M a fille a dix-huit mois lorsque mon mari et moi décidons de prendre de petites vacances en famille au bord de la mer. Nous choisissons une ville sur la côte à quelques heures de train de Paris où nous avons élu domicile (je suis américaine, il est anglais) et nous réservons une chambre d'hôtel avec un lit bébé. Nous n'avons encore qu'un seul enfant, alors excusez-nous d'avoir cru que ce serait aussi simple.

Nous prenons notre petit déjeuner à l'hôtel, mais nous déjeunons et dînons dans les restaurants de fruits de mer sur le vieux port. Très vite, nous découvrons que prendre deux repas par jour au restaurant avec un bambin est une véritable descente aux enfers. Bean joue brièvement avec la seule nourriture qui l'intéresse : un morceau de pain ou tout aliment du moment qu'il est frit. Mais au bout de quelques minutes, elle se met à renverser les salières et déchirer les sachets de sucre. Puis elle réclame d'être libérée de sa chaise haute et fait le tour de la salle à toute allure, avant de foncer dangereusement vers les quais.

Nous adoptons une stratégie de circonstance : prendre nos repas le plus rapidement possible. À peine assis, nous passons notre commande et supplions le serveur de nous apporter immédiatement du pain et de nous servir entrées et plats en même temps. Tandis que mon mari avale quelques bouchées de son poisson, je veille à ce que Bean ne se fasse pas renverser par un serveur ou ne tombe pas à la mer ; puis nous échangeons nos rôles. Nous laissons derrière nous un énorme pourboire pour nous faire pardonner les serviettes déchirées et les calamars qui jonchent le sol autour de notre table.

Sur le chemin du retour vers notre hôtel, nous envisageons une existence sans voyage, sans plaisir et nous promettons de ne pas avoir d'autre enfant. Ces « vacances » officialisent la disparition de notre vie « d'avant ». Je ne sais même pas pourquoi nous sommes si surpris.

Après quelques repas au restaurant, je remarque que les familles françaises autour de nous ne vivent apparemment pas le même calvaire. Bizarrement, ils ont même l'air d'être en vacances. Des petits Français, du même âge que Bean, restent gentiment assis sur leur chaise haute, attendent leur repas puis mangent du poisson et même des légumes. Pas de cri, ni de gémissement. Tout le monde déguste les plats qui s'enchaînent. Et les morceaux de nourriture ne s'amoncellent pas autour de leurs tables.

J'ai beau vivre en France depuis plusieurs années, je suis perplexe. À Paris, peu d'enfants mangent au restaurant. Et de toute façon, je n'y faisais jusqu'alors pas attention. Avant d'avoir moi-même un enfant, je ne m'intéressais pas à ceux des autres. Et maintenant, je suis surtout concentrée sur ma fille. Mais aujourd'hui, au cœur de notre détresse, je dois bien admettre qu'il semble y avoir une autre façon de faire. Mais quelle est-elle exactement ? Les petits Français sont-ils génétiquement plus calmes que les Américains ? Les a-t-on soudoyés – ou menacés – pour qu'ils se soumettent ? Font-ils les frais d'un mode d'éducation à l'ancienne qui les voudrait inconditionnellement sages comme des images ?

De toute évidence, non. Les enfants français autour de nous n'ont pas l'air d'être intimidés. Ils sont joyeux, bavards et curieux. Leurs parents sont affectueux et attentifs. Une force invisible et civilisatrice – qui nous est totalement étrangère – semble régner à leur table (et peut-être aussi dans leur vie).

Dès que je me penche plus précisément sur l'éducation à la française, je me rends compte que la différence ne s'arrête pas aux repas. Je me pose soudain une foule de questions : par exemple, comment se fait-il qu'au cours des centaines d'heures que j'ai passées dans les squares français, je n'ai que très rarement vu des enfants – si ce n'est ma fille – y faire une crise de nerfs ? Pourquoi mes amies françaises n'ont-elles jamais à interrompre une discussion téléphonique parce que leurs petits leur réclament quelque chose ? Pourquoi leur salon n'est-il pas envahi par les tipis et les dînettes comme le nôtre ?

Et ça ne s'arrête pas là. Pourquoi la plupart des petits Américains que je croise semblent-ils tous suivre une mono-diète à base de pâte ou de riz, ou ne manger qu'un menu exclusivement composé de « plats pour enfants », alors que les copines françaises de ma fille mangent du poisson, des légumes et presque de tout ? Et comment se fait-il qu'à l'exception d'un moment bien précis dans l'après-midi, appelé *le goûter*, les enfants français ne grignotent pas ?

Jamais l'on ne m'avait dit que l'éducation était un des fleurons de la culture française, comme la mode ou le fromage. Personne ne visite Paris pour s'imprégner de la position française sur l'autorité parentale et la gestion de la culpabilité. Bien au contraire : les mères américaines que je connais à Paris sont horrifiées par ces Françaises qui allaitent si peu et qui laissent leurs petits de trois ans se promener avec une tétine à la bouche.

Alors comment se fait-il que personne ne parle de tous ces bébés français qui font leur nuit à deux ou trois mois ? Et pourquoi ne dit-on pas que les enfants français n'ont pas besoin d'être l'objet de l'attention constante des adultes et qu'ils sont apparemment capables d'entendre le mot « non » sans faire une crise de larmes ?

Cela ne fait la une d'aucun journal. Pourtant, il me semble de plus en plus évident que les parents français parviennent en douceur à des résultats qui créent une atmosphère familiale radicalement différente. Quand nous recevons la visite de familles américaines, les parents passent généralement leur temps à arbitrer les querelles de leurs enfants, à faire la course autour de la table de la cuisine avec leurs petits, ou à construire des villages de Lego par terre. D'habitude, plusieurs phases de pleurs et de consolations s'enchaînent. Tandis que lorsque nous accueillons des amis français, les adultes dégustent tranquillement leur café pendant que les petits jouent sagement de leur côté.

Les parents français se soucient beaucoup de leurs enfants[1]. Ils n'ignorent rien des dangers qui les menacent, des risques d'étouffement à la pédophilie en passant par les allergies. Ils prennent des précautions raisonnables. Mais le bien-être de leurs enfants n'est pas source de panique. Grâce à cette attitude plus sereine, ils réussissent mieux que nous à fixer des limites à leurs enfants et à les laisser devenir autonomes.

Je suis loin d'être la première à souligner que la parentalité pose un problème aux classes moyennes américaines. Des centaines de livres et d'articles ont méticuleusement diagnostiqué, critiqué le sujet et l'ont segmenté en de multiples dénominations : l'*overparenting*[2], l'hyperéducation, l'éducation hélicoptère, et enfin mon favori, la *kindergarchy* ou le règne de l'enfant roi. Un auteur américain définit la question de la parentalité[3] contemporaine en ces termes : « On porte simplement plus attention à l'éducation des enfants qu'il n'est bon pour eux. »[4] Judith Warner, une autre auteure à s'être penchée sur le propos, parle de « culture de la maternité absolue ». (Il est intéressant de noter qu'elle s'est rendu compte du problème à son retour de France.) Visiblement personne, les parents en premier, n'apprécie le rythme effréné et insatisfaisant de la parentalité à l'américaine.

Alors, pourquoi continuer ainsi ? Pourquoi cette éducation à l'américaine semble-t-elle être si profondément ancrée dans notre génération même quand, comme dans mon cas, nous avons quitté le pays ? Dès les années 1980, quantité de données et de discours affirmaient au grand public que les difficultés scolaires des enfants issus des milieux les plus défavorisés s'expliquaient par un manque de stimulation intellectuelle, surtout au cours de leurs premières années. Les parents de la classe moyenne en ont alors déduit que plus de stimulation ne pouvait être que bénéfique à leurs enfants.[5]

À peu près à la même période, l'écart entre les Américains riches et pauvres s'est profondément creusé. Soudain, les parents se sont mis à investir sur l'éducation de leurs enfants afin qu'ils puissent appartenir à cette nouvelle élite. Commencer très tôt les bons apprentissages – et peut-être avant les autres enfants du même âge – est devenu une urgence.

Parallèlement à ce modèle d'éducation compétitif s'est développée la croyance que les enfants étaient psychologiquement fragiles. Les jeunes parents d'aujourd'hui font partie de la génération la plus psychanalysée de l'histoire et nous avons intégré l'idée que chacun de nos choix était potentiellement traumatisant pour nos enfants. Nous avons aussi grandi dans les années 1980, à l'époque de l'explosion du nombre de divorces, et sommes déterminés à ne pas reproduire le comportement, jugé égoïste, de nos parents.

Le taux de criminalité violente a beau avoir chuté aux États-Unis depuis les records du début des années 1990, de nouveaux rapports donnent l'impression que les enfants courent plus de risques physiques que jamais.[6] Nous avons le sentiment que nous les élevons dans un monde extrêmement dangereux et que nous devons toujours rester vigilants.

Il en résulte un mode d'éducation stressant et épuisant. Mais j'entrevois en France une autre façon de faire. Un mélange de curiosité journalistique et de désespoir maternel s'éveille en moi. Avant la fin de nos désastreuses vacances à la mer, je décide de chercher à comprendre ce que les parents français font différemment de nous et je me lance dans un travail d'enquête sur la parentalité. Pourquoi les enfants français ne jettent-ils pas leur nourriture ? Et pourquoi leurs parents ne crient-ils pas ? Quelle est cette force invisible et civilisatrice que les Français sont parvenus à maîtriser ? Suis-je capable de changer de modèle d'éducation pour élever mes enfants autrement ?

Je comprends que j'ai mis le doigt sur un point sensible lorsque je découvre une étude[7] menée par un économiste de l'université de Princeton qui montre que l'éducation des tout-petits est jugée deux fois plus pénible par des mères de la ville de Columbus (dans l'État de l'Ohio) que par un échantillon comparable de mères vivant à Rennes. Ceci confirme les observations que j'ai pu faire à Paris et à l'occasion de mes visites aux États-Unis : les Français ont un truc pour élever leurs enfants qui transforme la corvée en plaisir.

Je suis persuadée que les secrets de l'éducation à la française sont des évidences, mais que personne ne les a encore dévoilés. Je prends dès lors le réflexe de glisser un carnet de notes dans le sac à langer de ma fille. Chaque consultation chez le médecin, chaque dîner, chaque après-midi de jeux et spectacle de marionnettes est l'occasion d'observer les parents français en action et de comprendre les règles implicites qu'ils suivent pour élever leurs enfants.

Rien ne me saute aux yeux de prime abord. Les parents français semblent osciller entre une sévérité extrême et une permissivité choquante. Les interroger ne me fait guère avancer.

La plupart des parents avec qui je discute m'assurent qu'ils ne font rien de particulier. Au contraire, ils sont convaincus que la France est minée par le syndrome de l'« enfant roi » et que les parents ont perdu leur autorité. (Ce à quoi je réponds : « Vous ne savez pas ce que sont vraiment les "enfants rois". Venez faire un tour à New York. »)

Au fil des années passées à Paris – qui voient la naissance de deux autres enfants –, j'ai continué à découvrir de nouveaux indices. J'apprends ainsi l'existence de Françoise Dolto, une pédiatre connue de tous les Français, l'équivalent de notre Dr Spock[8] aux États-Unis. Je lis ses livres en français – curieusement, un seul de ses ouvrages a été traduit en anglais – et beaucoup d'autres. J'interviewe des dizaines de parents et d'experts. Et je tends l'oreille sans aucune vergogne le matin à l'école ou au supermarché. Je pense alors avoir enfin découvert ce que les parents français ne font pas comme nous.

Lorsque je parle des « parents français », je généralise évidemment. Nous sommes tous différents. La plupart des parents que je rencontre vivent à Paris ou en banlieue. Dans leur majorité, ils ont fait des études universitaires, sont des cadres, et ont un revenu plus élevé que la moyenne française. Ils ne font pas partie des très riches, ni de l'élite médiatique. Ils appartiennent à la classe moyenne et moyenne supérieure. Tout comme les parents américains auxquels je les compare.

Pourtant, lorsque je voyage en France, je constate que les points de vue de cette classe moyenne parisienne au sujet de l'éducation ne sont pas éloignés de ceux d'une mère de la classe ouvrière vivant dans une autre région française. Je remarque en effet que même si les parents français n'ont pas conscience de ce qu'ils font de particulier, ils semblent tous suivre plus ou moins les mêmes règles. Que ce soit des avocates aisées, des assistantes maternelles dans des garderies, des enseignantes de l'école publique ou les vieilles dames qui me sermonnent au parc, elles ne jurent que par les mêmes principes de base que je retrouve d'ailleurs dans tous les ouvrages et magazines français consacrés à la famille et aux enfants. Une première évidence s'impose rapidement : avoir un enfant en France n'exige pas de choisir un modèle d'éducation. Presque tout le monde se fie aux mêmes règles fondamentales, ce qui apaise déjà grandement l'atmosphère.

Pourquoi la France ? Je suis loin de nourrir un *a priori* favorable à la France. Au contraire, je ne suis même pas certaine d'aimer vivre ici. Et je ne veux pas que mes enfants deviennent de petits Parisiens hautains. Mais malgré tous ses défauts, la France met parfaitement en lumière les problèmes actuels de l'éducation américaine. Les valeurs des parents de la classe moyenne française me sont en effet tout à fait familières : les parents parisiens aiment parler à leurs enfants, leur montrer la nature et leur lire beaucoup de livres ; ils les accompagnent à leurs cours de tennis, de dessin et aux musées. Mais curieusement, les Français réussissent à s'impliquer ainsi dans l'éducation de leurs enfants sans que cela devienne une obsession pour autant. Ils estiment qu'ils n'ont pas à être au service constant de leurs enfants et que l'éducation ne doit pas être source de culpabilité. « Pour moi, les soirées sont destinées aux parents, me dit une mère parisienne. Ma fille peut être avec nous si elle le veut, mais c'est l'heure des adultes. » Les parents français veulent que leurs enfants soient stimulés, mais pas à longueur de journée. Alors que certains parents américains font appel à des professeurs particuliers pour apprendre à lire voire à parler chinois à leurs bambins, les parents français laissent leurs petits gambader tranquillement.

Les Français consacrent beaucoup de temps à l'éducation de leurs enfants. Alors que ses voisins voient leur taux de natalité décliner, la France connaît un vrai baby-boom. Dans l'Union européenne, seuls les Irlandais ont un taux de natalité plus élevé.[9]

Les Français bénéficient d'un éventail de services publics qui rendent le fait d'avoir des enfants plus attractif et moins stressant. Les parents ne doivent pas payer la maternelle, ni se soucier de leur assurance-maladie, ni économiser pour les futures études universitaires. De nombreux parents reçoivent des allocations mensuelles – directement virées sur leur compte en banque – simplement parce qu'ils ont des enfants.

Mais l'ensemble de ces services publics ne suffit pas à expliquer les différences que je ne cesse de constater. Les Français semblent élever leurs enfants de façon radicalement distincte. Lorsque je demande à des parents français comment ils « disciplinent » leurs enfants, ils ne saisissent pas tout de suite ce que je veux dire. « Ah, vous voulez dire comment nous les *éduquons* ? » Je comprends vite que la « discipline » est une catégorie étroite et peu utilisée qui relève de la punition. Tandis qu'« éduquer ses enfants » (ce qui n'a rien à voir avec l'école) est la mission à temps plein que doivent remplir les parents.

Cela fait des années maintenant que les journaux nous annoncent le déclin de l'éducation à l'américaine. Des dizaines d'ouvrages proposent aux Américains différents modèles éducatifs.

Personnellement, je n'ai pas de théorie. Mais tous les jours, j'ai sous les yeux une société parfaitement huilée avec des enfants qui, dans leur grande majorité, dorment bien et mangent de tout, et des parents raisonnablement détendus. Partant de ce constat, je tente de saisir comment les Français en arrivent là. Il s'avère qu'il ne suffit pas de choisir un modèle éducatif différent pour devenir un parent différent, il faut surtout adopter une compréhension différente de ce qu'est vraiment un enfant.

CHAPITRE 1

« VOUS ATTENDEZ UN BEBE ? »

Dix heures du matin, le rédacteur en chef du journal me convoque dans son bureau et me conseille d'aller chez le dentiste. Mon assurance santé prendra fin le jour où je quitterai le journal… dans cinq semaines, me précise-t-il.

Ce jour-là, plus de deux cents personnes sont licenciées comme moi. La nouvelle fait brièvement monter le cours de l'action de la compagnie mère. J'imagine même un bref instant vendre mes parts et profiter de l'ironie du sort.

Mais j'oublie l'idée aussi vite qu'elle m'est venue et me retrouve dans les rues de Manhattan errant tel un zombie. La météo est de circonstance : il pleut. Je m'abrite contre un immeuble et appelle l'homme avec qui j'ai prévu de dîner ce soir-là.

« Je viens de me faire virer.

— Tu dois être anéantie ? répond-il. Tu veux toujours que nous dînions ensemble ? »

En fait, je suis soulagée. Je suis enfin libérée de ce boulot que je n'ai pas eu le courage de quitter au cours des six dernières années. J'étais journaliste au bureau des affaires étrangères de New York ; je couvrais les élections et les crises financières en Amérique latine. Les ordres de mission tombaient souvent quelques heures à peine avant le départ. Je passais ensuite des semaines à l'hôtel. Pendant toute une période, mes chefs ont nourri de grands espoirs à mon sujet. Ils m'ont même payé des cours de portugais. Puis soudain, ils n'ont plus rien espéré du tout. Et curieusement, ça ne m'a pas plus gênée que ça. J'ai toujours beaucoup aimé les films sur les correspondants étrangers. Mais en être une était une tout autre affaire. J'étais généralement seule, enferrée dans une histoire sans fin, répondant au pied levé aux demandes des rédacteurs en chef qui en voulaient toujours plus. Je me représentais parfois le journalisme comme un tour de rodéo sur un taureau mécanique. Les hommes qui travaillaient au même rythme que moi finissaient par se marier avec une Costaricaine ou une Colombienne qui les accompagnait dans leurs déplacements. Le dîner était au moins servi sur la table quand ils rentraient d'une dure journée de travail. De mon côté, les hommes que je fréquentais alors étaient moins mobiles. Et de toute façon, je ne restais jamais assez longtemps dans une ville pour atteindre le troisième rendez-vous.

À vrai dire, je suis soulagée de quitter le journal. Mais je ne suis pas préparée à devenir « socialement toxique ». Dans les jours qui suivent la vague de licenciements, je viens encore au bureau, mais mes collègues me traitent comme une pestiférée. Des personnes avec qui j'ai travaillé pendant des années ne m'adressent plus la parole ou évitent de me croiser ! L'une d'elles m'invite à un déjeuner d'au revoir, mais refuse de retourner dans l'immeuble avec moi. Longtemps après mon départ, mon rédacteur – qui n'était pas présent lorsque la sentence est tombée – insiste pour que je repasse au bureau : il me fait subir un débriefing humiliant, me suggérant de chercher un emploi moins qualifié, puis il file déjeuner.

Je suis soudain très claire sur deux points : *primo*, je ne veux plus jamais écrire d'article sur la politique et l'argent. Et *secundo*, je veux un petit ami ! Debout dans ma cuisine de deux mètres de large, je me demande ce que je vais faire du reste de ma vie lorsque Simon appelle. Nous nous sommes rencontrés six mois plus tôt dans un bar de Buenos Aires, à l'occasion d'une soirée de correspondants étrangers où il avait accompagné un ami commun. Journaliste britannique, il passait quelques jours en Argentine afin d'y écrire un article sur le football. Quant à moi, je devais couvrir l'effondrement économique du pays. Nous avions visiblement pris le même avion à New York. Il se souvenait de la jeune femme qui avait retardé l'embarquement des passagers. Effectivement, alors que j'étais déjà sur la passerelle, je m'étais soudain rendu compte que j'avais laissé mes achats duty free dans le hall d'attente et j'avais insisté pour ressortir et aller les chercher (je faisais la plupart de mes emplettes dans les aéroports).

Simon était exactement mon type d'homme : basané, costaud et intelligent. (Bien qu'il soit de taille moyenne, il a ajouté plus tard le qualificatif de « petit » à ma description, tout ça parce qu'il a grandi aux Pays-Bas au milieu de géants blonds !) Au bout de quelques heures passées ensemble, j'ai compris ce qu'était le « coup de foudre » : se sentir d'emblée infiniment calme avec quelqu'un que l'on vient à peine de rencontrer. Mais sur le coup, je n'ai rien trouvé de mieux à dire que : « On ne doit surtout pas coucher ensemble » !

J'étais amoureuse, mais prudente. Simon venait juste de fuir Londres et la flambée des prix de l'immobilier pour acheter un appartement bon marché à Paris. Je faisais les allers-retours entre New York et l'Amérique du Sud. Une relation « long-courrier » avec un homme sur un troisième continent me semblait difficilement envisageable. Après notre rencontre en Argentine, nous avons échangé quelques e-mails. Mais je refusais de prendre cette histoire trop au sérieux : j'espérais trouver un autre homme intelligent et basané dans mon fuseau horaire.

Je passe en accéléré sur les sept mois suivants. Lorsque Simon appelle à l'impromptu et que je lui annonce mon licenciement, il ne s'émeut pas plus que ça et ne me considère pas comme un produit toxique. Au contraire, il semble ravi que j'aie soudain du temps libre. Il me dit qu'il a le sentiment que notre « histoire n'est pas terminée » et qu'il aimerait venir à New York.

Je lui réponds que « c'est une très mauvaise idée ». Pour quoi faire ? Il ne peut pas s'installer aux États-Unis, il écrit sur le football européen. De mon côté, je ne parle pas français et je n'ai jamais envisagé habiter à Paris. Certes, j'ai retrouvé toute ma liberté de mouvement, mais j'ai besoin de me reconstruire un espace avant de partir en orbite dans celui de quelqu'un d'autre.

Simon frappe à ma porte, vêtu de la même veste en cuir élimée qu'en Argentine, avec à la main un bagel au saumon fumé qu'il a acheté chez le traiteur du coin. Un mois plus tard, je rencontre ses parents à Londres. Six mois plus tard, je vends presque tout ce que je possède et envoie le reste en France. Tous mes amis me disent que je précipite un peu l'affaire. Je fais la sourde oreille et quitte mon studio new-yorkais à loyer contrôlé avec trois valises géantes et une boîte de pièces sud-américaines que je donne au chauffeur de taxi pakistanais qui me conduit à l'aéroport.

Et hop, me voilà parisienne ! J'emménage dans le deux-pièces de célibataire de Simon, situé au cœur d'un ancien quartier de menuisiers dans l'Est parisien. Recevant encore mes chèques d'allocations chômage, j'abandonne le journalisme financier et m'attelle à l'écriture d'un livre[1]. Simon et moi travaillons chacun dans une des pièces de l'appartement.

Notre romance perd très vite de son éclat, essentiellement pour des problèmes de décoration intérieure. J'ai lu un jour dans un ouvrage sur le feng shui qu'entasser des choses à même le sol est un signe de dépression. Simon est loin d'être déprimé : il déteste tout simplement les étagères et refuse d'en acheter. Très intelligemment, il a investi dans une immense table en bois brut – qui à elle seule remplit pratiquement tout notre salon – ainsi qu'un système primitif de chauffage au gaz, grâce auquel avoir de l'eau chaude n'est jamais garanti. Mais le pire, c'est encore sa manie de laisser traîner par terre ses pièces de monnaie : bizarrement, elles finissent toujours par s'amonceler dans tous les coins. Je le supplie : « Range cet argent ! »

Je trouve peu de réconfort à l'extérieur de notre appartement. J'ai beau être dans la capitale mondiale de la gastronomie, je ne sais pas quoi manger. Comme la plupart des Américaines, j'arrive à Paris avec des préférences alimentaires extrêmement marquées. (Je suis végétarienne tendance Atkins[2].) Au fil de mes promenades, je me sens harcelée par la profusion de boulangeries et restaurants aux menus ultra-carnivores. Dans un premier temps, je ne dois ma survie qu'aux omelettes et salades de chèvre chaud. Quand je demande aux serveurs que l'on me serve la « sauce à part », ils me regardent comme si j'étais folle. Je ne comprends pas pourquoi les supermarchés vendent toutes les céréales américaines à l'exception de ma préférée, les Grape-Nuts, et pourquoi les cafés ne proposent pas de lait écrémé.

Je sais, ne pas se pâmer sur Paris peut paraître capricieux. Je trouve peut-être superficiel d'apprécier une ville pour sa seule beauté plastique. Celles qui m'ont séduite jusqu'à présent étaient toutes moins parfaites : São Paulo, Mexico City, New York. Elles n'attendaient pas tranquillement que l'on vienne les admirer.

Notre quartier n'est même pas beau. Et la vie quotidienne regorge de petites déceptions. Personne ne dit jamais que si l'on aime tant le « printemps à Paris », c'est parce que les sept mois qui le précèdent sont gris et froids. (Évidemment, j'arrive au début de ce long tunnel météo.) Et alors que je suis persuadée de n'avoir rien perdu de mon français de quatrième, les Parisiens croient que je leur parle espagnol !

Certes, Paris ne manque pas d'attraits. J'apprécie par exemple que les portes du métro s'ouvrent quelques secondes avant l'arrêt de la rame, ce qui laisse penser que l'on ne prend pas les usagers pour des enfants. Comme j'apprécie de recevoir, dans les six mois qui suivent mon arrivée, pratiquement tous les Américains que je connais, y compris les personnes que je catégoriserai plus tard comme des « amis Facebook ». Simon et moi finissons d'ailleurs par établir des règles d'admission et des systèmes d'évaluation très stricts pour nos hôtes. (Petit indice : si vous restez une semaine, laissez un cadeau.)

La célèbre rudesse parisienne ne me gêne pas, au moins il y a une relation. Non, ce qui m'énerve, c'est l'indifférence parisienne. À l'exception de Simon, personne ne semble se soucier de ma présence. Mais il est souvent ailleurs, se délectant de son rêve parisien d'une simplicité si déroutante qu'il résiste au temps. Autant que je sache, il n'a jamais visité un musée parisien, mais à l'écouter, lire le journal dans un café relève presque de l'expérience transcendantale. Un soir, dans un restaurant du quartier, le serveur lui apporte une assiette de fromages et il s'ébaubit : « C'est pour ça que je vis à Paris ! » Je comprends alors que par la transitivité des lois de l'amour et du fromage, je vis moi aussi à Paris pour cette assiette de fromage qui sent si mauvais !

Pour être honnête, je commence à me demander si ce n'est pas *moi* le problème, plutôt que Paris. New York adore les femmes un peu névrosées. La ville les pousse à s'entourer d'un halo nerveux d'agitation cérébrale délicieusement conflictuel – comme Meg Ryan dans *Harry rencontre Sally* ou Diane Keaton dans *Annie Hall*. Bien que leurs soucis se résument à des histoires de cœur, beaucoup de mes amies new-yorkaises dépensent plus en psychothérapeute qu'en loyer.

Ce genre de personnalité fleurit mal sur le macadam parisien. Les Français ont beau aimer les films de Woody Allen, dans la vraie vie, la Parisienne idéale est calme, discrète, légèrement effacée et extrêmement décidée. Au restaurant, elle choisit son repas dans le menu, tout simplement. Elle ne passe pas des heures à papoter sur son enfance ou son régime. Si la New-Yorkaise ressasse tous ses échecs et essaie tant bien que mal de se trouver, la Parisienne ne regrette rien – du moins en apparence. En France, être « névrosée » n'est pas une petite gloire condescendante, c'est un état clinique.

Même Simon, qui est simplement anglais, reste perplexe face à mon manque de confiance et mon besoin récurrent de parler de notre relation.

Je lui demande régulièrement, en général quand il lit son journal : « À quoi tu penses ?

— Au football hollandais », répond-il invariablement.

Impossible de savoir s'il est sérieux. J'ai fini par comprendre que Simon est dans un état d'ironie perpétuelle. Il peut tout dire, y compris « Je t'aime », avec un petit sourire satisfait. Il ne rit cependant presque jamais, même quand je fais des blagues. (Des amis très proches ne savent même pas qu'il a des fossettes.) Simon affirme que c'est une habitude toute britannique. Je suis pourtant certaine d'avoir vu rire des Anglais. Et voilà, lorsque je peux enfin parler anglais avec quelqu'un, il ne m'écoute pas, c'est démoralisant.

Cette question du rire, ou plutôt de son absence, souligne un écart culturel bien plus grand. En tant qu'Américaine, j'ai besoin que les choses soient dites. Après un week-end passé chez les parents de Simon, je lui demande, dans le train qui nous ramène vers Paris, si je leur ai plu.

31

« Bien sûr que tu leur as plu, tu as bien vu, non ? » me répond-il. J'insiste : « Mais est-ce qu'ils ont *dit* que je leur plaisais ? »

En manque de compagnie, je traverse la ville pour rencontrer de parfaites inconnues, amies d'amies américaines. La plupart sont elles aussi expatriées. Visiblement, l'arrivée d'une nouvelle candide ne survolte personne. Pour la plupart d'entre elles, « Je vis à Paris » semble être devenu un travail à part entière et une réponse multifonctionnelle à la question « Qu'est-ce que vous faites ? ». Beaucoup arrivent en retard, comme pour prouver qu'elles ont parfaitement intégré les coutumes locales. (J'apprendrai plus tard que les Français sont généralement à l'heure aux rendez-vous professionnels ou individuels, mais qu'il est de bon ton d'arriver en retard aux réunions de groupe, y compris les anniversaires des enfants.)

Mes premières tentatives pour me faire des amies françaises sont encore moins fructueuses. À l'occasion d'une fête, je sympathise avec une historienne de l'art qui a à peu près mon âge et parle un anglais parfait. Mais je me rends compte, quand je vais prendre le thé chez elle, que nous n'observons pas du tout les mêmes rituels de socialisation féminine. Je suis fin prête à suivre le modèle américain sur le mode de la confession et de l'effet miroir – avec des « moi aussi » à foison – alors qu'elle préfère élégamment picorer sa pâtisserie et discuter de théories artistiques. Je repars affamée, sans même savoir si elle a un petit ami.

Ce n'est qu'en lisant Edmund White, un romancier américain qui a vécu en France dans les années 1980, que je trouve un écho à mon expérience. Il affirme que le sentiment de dépression et de flottement que l'on peut ressentir en vivant à Paris est une réaction parfaitement normale. « Imaginez-vous en train de mourir, reconnaissant être au paradis, jusqu'à ce qu'un jour (ou un siècle) plus tard, vous compreniez soudain que vous étiez surtout d'humeur mélancolique, quand bien même vous restiez convaincu que le bonheur était au coin de la rue. C'est un peu comme vivre à Paris pendant des années, voire des décennies. C'est un enfer mesuré et si confortable qu'il prend des airs de paradis. »

J'ai beau avoir des doutes sur Paris, je n'en ai aucun sur Simon. Je me suis résignée au fait que, dans son cas, « original » rime avec « désordonné ». Et je décode beaucoup mieux ses microexpressions. L'ombre d'un sourire signifie qu'il a compris la blague. Le grand sourire rarissime est un éloge de poids. Il lui arrive même de dire « c'était drôle » d'une voix monotone.

Et puis, bien qu'il soit râleur, Simon a des douzaines de vieux amis dévoués, ce qui est très encourageant. Sous les couches d'ironie, doit se cacher un être charmant bourré de défauts craquants. Il ne sait pas conduire, gonfler de ballon ou plier ses vêtements sans utiliser ses dents. Il remplit notre réfrigérateur de boîtes de conserve qu'il n'a pas ouvertes. Pour aller plus vite, il cuit tout à la température la plus élevée. (Ses copains de fac m'avoueront plus tard qu'il était connu pour servir des cuisses de poulet à la peau carbonisée, mais à la chair toujours congelée.) Quand je lui ai montré comment faire une vinaigrette avec de l'huile et du vinaigre, il a scrupuleusement noté la recette ; depuis, il la ressort systématiquement dès qu'il prépare le dîner.

À l'honneur de Simon, rien en France ne l'agace. Être étranger est dans sa nature. Ses parents anthropologues l'ont élevé en voyageant autour du monde et l'ont formé dès la naissance à apprécier les coutumes locales. À dix ans, il avait déjà vécu dans six pays (y compris un an aux États-Unis). Il apprend les langues comme je change d'humeur – c'est-à-dire très facilement.

Je décide alors, par amour pour Simon, de dire oui à la France. Nous nous marions à l'extérieur de Paris dans un château fort du XIIIe siècle entouré de douves (je passe sur le symbole). Au nom de la paix des ménages, nous louons un appartement plus grand. Je commande des étagères Ikea et place des vide-poches dans toutes les pièces. J'essaie de développer mon pragmatisme plutôt que mes névroses. Au restaurant, je commence à choisir dans le menu et même à grignoter quelques miettes de foie gras quand l'occasion se présente. Mon français ressemble de moins en moins à de l'espagnol et de plus en plus à du français de cuisine. Je m'installe très vite : j'ai un bureau à la maison, une date de remise pour mon livre et même quelques nouvelles copines.

Simon et moi avons parlé d'avoir des enfants. Nous en voulons un. En fait, je rêve d'en avoir trois. Et j'aime l'idée de les voir grandir à Paris, où ils seront bilingues sans faire d'effort et authentiquement internationaux. Même s'ils deviennent de vrais *geeks*, ils pourront toujours glisser « j'ai grandi à Paris » et être instantanément « cools » où qu'ils soient.

Tomber enceinte m'inquiète. J'ai passé presque toute ma vie d'adulte à essayer de ne pas l'être et j'ai toujours réussi. Je ne sais pas du tout si j'arriverai à faire l'inverse. L'affaire se trouve aussi rondement menée que notre romance. Un jour, je tape sur Google « Comment tomber enceinte » et j'ai l'impression que dès le lendemain, je regarde s'afficher les deux lignes roses d'un test de grossesse français.

Je suis aux anges. Mais mon explosion de joie s'accompagne d'une éruption d'angoisse. Surveiller ma grossesse et la réussir deviennent des obsessions. Quelques heures après avoir annoncé la bonne nouvelle à Simon, j'écume tous les sites internet américains sur le sujet et fonce acheter des guides de grossesse dans une librairie anglophone près du Louvre. Je veux savoir exactement, et en anglais dans le texte, ce dont je dois m'inquiéter.

Quelques jours plus tard, je prends déjà des vitamines prénatales et suis droguée à la colonne « Y a-t-il un risque ? » du site internet BabyCenter. « Y a-t-il un risque à manger des produits frais qui ne sont pas bio ? Y a-t-il un risque à passer la journée entourée d'ordinateurs ? Y a-t-il un risque à porter des talons hauts, à se goinfrer de bonbons d'Halloween et à partir en week-end à la montagne ou à prendre l'avion ? »

La colonne « Y a-t-il un risque ? » est totalement compulsive parce qu'elle crée de nouvelles angoisses sans jamais les soulager par un simple « oui » ou « non ». Loin d'apaiser les interrogations inquiètes des futures mamans – de la plus anodine « Y a-t-il un risque à faire des photocopies ? » aux plus inattendues comme « Y a-t-il un risque à avaler du sperme ? » – les experts y répondent par des avis divergents et équivoques. « Y a-t-il un risque à faire une manucure alors que je suis enceinte ? – Non, mais l'exposition chronique aux solvants utilisés dans les salons n'est pas bonne pour vous. » « Y a-t-il un risque à jouer au bowling ? – Eh bien, oui et non, ça dépend. »

Pour les Américaines que je connais, la grossesse – puis la maternité – ne vient pas sans son lot de devoirs à la maison. Le premier consiste à choisir un modèle d'éducation parmi une myriade de propositions. Toutes les personnes à qui je parle ne jurent que par des livres. J'en achète de nombreux. Mais tous ces conseils divergents ne m'aident pas à me sentir mieux préparée, au contraire ! Les bébés en deviennent des figures énigmatiques et incompréhensibles. Qui sont-ils, de quoi ont-ils besoin ? Tout change d'un livre à l'autre.

Petit à petit, nous nous faisons expertes en scénarios catastrophes. Une New-Yorkaise enceinte en visite à Paris me raconte au cours d'un déjeuner qu'il y a une chance sur mille que son bébé soit mort-né. Elle a conscience de dire quelque chose d'atroce et qui ne rime à rien, mais c'est plus fort qu'elle. Une autre amie enceinte, qui a malheureusement pour elle un doctorat en santé publique, passe pratiquement tout son premier trimestre à cataloguer les risques que court le bébé de contracter toutes les maladies de la terre.

Je me rends compte que cette angoisse flotte aussi dans l'air britannique quand je rends visite à la famille de Simon à Londres (j'ai décidé de croire que ses parents m'adorent). Je suis assise dans un café, lorsqu'une femme très élégante m'interrompt pour me dire qu'une nouvelle étude a démontré qu'une trop grande consommation de café augmentait les risques de fausse-couche. Pour renforcer sa crédibilité, elle ajoute « et mon mari est médecin ». Je me fiche royalement de savoir ce que fait son mari. Je suis simplement agacée qu'elle s'imagine que je n'ai pas lu cette étude. Évidemment que je l'ai lue, la preuve : j'essaie de survivre avec une tasse par semaine.

Avec autant de sujets de recherches et d'inquiétude, j'ai de plus en plus l'impression qu'être enceinte est un vrai boulot. Je consacre d'ailleurs de moins en moins de temps à mon livre, que je suis supposée remettre avant l'arrivée du bébé. Au lieu de travailler, je papote avec la communauté des Américaines enceintes que j'ai rejointe sur des forums internet où nous sommes classées par date prévue de naissance. Comme moi, ces femmes ont l'habitude de personnaliser leur environnement, jusqu'au lait de soja pour leur café. Et comme moi, ne pas maîtriser l'événement mammifère primitif qui est en train de se dérouler dans leur ventre les rend mal à l'aise. Nous inquiéter ensemble nous donne l'impression de reprendre un certain contrôle sur la situation – exactement comme quand on s'agrippe à l'accoudoir dans un avion qui traverse une zone de turbulences.

Les titres de la presse magazine américaine spécialisée sur la grossesse, faciles d'accès à Paris, rivalisent d'ingéniosité pour augmenter notre stress. Ils se concentrent tout particulièrement sur un point critique que les femmes enceintes peuvent encore espérer maîtriser : la nourriture. « En levant votre fourchette de votre assiette à votre bouche, posez-vous cette question : cette bouchée fera-t-elle du bien à mon bébé ? Si c'est oui, alors bon appétit… », expliquent les auteurs de *What to Expect When You're Expecting*, le célèbre guide de grossesse américain, grand générateur de nervosité et de ventes de livres.

J'ai conscience que tout ce qui est interdit dans ces ouvrages n'a pas la même importance. Les cigarettes et l'alcool sont définitivement à proscrire, alors que les fruits de mer, la charcuterie, les œufs et le fromage cru ne sont dangereux que s'ils ont été contaminés par une bactérie peu commune comme la listeria ou la salmonelle. Pour ne courir aucun risque, je prends cependant toutes les interdictions au pied de la lettre. Éviter les huîtres et le foie gras ne me pose aucun problème. Mais comme je vis en France, la question du fromage me panique. Je me retrouve à interroger des serveurs éberlués : « Le parmesan sur mes pâtes, il est pasteurisé ? » C'est Simon qui paie pour mon angoisse. Est-ce qu'il a bien nettoyé à la brosse la planche à découper après y avoir tranché le poulet cru ? C'est à se demander s'il aime vraiment notre bébé ? !

L'ouvrage, *What to Expect*, recommande de suivre le « régime de la grossesse ». Ses auteurs prétendent qu'il peut « améliorer le développement fœtal du cerveau », « réduire les risques de certains défauts de naissance » et « qu'il donnera à votre enfant plus de chance de devenir un adulte en bonne santé ». Chaque bouchée semble représenter des points potentiels au SAT[3]. Peu importe mon appétit, si à la fin de la journée je n'ai pas eu ma ration de protéines, le régime de la grossesse dit que je dois enfourner une dernière portion de salade d'œufs avant d'aller me coucher.

C'est le mot « régime » qui m'a convaincue. Après des années passées à faire des régimes amincissants, en faire un pour grossir est jubilatoire. C'est un peu comme être récompensée d'avoir réussi à rester assez mince pendant des années pour se dégoter un mari. Les forums que je visite sur internet grouillent de femmes qui ont pris entre dix-huit et vingt-trois kilos, c'est-à-dire bien au-delà des limites recommandées. Évidemment, nous préférerions toutes ressembler à ces célébrités qui même enceintes rentrent encore dans leurs robes de créateur ou aux mannequins en première page du magazine *FitPregnancy*. Je connais quelques femmes de ce genre. Mais un autre message américain nous pousse au contraire à en profiter au maximum : « Allez-y, MANGEZ ! » écrit l'auteur sympathique de *Best Friends' Guide to Pregnancy* que je n'ai cessé de compulser durant des heures dans mon lit. « Après tout, quels sont les autres plaisirs destinés à la femme enceinte ? »

Il n'est pas anodin que le régime de la grossesse donne l'autorisation de « tricher » de temps en temps en s'octroyant un cheeseburger ou un donut. Soyons clairs, la grossesse telle qu'elle est présentée par les médias américains a tout d'une gigantesque supercherie. Les listes des besoins alimentaires de la femme enceinte sont des catalogues de tout ce que les Américaines se sont empêchées de manger depuis leur adolescence : cheesecake, milk-shake, macaronis à la sauce fromage, gâteau glacé. Personnellement, j'ai envie de couvrir de citron tout ce que j'avale et d'enfourner des pains entiers.

Quelqu'un m'a dit que Jane Birkin, la comédienne et mannequin anglaise qui a fait carrière à Paris et a épousé le légendaire Serge Gainsbourg, ne se souvient jamais s'il faut dire « un » ou « une » baguette, du coup elle en demande toujours « deux ». Je ne sais plus d'où je sors cela, mais chaque fois que je vais à la boulangerie, je suis la même stratégie. Puis – à la différence sûrement de la brindille Birkin – j'engloutis les deux baguettes.

Au cours de ma grossesse, je ne me contente pas de perdre ma silhouette. Je perds aussi de vue la personne que j'ai été et qui lors de dîners galants se souciait du sort des Palestiniens. Je passe maintenant tout mon temps libre à étudier les derniers modèles de poussettes et à mémoriser toutes les causes possibles de coliques. Cette évolution de la « femme » à la « mère » semble incontournable. Une photo de mode dans un magazine de grossesse américain que j'achète à l'occasion d'un voyage aux États-Unis montre des femmes au ventre très rond, vêtues de tee-shirts informes et de pantalons de pyjama d'hommes ; « des tenues confortables pour toute la journée », explique la légende. Peut-être pour enfin terminer l'écriture de ce livre qui n'en finit pas, je rêve d'abandonner le journalisme et de devenir sage-femme.

Le sexe est le dernier rempart symbolique à tomber. Bien que ce soit techniquement permis, des ouvrages comme *What to Expect* affirment que les relations sexuelles durant la grossesse présentent de multiples dangers. « Ce qui vous a conduite à cette situation pourrait devenir votre plus grand problème », préviennent les auteurs. Ils poursuivent en décrivant dix-huit facteurs qui pourraient inhiber votre vie sexuelle, y compris « la peur que l'introduction du pénis dans le vagin n'entraîne une infection ». Et si une femme a une relation sexuelle, ils l'encouragent à battre tous les records du *multitasking*[4], en profitant de l'occasion pour faire des exercices qui tonifient son périnée et le préparent à l'accouchement.

À mon avis, aucune femme ne suit tous ces conseils. Comme moi, elles sont sûrement sensibles au ton anxiogène de ces lectures. Même l'océan Atlantique ne suffit pas à endiguer la contagion. Compte tenu de ma sensibilité, je m'estime heureuse d'être loin. La distance me donnera peut-être aussi une autre perspective sur l'éducation.

Je commence déjà à soupçonner qu'élever un enfant sera très différent en France. À Paris, lorsque je suis dans un café, avec mon ventre qui pousse contre la table, personne ne bondit pour me prévenir des dangers de la caféine. Au contraire, certains allument des cigarettes juste à côté de moi.

« Vous attendez un bébé ? » est la seule question que me posent les inconnus lorsqu'ils remarquent mon ventre. Il me faut un petit moment pour comprendre le sens de la question. « Attendre un bébé » est simplement une façon de dire que l'on est enceinte.

Oui, j'attends un enfant. C'est certainement ce que j'ai accompli de plus important dans ma vie. Malgré mes doutes sur Paris, être enceinte dans une ville où je suis pratiquement immunisée contre les jugements des autres est très agréable. Bien que Paris soit l'une des capitales les plus cosmopolites au monde, j'ai l'impression d'être en dehors du système. Lorsque l'on me parle en français, je ne saisis pas les références, les souvenirs d'école et tous les petits indices qui signalent le rang social et l'influence d'une personne. Et en tant qu'étrangère, j'échappe moi aussi à cette catégorisation sociale.

Lorsque je faisais mes valises pour m'installer à Paris, jamais je n'ai imaginé que j'allais y rester. Aujourd'hui, mon inquiétude monte d'un cran parce que Simon aime un peu trop son statut d'étranger. Il a grandi dans de nombreux pays et « être étranger » est une seconde nature pour lui. Il avoue qu'il se sent proche de beaucoup de villes et de gens différents et que son « chez lui » pourrait avoir plusieurs adresses.

Beaucoup de nos amis anglophones ont déjà quitté la France, la plupart du temps pour des motifs professionnels. Dans notre cas, rien ne nous force à rester à Paris, pas même notre travail. Mis à part l'assiette de fromage, nous n'avons aucune raison d'être ici. Et « aucune raison » – plus un bébé – pourrait bien être la meilleure des raisons.

CHAPITRE 2

« AVEC OU SANS PERIDURALE ? »

Notre nouvel appartement ne se trouve pas dans un arrondissement pittoresque de cartes postales parisiennes. Il donne sur une rue étroite dans un quartier chinois entièrement dédié à la confection où nous sommes constamment bousculés par des hommes qui traînent des sacs-poubelle bourrés de vêtements. Difficile de croire que nous vivons dans la même ville que la tour Eiffel, Notre-Dame et les courbes élégantes de la Seine.

Mais curieusement, ce nouvel environnement nous convient très bien. Simon et moi nous approprions chacun un café du coin où nous nous retirons tous les matins pour un moment de « solitude conviviale ». Ici aussi, la socialisation obéit à des règles inconnues. On peut plaisanter avec les serveurs, mais pas avec les patrons (à moins qu'ils ne soient au comptoir et parlent au serveur). J'ai beau être en dehors du système, j'ai besoin de contact humain. Un matin, je tente de lancer une conversation avec un habitué du lieu que je vois tous les jours depuis des mois. Je lui dis, en toute honnêteté, qu'il ressemble à un Américain que je connais.

« À qui ? George Clooney ? » demande-t-il d'un air narquois. L'échange n'est jamais allé plus loin. J'ai plus de succès avec nos nouveaux voisins. Le trottoir bondé de passants devant notre immeuble donne sur une cour pavée où se font face de petites maisons et appartements de quelques étages. Nos voisins sont un mélange d'artistes, de jeunes qui exercent des professions libérales, de personnes mystérieusement inactives et de vieilles dames qui clopinent dangereusement sur les pavés irréguliers. Nous vivons tous dans une telle proximité qu'ils sont obligés de reconnaître notre présence, même si quelques-uns parviennent quand même à nous ignorer.

Ma voisine de palier, une architecte prénommée Anne, doit accoucher quelques mois avant moi. Évidemment, notre condition nous rapproche. Même prise dans mon tourbillon anxiogène typiquement anglo-saxon, où je ne fais que manger et m'inquiéter de mon état, je remarque qu'Anne et les autres Françaises enceintes que je croise vivent très différemment leur grossesse.

Contrairement à la majorité des Américaines, elles ne traitent pas la grossesse comme un projet de recherche scientifique. Il y a des tonnes de livres français, de magazines et de sites sur la grossesse et sur l'éducation. Mais les femmes ne se sentent pas obligées de tous les lire. De la même façon, aucune femme ne compare les différents modèles d'éducation pour en choisir un, et aucune ne fait non plus référence aux techniques d'éducation par leur nom. Il n'y a pas de dernier livre « à lire absolument » et les experts n'exercent pas du tout le même pouvoir sur les parents.

« Ces livres sont peut-être utiles pour les personnes qui manquent de confiance en elles, mais je ne pense pas que l'on puisse élever un enfant en lisant un livre. Il faut suivre son intuition », me dit une mère parisienne.

Les Françaises que je rencontre ne sont pas du tout des blasées de la maternité ou du bien-être de leur bébé. Elles sont préoccupées et conscientes de l'immense changement de vie qu'elles s'apprêtent à vivre. Mais elles l'expriment de façon différente : nous, les femmes américaines, faisons généralement la preuve de notre implication en nous inquiétant et en montrant que nous sommes prêtes à nous sacrifier, même enceintes. Les Françaises, elles, font la preuve de leur implication en rayonnant de calme et en revendiquant le fait de ne pas renoncer au plaisir.

Sur une photo du magazine *Neuf Mois*, une brunette au gros ventre légèrement vêtue de dessous de dentelles croque à pleines dents dans des pâtisseries et lèche la confiture sur ses doigts. « Au cours de la grossesse, il est important de bichonner votre femme intérieure, dit un article. Surtout, résister au désir d'emprunter les chemises de votre homme. » Une liste d'aphrodisiaques pour futures mamans recense chocolat, gingembre, cannelle et – nous sommes en France – moutarde.

Je me rends compte que les Françaises prennent ces conseils très au sérieux lorsque Samia, une maman du quartier, me propose de visiter son appartement. Fille d'immigrés algériens, elle a grandi à Chartres. Tandis que j'admire les plafonds vertigineux et les chandeliers de son appartement, elle attrape un tas de photographies posées sur la cheminée.

« Là, je suis enceinte, et ici aussi. Et voilà, le gros ventre ! » décrit-elle en me tendant plusieurs photos. Effectivement, on ne peut pas manquer son ventre sur les photos. Ni ses seins nus !

Je suis d'abord choquée : cette personne que je m'efforce de poliment vouvoyer vient de me montrer des photos d'elle nue. Mais je suis aussi surprise du glamour que dégagent ces images. Samia ressemble à l'une de ces mannequins en lingerie sur les premières pages des magazines.

Il est vrai qu'elle est toujours un peu théâtrale. Le matin, lorsqu'elle dépose son petit de deux ans à la crèche, elle semble sortir d'un film américain des années 1940 : trench-coat ceinturé à la taille, eye-liner, lèvres soulignées de rouge brillant. C'est la seule Française que je connaisse qui porte un béret.

Quoi qu'il en soit, Samia a bien intégré la sagesse populaire française selon laquelle les quarante semaines de métamorphose en maman ne doivent pas empêcher d'être une femme pour autant. Les magazines français sur la grossesse ne se contentent pas d'énoncer que les femmes enceintes peuvent avoir des relations sexuelles, ils leur expliquent carrément comment s'y prendre. *Neuf Mois* présente dix positions sexuelles différentes, y compris celle de l'« Andromaque », du « cheval renversé », de la « levrette » (un grand classique) et la « chaise ». « Le rameur » suit six étapes et se conclut par « les ondulations du torse de madame d'avant en arrière, ce qui provoque de délicieuses frictions... ».

Neuf Mois souligne aussi les mérites de divers sex toys pour femmes enceintes (oui aux « boules de geisha », non aux vibrateurs et à tout ce qui est électrique). « N'hésitez pas ! Tout le monde y gagne, même le bébé. Au cours de l'orgasme, il ressent un "effet jacuzzi" comme s'il était massé dans l'eau », détaille l'article. Un père parisien prévient mon mari de ne surtout pas rester face à « la sortie du tunnel » pendant la naissance, afin de préserver ma mystique féminine.

Le sexe n'est pas le seul domaine où les parents français font preuve de moins d'anxiété. Il en va de même avec l'alimentation. Samia relate une conversation avec son gynécologue comme s'il s'agissait d'une scène de vaudeville :

« Je lui ai dit : "Docteur je suis enceinte, mais j'adore les huîtres. Qu'est-ce que je fais ?

— Mangez des huîtres !" a-t-il répondu. »

Puis elle se souvient qu'il a ajouté : « Vous m'avez l'air d'être une personne raisonnable. Veillez à tout bien laver. Si vous mangez des sushis, mangez dans un bon restaurant. »

Le stéréotype qui voudrait que la Française fume et boive tout au long de sa grossesse est totalement dépassé. La plupart des femmes que je rencontre déclarent avoir éventuellement bu une coupe de champagne à l'occasion, voire pas d'alcool du tout. En fait, je n'ai vu qu'une seule femme enceinte fumer, un jour, dans la rue. Et encore, c'était peut-être sa cigarette du mois.

Il ne s'agit pas de dire que tout est permis, mais plutôt que les femmes devraient être sereines et sensées. Contrairement à moi, les Françaises que je fréquente font la différence entre les choses qui sont incontestablement dangereuses et celles qui ne le deviennent que si elles sont contaminées. Je rencontre une autre femme dans le quartier, Caroline, une kinésithérapeute enceinte de sept mois. Elle m'explique que son médecin n'a jamais mentionné de quelconques restrictions alimentaires et qu'elle ne lui a d'ailleurs jamais posé la question. « Il vaut mieux ne pas savoir ! » dit-elle. Elle consomme du steak tartare et a bien sûr goûté au foie gras de Noël. Elle veille simplement à ne manger que dans de bons restaurants ou chez elle. Sa seule concession est d'enlever la croûte du fromage non pasteurisé.

À vrai dire, je n'ai jamais vu de femme enceinte manger des huîtres. Mais s'il s'en présentait une, je hisserais mon énorme ventre sur la table pour l'en empêcher. Elle se demanderait sûrement ce qui lui arrive. Je comprends que les serveurs français soient perplexes quand je les interroge sur la liste des ingrédients de chaque plat. Les Françaises ne font généralement pas tant d'histoires.

La presse magazine française consacrée à la grossesse ne ressasse pas à longueur de pages les scénarios les plus improbables. Au contraire, elle suggère que la sérénité est ce dont les futures mères ont le plus besoin. « Neuf mois de Spa » titre l'un des magazines français. *Le Guide pour les futures mamans*, une petite brochure éditée avec le soutien du ministère de la Santé français, explique que ses conseils de nutrition favorisent la « croissance harmonieuse » de bébé et que les femmes devraient trouver l'« inspiration » dans différentes saveurs. Avant de conclure : « La grossesse devrait être un moment de grande joie ! »

Tout cela est-il sans risque ? Visiblement, oui. La France est loin devant les États-Unis sur tous les indicateurs de santé maternelle et infantile. Le taux de mortalité infantile français est inférieur à l'américain de 57 %. Selon l'Unicef, 6,6 % des bébés français naissent avec un poids trop faible, alors qu'ils sont 8 % aux États-Unis. Le risque de mortalité liée à la grossesse ou à l'accouchement est de 1 sur 6 900 en France[1] quand il atteint 1 sur 4 800 aux États-Unis.

Ce ne sont pas les statistiques ou les femmes que je croise qui me font accepter l'idée française que la grossesse doit être savourée, mais une chatte enceinte. Cette belle féline aux yeux gris vit dans notre cour et s'apprête à mettre bas. Sa propriétaire, une jolie peintre d'une quarantaine d'années, me dit qu'elle compte la faire opérer une fois que les chatons seront nés. Elle n'a pu se résoudre à le faire avant que la chatte ait au moins vécu une grossesse. « Je voulais qu'elle puisse faire cette expérience. »

Bien sûr, les futures mamans françaises ne se contentent pas d'être plus calmes que nous. Comme la chatte, elles sont aussi plus minces. Quelques Françaises s'empâtent au cours de leur grossesse. En général, plus on s'éloigne du cœur de Paris, plus le taux de graisse corporelle semble s'élever. Mais les Parisiennes de la classe moyenne que je vois évoluer autour de moi ressemblent de façon alarmante aux célébrités américaines qui se pavanent sur le tapis rouge. Elles ont un petit ventre rond comme un ballon de basket collé sur des jambes aussi fines que des baguettes. De dos, il est généralement impossible de deviner qu'elles sont enceintes.

Ces mensurations sont si fréquentes chez les femmes enceintes que j'arrête de m'extasier quand j'en croise une dans la rue ou au supermarché. Cette norme française est strictement réglée. Selon les calculettes de grossesse américaines, compte tenu de ma taille et de ma carrure, je suis supposée prendre jusqu'à quinze kilos. Mais les calculettes françaises indiquent que je ne devrais pas dépasser les douze kilos (il est déjà trop tard quand je l'apprends).

Comment les Françaises s'y prennent-elles pour respecter ces limites ? La pression sociale les y aide. Les amies, les sœurs et les belles-mères font clairement passer le message : ce n'est pas parce que l'on est enceinte que l'on doit se goinfrer. (Je n'ai pas de belle-famille française et j'évite le pire.) Audrey, une journaliste française avec trois enfants, me raconte qu'elle s'est confrontée à sa belle-sœur allemande qui, avant d'être enceinte, était grande et svelte.

« Dès qu'elle est tombée enceinte, elle est devenue énorme. Quand je l'ai vue, j'ai trouvé ça monstrueux. Elle m'a dit : "Non, ce n'est pas grave, j'ai le droit de me détendre, de devenir grosse. C'est pas un drame, etc." Pour nous, les Françaises, c'est un truc atroce. On ne dirait *jamais* une chose pareille. » Elle enfonce le clou sous couvert de constats sociologiques : « Je crois que les Américains et les Européens du Nord sont beaucoup plus souples que nous sur le point de l'esthétique. »

De toute évidence, le postulat de base est que les femmes enceintes doivent tout faire pour garder leur silhouette. Pendant que ma pédicure s'occupe de mes pieds, elle m'annonce soudain que je devrais masser mon ventre avec de l'huile d'amande douce si je ne veux pas avoir de vergetures. (Je m'y applique rigoureusement et ça marche.) Les magazines spécialisés sur la famille consacrent de longues chroniques aux moyens de diminuer les dégâts de la grossesse sur la poitrine. (Ne pas prendre trop de poids et doucher quotidiennement les seins à l'eau froide.)

Les médecins français traitent d'ailleurs les normes de prise de poids comme des Écritures saintes. Les Anglo-Saxonnes vivant à Paris sont régulièrement choquées quand leur gynécologue les sermonne parce qu'elles ont pris à peine plus de poids que prévu. « Ah, ces Français qui essaient d'empêcher leurs femmes de grossir ! » râle une Anglaise mariée à un Français en se rappelant ses rendez-vous de suivi de grossesse à Paris. Et les pédiatres ne se gênent pas pour commenter les ventres post-grossesses des mères lorsqu'elles leur amènent leurs enfants. (Le mien me jettera juste un regard inquiet.)

Mais si les Françaises enceintes grossissent peu, c'est surtout parce qu'elles font très attention à ne pas trop manger. Aucun guide de grossesse français ne conseille une ration nocturne de salade d'œufs, ni de manger au-delà de sa faim pour bien nourrir le fœtus. Les femmes qui attendent un enfant sont supposées manger les mêmes repas équilibrés que tout autre adulte en bonne santé. Un guide explique que si une femme a une petite faim, elle peut prendre un goûter dans l'après-midi constitué par exemple d'« un sixième de baguette », d'un morceau de fromage et d'un verre d'eau.

Pour les Français, les envies alimentaires des femmes enceintes sont des nuisances qu'il faut savoir maîtriser. Les Françaises ne se laissent pas croire – comme j'ai pu l'entendre chez certaines Américaines – que le fœtus veut du cheesecake. *Le Guide de la future maman*, un livre français sur la grossesse, explique qu'au lieu de laisser libre cours à leurs envies, les femmes doivent distraire leur corps en croquant une pomme ou une carotte.

Ce n'est pourtant pas aussi austère qu'il y paraît. Si les Françaises ne considèrent pas la grossesse comme un passe-droit pour se goinfrer, c'est également parce qu'elles n'ont pas passé la plus grande partie de leur vie d'adulte à s'empêcher de manger les choses qu'elles aiment – ou au contraire à s'en empiffrer. « Les Américaines mangent trop souvent en cachette, il en résulte plus de culpabilité que de plaisir », explique Mireille Guiliano dans son livre très intelligent *French Women Don't Get Fat*. « Prétendre que des plaisirs pareils n'existent pas, ou essayer de les éliminer de votre alimentation pendant une longue période, conduira certainement à une reprise de poids. »

À peu près à mi-chemin de ma grossesse, je découvre l'existence d'un groupe de soutien parisien pour les mères anglo-saxonnes. Je comprends immédiatement que nous faisons partie de la même famille. Les membres de l'association, qui s'appelle Message, savent où trouver des thérapeutes qui parlent anglais, où acheter une voiture automatique, et où se cachent les bouchers capables de faire rôtir une dinde entière pour Thanksgiving. (La volaille américaine ne rentre pas dans la plupart des fours français.) Sans parler des astuces qui égaient notre vie d'expatriées : vous vous demandez comment rapporter dans votre valise des boîtes de Kraft Macaroni & Cheese en revenant des États-Unis ? Vous jetez le sachet de pâtes, que vous pouvez acheter en France, et glissez les paquets de fromage dans votre valise.

Les membres de Message apprécient beaucoup de choses en France. Sur les forums internet, elles s'émerveillent du pain frais, des médicaments si bon marché et du fait que leurs bouts de choux veuillent du camembert à la fin du repas. L'une des membres glousse de ravissement devant son petit de cinq ans qui joue à « faire la grève » avec ses Playmobil.

Mais le groupe tient aussi le rôle d'airbag émotionnel face aux aspects les plus sombres de l'éducation à la française. Les membres s'échangent les numéros de téléphone de *doulas*[2] anglophones, se vendent des coussins d'allaitement et regardent d'un œil compatissant ces médecins français qui prescrivent des suppositoires aux enfants. Je connais une membre de l'association qui était si récalcitrante à l'idée de mettre sa fille dans une maternelle publique française qu'elle l'a inscrite dans une toute nouvelle école Montessori, où la petite a été – pendant un moment – la seule et unique élève.

Comme moi, ces femmes voient dans leur grossesse une bonne excuse pour sympathiser avec d'autres femmes, s'inquiéter, faire du shopping et manger ce qu'il leur plaît. Elles se serrent les coudes face à la pression sociale pour vite perdre les kilos pris pendant la grossesse. « Je m'en occuperai plus tard, écrit une maman. Je ne vais pas perdre un temps précieux à peser des feuilles de salade. »

Le plus gros dilemme pour les membres de Message et les autres anglophones que je côtoie est « *comment* accoucher ». À Rome, je rencontre une Américaine qui a accouché dans une cuve à vin italienne (remplie d'eau, pas de Pinot Grigio). À Miami, une amie qui a lu que les douleurs de l'accouchement étaient une construction culturelle s'est préparée à la naissance de ses jumeaux en n'apprenant que des respirations de yoga. Dans le groupe de femmes enceintes organisé par Message, une femme a prévu de rentrer chez elle à Sydney, en Australie, afin d'y vivre un authentique accouchement australien.

Comme pour tout le reste, nous essayons d'adapter la naissance à nos goûts. Un jour, mon gynécologue a reçu de la part d'une patiente américaine un projet de naissance long de quatre pages, demandant qu'on lui masse le clitoris après l'accouchement, les contractions utérines provoquées par l'orgasme étant supposées aider à expulser le placenta. Chose intéressante, cette femme précisait aussi que ses parents devaient être autorisés à entrer dans la salle d'accouchement. (« J'ai dit que c'était hors de question. Je ne voulais pas que l'on me colle un procès », m'a raconté mon médecin.)

Au cours de toutes ces discussions sur la naissance, je n'entends personne mentionner que le système de santé français est en première place dans le dernier classement de l'OMS, alors que les États-Unis n'arrivent qu'au trente-septième rang. Nous préférons nous focaliser sur la surmédicalisation du système français et son hostilité à tout ce qui est « naturel ». Les membres enceintes de Message craignent que les médecins français provoquent l'accouchement, les forcent à avoir une péridurale puis donnent le biberon en cachette à leur nouveau-né qui ne pourra ensuite plus prendre le sein. Nous lisons toutes la presse magazine américaine spécialisée sur la grossesse qui explique dans les moindres détails tous les risques de la péridurale. Celles qui ont accouché sans péridurale se pavanent comme des héros de guerre.

Effectivement, les péridurales sont aujourd'hui extrêmement répandues en France. Dans les hôpitaux et cliniques les mieux classés de Paris, près de 87 % des femmes accouchent sous péridurale (sans compter les césariennes)[3]. Dans certains hôpitaux, on atteint même les 98 à 99 %.

En France, très peu de femmes y trouvent à redire. Si les mères françaises me demandent souvent où je vais accoucher, elles ne me demandent en revanche jamais « comment ». Elles ne semblent pas s'en soucier. Ici, la manière dont vous accouchez ne vous situe pas dans un système de valeurs et ne définit pas le type de parents que vous deviendrez. Pour la plupart, il ne s'agit que d'une façon de faire passer le bébé, en toute sécurité, de l'utérus aux bras de sa maman.

En France, lorsque l'on accouche sans péridurale, on ne parle pas d'« accouchement naturel », mais d'« accouchement sans péridurale ». Quelques hôpitaux et maternités français proposent maintenant des piscines d'accouchement ou d'énormes ballons pour accompagner le travail. Mais rares sont les femmes françaises qui les utilisent. On m'explique que les 1 à 2 % de femmes qui accouchent sans péridurale à Paris sont soit des Américaines originales comme moi, soit des Françaises qui n'ont pas eu le temps d'arriver à l'hôpital.

Hélène est la Française la plus « nature » que je connaisse. Elle part faire du camping avec ses trois enfants et les a tous allaités bien après leurs deux ans. Elle a aussi toujours accouché sous péridurale. Elle n'y voit aucune contradiction. Elle aime vivre certaines choses au naturel et d'autres avec une mégadose de calmants.

La différence entre la France et les États-Unis se cristallise autour de l'histoire relatée par Jennifer et Éric, un couple rencontré par des amis communs. Elle est américaine, employée par une multinationale basée à Paris. Il est français et travaille dans la publicité. Ils vivent en proche banlieue avec leurs deux filles. Lorsque Jennifer est tombée enceinte pour la première fois, Éric a pensé qu'il suffisait de trouver un médecin, de choisir un hôpital et d'attendre l'arrivée du bébé. Mais Jennifer a ramené à la maison tout un tas de livres sur les bébés et a poussé Éric à s'y plonger avec elle.

Il ne comprend toujours pas les désirs d'accouchement de Jennifer. « Elle voulait accoucher sur un ballon ou dans un bain », se rappelle-t-il. Il se souvient des propos du médecin : « Nous ne sommes ni dans un zoo, ni dans un cirque. Vous accoucherez comme tout le monde, sur le dos, les jambes écartées, parce que s'il y a un problème, alors je pourrai m'en occuper. »

Jennifer voulait aussi accoucher sans anesthésie, afin de vraiment ressentir le passage de son enfant. « Je n'ai jamais entendu parler d'une femme qui veuille souffrir autant pour avoir un enfant », commente Éric.

L'expérience d'Éric et Jennifer, que j'ai fini par appeler l'« histoire du croissant », est emblématique. Lorsque Jennifer est entrée en travail, tous ses projets de naissance sont tombés à l'eau : une césarienne s'imposait. Le médecin a envoyé Éric dans la salle d'attente. Jennifer a finalement accouché d'une petite fille en pleine forme. Quelques heures plus tard, dans la salle de repos, Éric lui a dit qu'il venait de manger un croissant.

Trois ans ont passé et le sang de Jennifer ne fait toujours qu'un seul tour lorsqu'elle pense à cette viennoiserie. « Éric n'était pas physiquement présent [dans la salle d'attente]. Alors que j'entrais dans le bloc opératoire, il est sorti de la clinique pour aller à la boulangerie s'acheter un croissant. Puis il est revenu et il l'a tranquillement mangé. »

Ce n'était pas du tout ce que Jennifer avait imaginé. Elle aurait préféré pouvoir se dire : « Mon mari doit être assis, en train de se ronger les sangs et de se demander : "Ça va être une fille ou un garçon ?" » Elle souligne qu'il y avait d'ailleurs un distributeur de confiseries près de la salle d'attente. Il aurait pu s'acheter un sachet de cacahuètes.

Lorsque Éric raconte sa version de l'histoire du croissant, lui aussi perd son sang froid. Effectivement, il y avait un distributeur automatique, mais « c'était très stressant, j'avais besoin de quelque chose de plus consistant, explique-t-il. J'étais certain d'avoir vu une boulangerie juste au coin ; finalement elle était un peu plus loin dans la rue. Jennifer était partie en salle d'opération à sept heures, je savais qu'il y avait au moins une heure de préparation et je crois qu'elle est revenue vers onze heures. Alors pendant tout ce temps, oui, j'ai pris un quart d'heure pour aller grignoter un truc. »

Dans un premier temps, j'interprète l'histoire du croissant comme un nouvel exemple typique des *Hommes viennent de Mars, les femmes viennent de Vénus*. Mais je finis par comprendre qu'il s'agit en fait d'une parabole franco-américaine. Pour Jennifer, le désir égoïste d'Éric de manger un croissant signifiait qu'il n'était pas prêt à sacrifier son confort pour sa famille et son nouveau bébé. Elle a eu peur qu'il ne soit pas suffisamment concerné par son rôle de père.

Rien de tel pour Éric. Il se sentait profondément investi dans la naissance et il est un père très impliqué. Mais à ce moment précis, il était également calme, détaché et assez à l'écoute de lui-même pour aller chercher une boulangerie. Il voulait devenir père, mais il avait aussi envie de manger un croissant. « Avec vous les Américains, j'ai parfois l'impression que si vous ne souffrez pas, vous vous sentez coupables de quelque chose », dit-il.

J'aime croire que je ne suis pas le genre d'épouse qui serait agacée par un croissant, ou du moins que Simon est le genre de mari qui cacherait les miettes. Je lui propose un projet de naissance statuant qu'il ne doit, sous aucune condition, avoir le droit de couper le cordon ombilical. Mais vu que j'ai déjà tendance à hurler à la mort quand je me fais épiler les jambes à la cire, je ne pense pas être une super candidate pour un accouchement « naturel ». Je doute de pouvoir appréhender la douleur comme une construction culturelle.

Je m'inquiète plus de savoir si j'arriverai à temps à la maternité. Suivant les conseils d'une amie, je me suis inscrite dans une clinique à l'autre bout de la ville. Si le bébé commence à se manifester à une heure de pointe, ça pourrait se corser.

Et encore, si je parviens à monter dans un taxi. La rumeur circule chez les anglophones (qui n'ont généralement pas de voiture, vu qu'ils ne sont ici que provisoirement) que les chauffeurs de taxi français refusent de prendre les femmes en travail de peur qu'elles ne couvrent leurs sièges de liquide amniotique. Il y a beaucoup d'autres raisons de ne pas souhaiter un accouchement sur le siège arrière d'un taxi... Simon a déjà la chair de poule rien qu'à l'idée de lire les instructions en cas d'accouchement d'urgence.

Mes contractions commencent vers huit heures du soir. Ce qui veut dire que je ne mangerai pas le repas thaï encore fumant que nous venons d'aller chercher. (Je rêverai de pad thaï sur mon lit d'hôpital.) Au moins, les rues ne sont pas embouteillées. Simon appelle un taxi et je me débrouille pour y monter calmement. Que le chauffeur – un moustachu dans les cinquante ans – essaye donc de m'en faire descendre !

Évidemment, il n'y avait aucune raison de s'inquiéter. Dès que nous roulons et qu'il entend mes gémissements, le chauffeur s'enthousiasme. Ça fait des années qu'il attend que cet événement théâtral arrive enfin dans son taxi !

Tandis que nous traversons Paris, je déboucle ma ceinture de sécurité et glisse par terre, gémissant avec la douleur qui enfle. Rien à voir avec un petit coup de cire sur les jambes. J'envoie aux oubliettes mes fantasmes de naissance naturelle. Simon ouvre la fenêtre, pour que j'aie un peu d'air, à moins que ce ne soit pour couvrir mes plaintes.

Pendant ce temps, le chauffeur accélère. J'aperçois les lampadaires qui défilent. Il se met à nous raconter bien fort la naissance de son fils, vingt-cinq ans plus tôt. Entre deux pics de douleurs au pied du siège arrière, je le supplie : « Ralentissez, s'il vous plaît ! » Simon est pâle et silencieux, il regarde droit devant lui.

« À quoi tu penses ? lui demandé-je en haletant.

— Au football hollandais », répond-il.

Lorsque nous arrivons à la clinique, le chauffeur s'arrête devant l'entrée d'urgence, bondit hors de son taxi et se précipite à l'intérieur. On dirait qu'il veut nous accompagner pour la naissance. Il revient quelques instants plus tard, essoufflé et en sueur. « Ils vous attendent ! » lance-t-il.

Je titube vers la porte, tandis que Simon paie la course et persuade le taxi de ne pas rester. Dès que je vois une sage-femme, je déclare dans mon français le plus clair : « Je voudrais une péridurale ! » Si j'avais eu une liasse de billets sous la main, je la lui aurais tendue.

Il s'avère que malgré leur passion pour la péridurale, les médecins français ne la font pas sur commande. La sage-femme me conduit dans une salle pour examiner mon col de l'utérus, puis me regarde avec un sourire perplexe. Je suis à peine dilatée à trois centimètres sur une échelle de dix. Les femmes ne demandent généralement pas de péridurale si tôt, dit-elle. L'anesthésiste va pouvoir manger son pad thaï, *lui*.

Elle me met la musique la plus apaisante que j'ai jamais entendue – une sorte de berceuse tibétaine – et me branche sur un goutte-à-goutte qui atténue la douleur. Épuisée, je finis par m'endormir.

Je vous épargnerai les détails de cet accouchement ultra-médicalisé et ultra-agréable. Grâce à la péridurale, expulser le bébé se fait avec la précision et l'intensité d'un mouvement de yoga, mais sans aucun désagrément. Je suis si concentrée que je ne suis même pas gênée lorsque la fille du gynécologue – qui habite au coin de la rue – passe après la naissance pour demander de l'argent à sa mère.

Il se trouve que l'anesthésiste, la sage-femme et le médecin sont toutes des femmes. (Simon est là, lui aussi, il s'est décalé sur le côté afin de ne pas voir le « bout du tunnel ».) Le bébé vient au monde alors que le soleil se lève.

J'ai lu quelque part qu'à la naissance, les bébés ressemblent à leur père afin de les rassurer sur leur paternité et de les motiver à aller chasser (ou à investir en bourse) pour nourrir leur famille. Ma première pensée lorsque notre fille apparaît est qu'elle ne ressemble pas simplement à Simon : c'est son portrait craché.

Nous la câlinons tous les deux pendant un moment. Puis les infirmières lui passent une tenue d'une élégance toute française, offerte par la maternité, avec un petit bonnet (*beanie* en anglais) écru. Nous lui donnons bien sûr un vrai prénom, mais à cause du petit bonnet, nous l'appelons surtout Bean.

Je reste six jours à la clinique, ce qui est la pratique habituelle en France. Je ne vois aucune raison d'en partir : il y a du pain frais à chaque repas (pas besoin de sortir chercher un croissant) et un jardin baigné de soleil où je peux m'esquiver.

Le champagne est inclus dans la longue liste des vins servis dans la chambre.

Comme pour souligner qu'il y a des principes d'éducation universels en France, les bébés y naissent avec leur lot d'instructions. Chaque nouveau-né reçoit un livret blanc, *le carnet de santé*, qui accompagne l'enfant jusqu'à ses dix-huit ans. Les médecins y notent toutes les visites et vaccinations et y suivent la taille, le poids et la circonférence de la tête de l'enfant sur de beaux graphiques. Le carnet prodigue également des conseils de bon sens sur l'alimentation du bébé, la façon de lui donner son bain, les dates de bilan de santé et des indications pour repérer certains problèmes médicaux.

Mais le carnet ne me prépare pas à la transformation de Bean. Pendant le premier mois, elle continue à ressembler trait pour trait à Simon, avec des cheveux et des yeux noirs. Elle a même hérité de ses fossettes. S'il y a un seul doute à avoir, c'est sur la mère. Mes gènes de blonde aux yeux clairs semblent avoir été mis K-O dès le premier round par les gènes méditerranéens de son père.

Vers ses deux mois, Bean se métamorphose. Ses cheveux blondissent et ses yeux virent du marron au bleu. Notre petit bébé méditerranéen a subitement tout d'une Suédoise.

Légalement, Bean est américaine. (Elle pourra demander la nationalité française quand elle sera plus âgée.) Mais je pressens que très vite, elle parlera mieux français que moi. Allons-nous élever une petite Américaine ou une petite Française ? Je ne sais pas ; nous n'aurons peut-être pas le choix.

CHAPITRE 3

« ELLE FAIT SES NUITS ? »

Quelques semaines après avoir ramené Bean à la maison, les voisins de notre petite cour commencent à me demander : « Alors, elle fait ses nuits ? »

C'est la première fois que j'entends cette expression française qui signifie « dormir toute la nuit ». Dans un premier temps, je trouve cela réconfortant. Si ce sont *ses* nuits à elle, elle va bien finir par les réclamer, alors que s'il ne s'agissait que de nuits impersonnelles, elle pourrait ne jamais s'en préoccuper.

Mais bien vite, la question m'agace. Bien sûr que non elle ne « fait pas ses nuits », elle a deux mois (puis trois, puis quatre). Tout le monde sait que les petits bébés dorment mal. Je connais quelques Américaines qui, par pure chance, ont des enfants de cet âge qui dorment de neuf heures du soir à sept heures le lendemain matin. Mais la plupart des parents que je côtoie ne dorment pas une seule nuit d'affilée avant le premier anniversaire du bébé. Et puis flûte, je connais même des enfants de quatre ans qui font encore des apparitions dans la chambre de leurs parents au milieu de la nuit.

Mes amies anglo-saxonnes et ma famille n'y trouvent rien à redire et auraient plutôt tendance à poser une question plus ouverte : « Comment est-ce qu'elle dort ? » La question n'attend d'ailleurs pas vraiment de réponse circonstanciée, mais offre l'occasion aux parents à bout de force d'exprimer leur frustration.

Pour nous Anglo-Saxonnes, les bébés sont immédiatement associés au manque de sommeil. Un titre du *Daily Mail* britannique déclare (selon une étude réalisée par un fabricant de lits) : « Les parents de nouveau-nés perdent SIX MOIS de sommeil au cours des deux premières années de leur enfant. » Les lecteurs semblent trouver l'article crédible. « C'est la triste vérité, commente une personne. Notre fille d'un an n'a pas dormi une seule nuit complète en douze mois, et si nous avons quatre heures de sommeil d'affilée, nous estimons que c'est une bonne nuit. » Un sondage mené par la Fondation nationale du sommeil aux États-Unis a établi que 46 % des bambins se réveillent au cours de la nuit, mais que seuls 11 % des parents pensent que leur enfant a des problèmes de sommeil. J'ai vu un jour, à Fort Lauderdale en Floride, un enfant qui portait un tee-shirt sur lequel était écrit : « Fiesta dans mon berceau à trois heures du mat' ! »

Mes amies anglo-saxonnes sont plutôt enclines à penser que les problèmes de sommeil de leurs enfants sont uniques et qu'elles doivent s'y adapter. Un jour que je me promène dans Paris avec une amie anglaise, son petit lui grimpe dans les bras, passe sa main sous son chemisier, prend son sein et s'endort. Mon amie est clairement mal à l'aise que je sois témoin de ce rituel, mais elle murmure que c'est le seul moyen de l'endormir pour sa sieste. Elle continue de marcher en le portant dans cette position pendant trois quarts d'heure.

Simon et moi avons bien sûr choisi une technique pour gérer le sommeil de Bean. Nous sommes partis du principe qu'il était nécessaire de garder le bébé éveillé après la tétée. Nous avons fait des efforts énormes pour appliquer cette stratégie à Bean et, autant que je sache, n'avons obtenu aucun résultat.

Nous finissons par abandonner cette théorie pour en essayer d'autres. Nous maintenons Bean à la lumière du jour pendant la journée et dans le noir la nuit. Nous lui donnons son bain tous les soirs à la même heure et tentons d'espacer le temps entre les tétées. Pendant quelques jours, je ne mange que des crackers et du brie parce qu'on m'a dit qu'une alimentation plus grasse épaissirait mon lait. Une New-Yorkaise m'explique qu'elle a lu que nous devrions faire des bruits de chuintement bien forts qui imitent les sons entendus par l'enfant dans le ventre. Nous chuintons docilement pendant des heures.

Rien ne semble fonctionner. À trois mois, Bean continue à se réveiller plusieurs fois par nuit. Nous suivons un long rituel au cours duquel je l'endors au sein, puis je la garde dans mes bras pendant quinze minutes pour qu'elle ne se réveille pas quand je la repose dans son couffin. Simon voit soudain l'avenir se voiler d'une sombre malédiction : il plonge dans une dépression nocturne, convaincu que cela ne s'arrêtera jamais. Alors que ma myopie, au contraire, passe maintenant pour une évolution brillante de l'espèce ; je ne me demande pas si cela va encore durer six mois (ça sera bien le cas), je vis « à la nuit la nuit ».

Ce qui me console, c'est que c'était prévisible : les parents de nouveau-nés ne sont pas supposés bien dormir. Presque tous les parents américains et britanniques que je connais déclarent que leurs enfants ont commencé à dormir toute la nuit vers huit-neuf mois, si ce n'est plus tard.

« C'était vraiment tôt », dit un ami de Simon qui vit dans l'État du Vermont, en consultant sa femme pour se rappeler à quel âge leur fils a cessé de les réveiller à trois heures du matin. « À quel âge ? Un an peut-être ? » Kristin, une avocate anglaise à Paris, me raconte que son bébé de seize mois fait ses nuits avant d'ajouter : « Bon, quand je dis "fait ses nuits", je voulais dire qu'elle se réveille encore deux fois par nuit. Mais juste pour cinq minutes. »

Les histoires de parents qui rencontrent encore plus de problèmes que nous me réconfortent énormément. Elles ne sont pas difficiles à trouver. Ma cousine, qui dort avec son bébé de dix mois, n'a pas repris son travail d'enseignante, en partie parce qu'elle passe ses nuits à allaiter son fils. Je l'appelle souvent pour lui demander : « Comment est-ce qu'il dort ? »

La pire des histoires que j'ai entendues est celle d'Alison, l'amie d'une amie à Washington D.C., qui a un fils de sept mois. Alison me raconte qu'elle a allaité son fils toutes les deux heures, vingt-quatre heures sur vingt-quatre pendant ses six premiers mois. À sept mois, il a commencé à dormir quatre heures d'affilée. Alison – une experte en marketing, diplômée d'une prestigieuse université américaine – ne s'appesantit pas sur sa fatigue, ni sur sa carrière interrompue. Elle a l'impression de ne pas avoir d'autre choix que de s'occuper des habitudes nocturnes exténuantes de son bébé.

L'alternative à ces nuits discontinues pourrait être la méthode dite de l'« extinction », qui consiste à laisser les bébés pleurer jusqu'à ce qu'ils s'endorment. Je dévore tout ce qui se présente sur le sujet. Apparemment, cela s'adresse aux bébés qui ont déjà six à sept mois. Alison me confie qu'elle a essayé de le faire une nuit, mais a finalement abandonné ; elle trouvait cela trop cruel. Les discussions des forums internet au sujet de l'extinction se transforment rapidement en querelles, où les adversaires affirment que la pratique est au mieux égoïste et au pire abusive. « La technique de l'extinction me révulse », poste une mère sur babble.com. Une autre écrit : « Si vous voulez dormir toute la nuit, il vaut mieux ne pas avoir de bébé. Adoptez un enfant de trois ans à la place. »

Bien que la technique de l'extinction semble atroce, Simon et moi y sommes théoriquement favorables. Mais nous avons l'impression que Bean est trop petite pour une approche aussi militaire. Comme nos amis anglophones et notre famille, nous pensons qu'elle se réveille la nuit parce qu'elle a faim ou besoin de quelque chose ou simplement parce que c'est ce que font tous les bébés. Elle est toute petite, alors nous suivons son rythme.

J'aborde également le sujet du sommeil avec des parents français. Des voisins, des collègues de travail et des amis d'amis. Tous attestent que leurs enfants ont fait leurs nuits bien plus tôt. Samia affirme que sa fille qui a maintenant deux ans a commencé à faire ses nuits à six semaines ; elle a noté la date précise. Stéphanie, une inspectrice des impôts mince comme un fil qui a un appartement dans la même cour que nous, prend un air gêné quand je lui demande à quel âge son fils a fait ses nuits.

« Tard, très tard, très très tard ! répond-elle. Il a commencé à faire ses nuits en novembre, ça lui faisait… quatre mois. Pour moi, c'était très tard. » Certaines histoires françaises sur le sommeil des bébés semblent être trop belles pour être vraies. Alexandra, qui travaille dans une crèche française et vit en banlieue parisienne, raconte que ses deux filles ont fait leur nuit pratiquement à la naissance. « Déjà, à la maternité, elles ne se réveillaient que pour le biberon à six heures du matin. »

Une majorité de ces bébés prennent le biberon ou alternent entre lait maternel et lait industriel. Mais cela ne semble pas faire une grande différence. Les bébés français allaités au sein que je connais font leurs nuits très tôt eux aussi. Certaines mères françaises me racontent qu'elles ont arrêté d'allaiter quand elles ont repris leur travail, vers les trois mois de leur enfant. Mais à cet âge, il faisait déjà ses nuits.

Dans un premier temps, je me dis que je ne rencontre que des parents français nés sous une bonne étoile. Mais très vite, les faits sont accablants : les bébés français font leurs nuits tôt, cela semble être la norme. Tout comme les Américains ont des foules d'histoires terribles à propos d'enfants qui ne dorment pas, les Français en ont des tonnes sur ceux qui dorment bien. Mes voisins m'agacent soudain beaucoup moins : ils ne cherchent pas à me persécuter, ils croient vraiment qu'un bébé de deux mois peut déjà faire ses nuits.

Les parents français ne s'attendent pas à ce que leurs bébés dorment bien dès leur naissance. Mais avant que la torture du manque de sommeil ne devienne absolument insupportable – généralement au bout de trois mois – tout rentre à peu près dans l'ordre. Les parents parlent de leurs nuits interrompues comme d'un phénomène de courte durée, pas d'un problème chronique. Toutes les personnes avec qui je discute semblent persuadées que les bébés sont capables de faire leurs nuits avant d'avoir six mois, si ce n'est plus tôt. « Certains bébés font leurs nuits à six semaines, d'autres ont besoin de quatre mois pour trouver leur rythme », explique un article du magazine *Maman !* Selon *Le Sommeil, le rêve et l'enfant,* un guide best-seller sur le sommeil de l'enfant, entre trois et six mois « l'enfant fera des nuits complètes, de huit à neuf heures minimum. Les parents redécouvriront le plaisir des longues nuits ininterrompues. »

Naturellement, il y a des exceptions. C'est pour cela qu'il existe aussi en France des livres sur le sommeil et des pédiatres spécialisés. Certains bébés qui font leurs nuits à deux mois recommencent à se réveiller quelques mois plus tard. J'entends parler d'enfants français qui ne font pas leurs nuits avant un an. Mais après toutes ces années passées en France, je n'en ai jamais croisé un seul. Marion, la maman d'une petite fille qui devient très copine avec Bean, se souvient que son fils a fait ses nuits à six mois. C'est le record entre toutes mes amies et connaissances françaises. La plupart sont comme Paul, un architecte, qui raconte que son fils de trois mois et demi dort douze heures d'affilée de huit heures du soir à huit heures du matin.

Ce qui me rend folle, c'est que si les Français savent précisément dire quand leurs enfants ont commencé à faire leurs nuits, ils sont en revanche incapables d'expliquer pourquoi. Ils ne parlent pas de technique de l'extinction, ni de « méthode Ferber[1]», une technique développée par le Dr Richard Ferber, ni d'aucune autre méthode au nom déposé. Et ils affirment qu'ils n'ont jamais laissé pleurer leur bébé longtemps. La plupart des parents français sont d'ailleurs plutôt mal à l'aise quand j'évoque cette méthode.

Discuter avec des parents plus âgés ne m'aide guère plus. Une publicitaire d'une cinquantaine d'années – qui va au bureau en tailleur et talons aiguilles – est surprise d'apprendre que ma fille a des problèmes de sommeil. « Tu ne peux pas lui donner quelque chose pour dormir ? Un médicament ou un truc comme ça ? » me demande-t-elle avant de me conseiller de laisser le bébé à quelqu'un pour partir me reposer une semaine ou deux dans un spa.

Aucun des parents plus jeunes que je connais ne donne des médicaments à ses enfants pour dormir et ne s'esquive dans un sauna. La plupart assurent que leurs bébés ont appris tout seuls à dormir de longues heures d'affilée. Stéphanie, l'inspectrice des impôts, affirme qu'elle n'y est pas pour grand-chose. « Je crois que c'est le bébé qui décide. »

Fanny, trente-trois ans et éditrice d'un groupe de magazines financiers, dit la même chose : vers trois mois, son fils Antoine a spontanément arrêté de se réveiller à trois heures du matin pour dormir toute la nuit.

« Il a décidé de dormir, explique-t-elle. Je n'ai jamais rien forcé. Tu lui donnes à manger quand il a faim, et il finira par se régler tout seul. »

Vincent, le mari de Fanny, écoute notre conversation et souligne que cela correspond exactement au moment où Fanny a repris le travail. Comme d'autres parents avec qui je m'entretiens, il est persuadé que ce n'est pas une coïncidence. Il maintient qu'Antoine a compris que sa mère avait besoin de se réveiller tôt pour aller au bureau. Vincent compare cette compréhension à celle des fourmis qui communiquent entre elles en échangeant des ondes chimiques avec leurs antennes.

« Nous croyons beaucoup au feeling, dit Vincent. Nous pensons que les enfants comprennent les choses. »

Quelques parents français me donnent des conseils. La plupart me racontent qu'au cours des premiers mois, ils ont gardé leur bébé avec eux à la lumière du jour, même pour la sieste et qu'ils le mettaient au lit le soir, dans le noir. Presque tous assurent qu'ils ont attentivement observé leur bébé dès la naissance afin de pouvoir suivre son rythme. Ils emploient si fréquemment le terme de « rythme » qu'on dirait qu'ils parlent de musique plutôt que de l'éducation de leur enfant.

« De la naissance à six mois, le mieux est de respecter leur rythme de sommeil », explique Alexandra, la mère dont les bébés ont quasiment fait leurs nuits à la maternité.

Moi aussi j'observe Bean… très souvent à trois heures du matin ! Alors, pourquoi n'y a-t-il aucun rythme chez nous ? Si faire ses nuits arrive tout seul, pourquoi cela ne nous arrive-t-il pas à nous aussi ?

Lorsque je fais part de ma frustration à Gabrielle, l'une de mes nouvelles connaissances françaises, elle me recommande de lire *L'Enfant et son sommeil*. L'auteur, Hélène De Leersnyder, est une pédiatre parisienne reconnue, spécialisée dans les problèmes de sommeil.

Le livre est déconcertant. J'ai l'habitude des ouvrages de développement personnel américains, au style très direct. Le livre d'Hélène De Leersnyder débute sur une citation de Marcel Proust, avant d'enchaîner sur une ode au sommeil.

« Le sommeil est le révélateur de l'enfant et de la vie familiale, écrit Hélène De Leersnyder. Pour se coucher et s'endormir, se séparer quelques heures de ses parents, l'enfant doit avoir confiance dans son corps pour le laisser vivre sans son contrôle, et être serein pour aborder l'étrangeté des pensées de la nuit. »

Dans *L'Enfant et son sommeil*, Hélène De Leersnyder explique également qu'un bébé ne peut s'endormir facilement que s'il a accepté le fait d'être un individu séparé du corps de sa mère. « Découvrir la paix des longues nuits sereines et accepter la solitude, n'est-ce pas là le signe que l'enfant a retrouvé sa paix intérieure, qu'il a dépassé son chagrin ? »

Même les passages scientifiques de ce livre ont un goût existentialiste. Ce que nous appelons le « sommeil aux mouvements oculaires rapides » se traduit par « sommeil paradoxal » en français, parce que le corps est passif alors que le cerveau est très actif. « Apprendre à dormir, apprendre à vivre, n'est-ce pas la même chose ? » s'interroge le Dr De Leersnyder.

À dire vrai, ces informations me laissent un peu perplexe. Je ne cherche pas une méta-théorie pour réfléchir au sommeil de Bean. Je veux simplement qu'elle dorme. Comment comprendre pourquoi les bébés français dorment si bien si leurs propres parents ne savent pas l'expliquer et si leurs livres sur le sujet sont de la poésie sibylline ? Que doit faire une mère pour avoir une bonne nuit de sommeil ?

Bizarrement, c'est à New York que j'ai une révélation sur les règles françaises régissant le sommeil des bébés. Je suis venue aux États-Unis rendre visite à ma famille et à des amis et prendre directement la température de la parentalité dans ce coin des États-Unis. Durant une partie de mon séjour, je loge à TriBeCa, un quartier du sud de Manhattan où les bâtiments industriels ont été convertis en lofts branchés. Je passe du temps dans une aire de jeux et y discute avec d'autres mamans.

Je croyais connaître la littérature classique sur l'éducation et les enfants, mais aux yeux de ces femmes, je suis clairement une dilettante. Elles ont non seulement tout lu, mais elles ont ensuite élaboré leurs propres styles d'éducation, telles des créatrices de mode éclectiques, se fiant à différents spécialistes pour le sommeil, la discipline et l'alimentation. Lorsque je mentionne naïvement la notion de « maternage proximal[2] » à l'une des mères de TriBeCa, elle rétorque aussitôt : « Je n'aime pas ce terme. Quelle mère n'est pas proche de son enfant ? »

Lorsque nous abordons le sujet du sommeil de leurs enfants, je m'attends à ce que ces femmes citent des multitudes de théories pour ensuite se livrer à l'habituelle complainte américaine à propos de leurs petits d'un an qui se réveillent une ou deux fois par nuit. Pas du tout. Au contraire, elles affirment qu'à TriBeCa, de nombreux bébés font leurs nuits *à la française*, vers deux mois. Une mère, photographe, mentionne qu'elle amène son enfant, comme beaucoup d'autres, chez le pédiatre du coin, le Dr Michel Cohen. Elle prononce « Micheeelle » comme dans la chanson des Beatles.

Je demande à tout hasard : « Il est français ?

— Oui, répond-elle.

— Français de France ?

— Français de France », conclut-elle.

Je prends immédiatement rendez-vous avec le Dr Cohen. La salle d'attente ne laisse la place à aucun doute, nous sommes bien à TriBeCa et pas à Paris : fauteuil lounge Eames, papier peint rétro des années 1970 et maman lesbienne coiffée d'un borsalino. Une réceptionniste en débardeur moulant noir appelle les patients : « Ella ? Benjamin ? »

« Elle fait ses nuits ? »

Lorsque le Dr Cohen sort de son cabinet, je comprends immédiatement pourquoi il a un succès pareil auprès des mères de TriBeCa. Une chevelure brune débridée, des yeux de biche et la peau hâlée. Il porte des sandales et une chemise griffée sur son bermuda. Deux décennies passées aux États-Unis n'ont pas effacé ses tournures de phrase et son charmant accent français. Il a terminé sa journée et suggère que nous prenions un café à l'extérieur. Je le suis volontiers.

Il est clair que le Dr Cohen adore les États-Unis, en partie parce que l'Amérique vénère les francs-tireurs et les entrepreneurs. Au pays où la médecine est une entreprise, il s'est façonné une place de médecin de quartier. (Il salue, en les nommant, une douzaine de personnes tandis que nous sirotons nos bières.) Il dirige maintenant cinq cabinets sous le nom de Tribeca Pediatrics et a publié un savoureux guide pour les parents intitulé *The New Basics* avec sa photo en couverture.

Le Dr Cohen rechigne à mettre au crédit de la France les nouveaux concepts qu'il a introduits au sud de Manhattan. Il a quitté la France à la fin des années 1980 et s'en souvient comme d'un pays où on laissait pleurer les bébés dans les hôpitaux. « Même aujourd'hui, dit-il, vous ne pouvez pas aller dans un parc sans voir un enfant qui se fait frapper. » (C'était peut-être vrai avant, mais j'ai passé des heures dans les parcs parisiens et je n'ai assisté qu'à une seule fessée.)

Certains des conseils du Dr Cohen rejoignent cependant les attitudes des parents parisiens actuels. Comme les Français « de France », il recommande de commencer la diversification alimentaire du bébé avec des légumes et des fruits plutôt que des céréales. Il n'est pas obsédé par les allergies. Il parle de « rythmes » et propose d'apprendre aux enfants à vivre la frustration. Il souligne les vertus du calme et accorde une grande importance à la qualité de vie des parents, pas uniquement au bien-être de l'enfant.

Comment le Dr Cohen s'y prend-il pour faire dormir les bébés de TriBeCa ? « Ma première intervention est de recommander de ne pas se précipiter sur le bébé pendant la nuit, m'explique-t-il. Il faut lui laisser la possibilité de s'apaiser tout seul et ne pas répondre systématiquement, même quand il vient juste de naître. »

C'est peut-être la bière (ou les yeux de biche du Dr Cohen), mais je suis saisie par ses propos. Je me rends compte que j'ai effectivement vu des mères et des nounous françaises attendre un petit moment avant de s'occuper de leur bébé dans la journée. Je n'avais jamais imaginé que cela pouvait être délibéré ou même important. À dire vrai, cela m'avait plutôt agacée. Je ne savais pas qu'il fallait faire patienter les bébés. Cela expliquerait-il pourquoi les bébés français font leurs nuits si tôt, prétendument presque sans aucune larme ?

Ne pas se précipiter sur l'enfant comme le conseille le Dr Cohen semble aller de pair avec l'observation du bébé. Une maman ne peut pas véritablement « observer » son enfant si elle bondit pour le prendre dès le premier pleur.

Pour le Dr Cohen, cette pause – je suis tentée de l'appeler la « Pause » avec un grand P – est cruciale. Il assure que la pratiquer très tôt dans la vie de l'enfant a une grande influence sur son sommeil. « Les parents un peu moins réactifs à l'agitation nocturne de leur bébé ont toujours des enfants qui dorment bien. Alors que ceux qui réagissent au quart de tour ont des enfants qui se réveillent plusieurs fois par nuit, jusqu'à ce que cela en devienne insupportable », écrit-il. La plupart des bébés qu'examine le Dr Cohen sont allaités au sein. Mais ceci ne semble pas faire de différence.

Une des raisons qui justifie de marquer la Pause est que les jeunes bébés sont bruyants et agités dans leur sommeil. C'est tout à fait normal. Si les parents accourent et prennent le bébé dans leurs bras à chaque couinement, ils finissent en fait par le réveiller.

Par ailleurs, les bébés se réveillent entre chacun de leurs cycles de sommeil qui durent environ deux heures. Il est donc naturel qu'ils pleurent un peu, le temps d'apprendre à enchaîner ces cycles. Si un parent interprète automatiquement ces pleurs comme une demande de nourriture ou un signe de détresse et se précipite pour apaiser le bébé, ce dernier aura du mal à apprendre à passer tout seul d'un cycle à l'autre. Il aura alors besoin d'un adulte pour le rendormir à la fin de chaque cycle.

Les nouveau-nés ne peuvent généralement pas passer d'un cycle à l'autre tout seuls. Mais ils en deviennent capables vers deux ou trois mois, à condition qu'ils aient eu la possibilité de s'y essayer. Selon le Dr Cohen, enchaîner les cycles est un peu comme faire du vélo : si un bébé parvient à se rendormir tout seul ne serait-ce qu'une fois, la suivante n'en sera que plus facile. (Les adultes se réveillent eux aussi entre les cycles de sommeil, mais ne s'en souviennent habituellement pas parce qu'ils ont appris à plonger directement dans le prochain.)

Le Dr Cohen explique que les bébés ont parfois besoin d'être nourris ou pris dans les bras. Mais encore faut-il savoir marquer une pause pour en être certain. « Bien sûr, si la demande du bébé se fait plus insistante, il faudra le nourrir, écrit-il. Je ne dis pas qu'il faut laisser hurler votre enfant. » Il précise simplement qu'il faut laisser au bébé une chance d'apprendre.

Cette idée ne m'est pas totalement étrangère. Mes livres américains sur le sommeil m'y ont familiarisée. Mais jusqu'à présent, je n'y voyais qu'un conseil parmi d'autres. Je l'ai peut-être mis en pratique une fois ou deux avec Bean, sans grande conviction. Jamais personne ne m'avait fait remarquer que c'était *la* chose la plus importante à faire et qu'il fallait s'y tenir.

L'instruction précise du Dr Cohen pourrait résoudre le mystère de ces parents français qui assurent n'avoir jamais laissé pleurer leur enfant pendant des heures. S'ils pratiquent la Pause au cours des deux premiers mois, le bébé peut apprendre à se rendormir tout seul. Et ils n'auront pas ensuite à le laisser pleurer jusqu'à ce qu'il se rendorme.

La Pause ne semble pas aussi brutale que la technique de l'extinction. Il s'agit plutôt d'accompagner l'apprentissage du sommeil. Mais il faut la pratiquer au cours d'une période de temps réduite : selon le Dr Cohen, il faut agir avant que le bébé ait quatre mois. Après, les mauvaises habitudes de sommeil se seront déjà installées.

Le Dr Cohen m'explique que ses « techniques de sommeil » sont très convaincantes auprès des parents de TriBeCa qui recherchent l'efficacité. Mais les autres parents américains sont souvent plus réfractaires. Ils refusent de laisser pleurer leur bébé, même pour un court moment. Le Dr Cohen déclare qu'il finit par persuader presque tous ceux qui viennent le consulter. « J'essaie de leur expliquer les raisons profondes des choses », dit-il. Il leur apprend en fait ce qu'est le sommeil.

À mon retour à Paris, je demande immédiatement à des mères françaises si elles pratiquent la Pause. Toutes me répondent que « oui, bien sûr ». C'était tellement évident qu'elles n'avaient pas pensé à m'en parler, m'expliquent-elles. La plupart disent qu'elles ont commencé à pratiquer la Pause lorsque leurs bébés avaient quelques semaines.

Alexandra, dont les filles ont fait leur nuit dès la maternité, confirme que bien sûr elle ne se précipitait pas sur elles au premier couinement. Elle attendait parfois cinq à dix minutes avant de les prendre dans ses bras. Elle voulait voir si elles allaient enchaîner avec le cycle suivant et se rendormir ou si quelque chose d'autre les gênait : la faim, une couche sale ou simplement l'anxiété.

Alexandra – aux longs cheveux blonds attachés en queue-de-cheval – est le croisement étrange entre la mère « nature » et la *pom-pom girl*. Elle est extrêmement chaleureuse. Elle n'ignorait pas ses nouveau-nées. Au contraire, elle les observait attentivement. Elle était convaincue que lorsqu'elles pleuraient, elles essayaient de lui dire quelque chose. Elle profitait donc de cette Pause pour les regarder et les écouter. (Elle ajoute qu'une autre raison justifie de marquer la Pause : « leur apprendre la patience ».)

Les parents français n'utilisent pas ce terme de « Pause », il ne s'agit que d'une question de bon sens. (C'est l'Américaine en moi qui a besoin de lui donner un nom.) Mais ils semblent tous la pratiquer et estimer qu'elle est vitale pour le développement de l'enfant. C'est tellement simple. Je constate que le génie français n'essaie pas de sortir le nouveau truc révolutionnaire pour faire dormir tous les bébés. Voilà qui me permet de mettre de l'ordre dans mes idées. Je peux enfin me concentrer sur le seul point qui fasse vraiment la différence.

À présent que je suis habituée à marquer la Pause, je commence à noter qu'elle est en fait très souvent mentionnée en France. « Avant de répondre à une interrogation, le bon sens nous pousse à écouter la question », explique un article dans Doctissimo, un site internet français très fréquenté. « C'est exactement la même chose avec les bébés qui pleurent : la première chose à faire est de les écouter. »

Une fois les questions philosophiques passées, les auteurs du *Sommeil, le rêve et l'enfant* écrivent qu'intervenir entre les cycles conduit « indiscutablement » à des problèmes de sommeil, par exemple un bébé qui se réveille au bout de chaque cycle d'une heure et demie ou deux heures.

Je pense à Alison, l'experte en marketing, et comprends soudain que son fils, qui a tété toutes les deux heures pendant six mois, n'avait pas d'étranges problèmes de sommeil.

En fait, elle lui avait involontairement donné l'habitude d'avoir besoin de téter à la fin de chaque cycle de deux heures. Alison ne répondait pas aux besoins de son fils : malgré toutes ses bonnes intentions, c'est elle-même qui les créait.

Je n'ai jamais entendu parler d'un seul cas comme celui d'Alison en France. Pour les Français, la Pause est la clef du sommeil et doit être appliquée dès les premières semaines du bébé. Un article du magazine *Maman !* souligne qu'au cours des six premiers mois de la vie de l'enfant, le *sommeil agité* représente 50 à 60 % de son sommeil total. Dans cet état, un bébé endormi peut soudain se mettre à bâiller, s'étirer, et même ouvrir ou fermer les yeux. « L'erreur serait d'interpréter cela comme un appel et de faire dérailler son train du sommeil en le prenant dans nos bras », explique la journaliste.

La Pause n'est pas la seule technique appliquée par les Français. Mais c'est un point crucial de leur éducation. Lorsque je rencontre Hélène De Leersnyder, le médecin du sommeil qui cite Proust, elle mentionne immédiatement la Pause, avant même que j'aborde le sujet. « Parfois, lorsque les bébés dorment, leurs yeux bougent, ils font du bruit, ils sucent, ils s'agitent un peu. Mais en réalité, ils dorment. Il ne faut donc pas y aller tout le temps et les perturber alors qu'ils dorment. Il faut découvrir comment dort son bébé. »

Je lui demande alors : « Et s'il se réveille ?

— S'il se réveille complètement, alors vous le prenez dans vos bras bien sûr. »

Lorsque je parle du sommeil avec des parents américains, il est rarement question de science. Confrontés à de si nombreuses philosophies sur le sujet, qui semblent toutes valides, ils finissent par choisir celle qui leur plaît le plus. Mais une fois que je lance les parents français sur ce point, ils mentionnent les cycles de sommeil, les rythmes circadiens et le sommeil paradoxal. Ils savent que si les bébés pleurent la nuit c'est peut-être, entre autres raisons, parce qu'ils sont entre deux cycles de sommeil ou parce qu'ils traversent la phase de *sommeil agité*. Ces parents qui m'expliquaient « avoir observé » leurs bébés voulaient en fait dire qu'ils s'entraînaient à reconnaître ces étapes distinctes. Lorsque les parents français marquent la Pause, ils le font avec constance et confiance. Ils prennent des décisions conscientes basées sur leur compréhension du sommeil de leur enfant.

Ceci cache une grande différence philosophique. Les parents français estiment qu'il relève de leur responsabilité d'apprendre en douceur à leurs bébés comment bien dormir, comme ils leur apprendront plus tard à se laver, à manger équilibré et à faire du vélo. Pour eux, passer la moitié de la nuit avec un bébé de huit mois n'est pas une preuve de leur implication parentale. Ils y voient plutôt le signe que l'enfant a un problème de sommeil et que la famille manque cruellement d'équilibre. Lorsque je décris le cas d'Alison à des Françaises, elles affirment que c'est inimaginable – tant pour l'enfant que pour sa mère.

Les Français reconnaissent, comme nous, la beauté et la singularité de chaque enfant. Mais ils ont également conscience que certaines choses sont simplement biologiques. Avant de croire que notre enfant a un sommeil unique au monde, nous devrions jeter un coup d'œil du côté des données scientifiques.

Armée de ma révélation au sujet de la Pause, je décide de consulter quelques ouvrages scientifiques sur le sommeil des bébés. Ce que je lis m'ébranle : les parents américains passent peut-être leur nuit à chercher le moyen de faire dormir leurs bébés, mais pas les scientifiques. Les chercheurs s'accordent pratiquement tous sur la même méthode pour faire dormir les enfants. Et leurs recommandations sont remarquablement proches de celles de leurs collègues français.

Les scientifiques qui travaillent sur le sommeil, tout comme les parents français, pensent que dès le plus jeune âge, les parents doivent jouer un rôle actif pour apprendre à leur bébé à bien dormir. Ils estiment qu'il est possible d'apprendre à un bébé en bonne santé à dormir toute la nuit dès qu'il a quelques semaines, et ce sans le laisser pleurer jusqu'à ce qu'il s'endorme.

Selon une méta-étude basée sur des douzaines de recherches universitaires sur le sommeil[3], « l'éducation-prévention des parents » est essentielle. Ce qui signifie qu'il faut sensibiliser les femmes enceintes et les parents de nouveau-nés aux connaissances scientifiques sur le sommeil et leur donner quelques règles fondamentales à mettre en application dès la naissance ou dès les premières semaines de bébé.

Quelles sont ces règles ? Les auteurs de la méta-étude se réfèrent à une étude[4] menée sur des femmes enceintes prévoyant d'allaiter à qui l'on avait remis deux pages d'instructions. L'une d'entre elles était de ne pas porter, bercer ou allaiter le bébé pour l'endormir le soir, ceci afin de l'aider à faire la différence entre le jour et la nuit. Une autre instruction destinée aux bébés d'une semaine expliquait que si l'enfant se réveillait entre minuit et cinq heures du matin, les parents devaient le changer, le câliner, le rhabiller ou lui faire faire un petit tour, mais que la maman ne devait lui donner le sein que s'il continuait à pleurer après avoir tout essayé.

Selon une autre instruction, les mères devaient savoir reconnaître, dès la naissance, si leur bébé pleurait ou s'il gémissait simplement dans son sommeil. En d'autres termes, avant de prendre dans leurs bras un bébé qui faisait du bruit, elles devaient marquer une pause afin de s'assurer qu'il ne dormait pas.

Les chercheurs expliquaient les bases scientifiques de ces instructions. Un « groupe de contrôle » de mères, qui elles aussi allaitaient, n'en reçut aucune. Les résultats sont édifiants : de la naissance à trois semaines, les bébés des deux groupes avaient pratiquement les mêmes habitudes de sommeil. Mais à quatre semaines, 38 % des bébés du groupe test (avec instructions) dormaient toute la nuit, contre 7 % dans le groupe de contrôle. À huit semaines, tous les bébés du groupe test faisaient leur nuit, contre seulement 23 % dans le groupe de contrôle. La conclusion des auteurs est catégorique : « Les résultats de cette étude montrent que le réveil nocturne n'est pas nécessairement corrélé à l'allaitement. »

La Pause n'est donc pas qu'une expression du bon sens populaire français. Pas plus que la croyance que bien dormir, dès le plus jeune âge, est bénéfique à tout le monde. « En général, les réveils nocturnes sont diagnostiqués comme des comportements d'insomnie infantile », explique la méta-étude.

L'étude avance qu'un nombre croissant de données prouvent que les jeunes enfants en manque de sommeil, ou au sommeil difficile, peuvent souffrir d'irritabilité, d'agressivité, d'hyperactivité, d'un moindre contrôle de leurs impulsions ainsi que de troubles de l'apprentissage et de la mémoire. Ils ont plus de chance d'avoir des accidents, leurs fonctions métaboliques et immunitaires sont affaiblies et leur qualité de vie générale est sérieusement affectée. De plus, les troubles du sommeil qui débutent dès la petite enfance peuvent persister de nombreuses années. Dans l'étude sur les mères allaitantes, les bébés du groupe test (avec instructions) étaient jugés plus sereins et moins agités.

Les études que j'ai lues soulignent que les troubles du sommeil des enfants ont inévitablement des retombées sur le reste de la famille, qui peuvent aller jusqu'à la dépression maternelle et au dysfonctionnement de la cellule familiale. Inversement, lorsque les bébés dorment bien, leurs parents font état de l'amélioration de leur vie de couple et constatent qu'ils sont de meilleurs parents, moins stressés.

Bien sûr, certains parents français manquent ce créneau critique des quatre premiers mois du bébé pour lui apprendre à bien dormir. Dans ces cas-là, les pédiatres français recommandent la plupart du temps de laisser pleurer le bébé jusqu'à ce qu'il s'endorme.

Les chercheurs sur le sommeil sont eux aussi très clairs sur ce point. La méta-étude a prouvé que laisser pleurer les bébés jusqu'à ce qu'ils s'endorment, soit en feignant l'indifférence (méthode connue sous la malheureuse appellation scientifique d'« extinction »), soit par étapes (l'« extinction graduelle ») est particulièrement efficace et réussit généralement en quelques jours. On lit dans l'étude que « le plus grand obstacle à l'efficacité de l'"extinction" est le manque de "cohérence parentale" ».

Michel Cohen, le médecin français de TriBeCa, en recommande une version plutôt extrême aux parents qui ont laissé passer le créneau des quatre premiers mois. Il explique qu'après avoir créé une atmosphère agréable et rassurante pour le bébé avec ses habitudes de bain du soir et de berceuses, ils doivent le coucher à une heure raisonnable, de préférence quand il est encore réveillé, et ne revenir qu'à sept heures du matin.

À Paris, laisser pleurer un bébé jusqu'à ce qu'il s'endorme se fait *à la française*. Je commence à m'en rendre compte en faisant la connaissance de Laurence, une nounou de Normandie au service d'une famille française du quartier de Montparnasse. Laurence s'occupe de bébés depuis vingt ans. Elle me dit qu'avant de laisser pleurer un bébé, il est primordial de lui expliquer ce que l'on s'apprête à faire.

Laurence me détaille le processus : « Le soir, il faut lui parler. Lui dire que s'il se réveille une fois, vous lui donnerez une fois sa tétine. Mais qu'après ça, vous ne vous réveillerez plus. Parce que c'est l'heure de dormir. Vous n'êtes pas loin, et vous viendrez le rassurer une fois. Mais pas toute la nuit. »

Selon Laurence, l'un des points essentiels pour aider un bébé à faire ses nuits, quel que soit son âge, est d'être soi-même persuadé qu'il va y arriver. « Si vous n'y croyez pas, ça ne marchera pas, dit-elle. Moi, je crois toujours que l'enfant dormira toujours mieux la nuit suivante. J'y crois toujours, même s'il se réveille trois heures plus tard. Il faut y croire. »

Que les bébés français fassent des efforts pour satisfaire les attentes de leurs parents et nounous semble fort possible. Nous avons peut-être les « dormeurs » que nous méritons et présumer que les bébés ont un rythme nous aide sûrement à le trouver.

Si l'on veut croire en la Pause ou dans le fait de laisser pleurer un bébé pour qu'il s'endorme, il faut aussi croire que le bébé est une personne capable d'apprendre (dans ce cas, apprendre à dormir) et de gérer la frustration. Le Dr Cohen passe beaucoup de temps à convertir des parents américains à ses idées françaises. Aux nombreux pères et mères qui s'inquiètent que leur bébé de quatre mois ait trop faim, il explique : « Oui, il a faim. Mais il n'a pas besoin de manger. Vous aussi il vous arrive d'avoir faim au milieu de la nuit ; mais vous savez qu'il ne faut pas manger parce qu'il vaut mieux que votre ventre se repose. C'est la même chose pour le sien. »

Les Français ne croient pas que les bébés doivent résister à des épreuves pharaoniques. Mais ils ne pensent pas non plus qu'une pincée de frustration anéantira leurs enfants. Au contraire, ils sont d'avis que les enfants en sortiront plus sereins. Selon *Le Sommeil, le rêve et l'enfant*, « toujours répondre à sa demande, ne jamais lui dire "non" est dangereux pour la construction de sa personnalité, car l'enfant n'a aucune barrière sur laquelle s'appuyer pour sentir ce que l'on attend de lui ».

Pour les Français, apprendre à dormir à un nourrisson n'est pas une stratégie de facilité pour parents paresseux. C'est une première leçon fondamentale destinée à enseigner aux enfants à compter sur eux-mêmes et à s'amuser tout seuls. Selon un psychologue cité dans le magazine *Maman !*, les bébés qui apprennent à jouer tout seul dans la journée, même au cours des premiers mois, sont moins inquiets lorsqu'on les couche seuls le soir.

Le Dr De Leersnyder écrit que même les bébés ont besoin d'intimité. « Le petit nourrisson apprend dans son berceau qu'il peut être seul de temps en temps, sans avoir faim, sans avoir soif, sans dormir, simplement tranquillement éveillé. Très jeune, il a besoin d'un temps de solitude, pour trouver le sommeil et se réveiller sans être aussitôt surveillé par sa mère. »

Elle consacre même une partie de son ouvrage à ce qu'une mère devrait faire pendant que son enfant dort. « Elle oublie son bébé, pour penser à elle-même, elle va à son tour prendre une douche, s'habiller, se maquiller, être belle pour son plaisir, celui de son mari et celui des autres. Le soir venu, elle se prépare pour la nuit, pour l'amour. »

En tant que mère américaine, la scène de film américain — avec bas de soie et eye-liner sur les paupières — est difficile à imaginer ailleurs qu'au cinéma. Simon et moi nous sommes résignés à l'idée que pendant un petit moment, notre vie va s'organiser autour des caprices de Bean.

Les Français ne voient pas cela d'un bon œil. Ils considèrent que le sommeil est l'un des multiples apprentissages à acquérir pour faire partie d'une famille et pour s'adapter aux besoins de ses autres membres. Le Dr De Leersnyder me dit : « Si le bébé se réveille dix fois dans la nuit, la mère ne pourra pas aller au travail le lendemain matin. Cela pousse l'enfant à comprendre qu'il ne peut pas se réveiller dix fois dans la nuit ! » Je lui demande alors :

« Le bébé comprend ça ?

— Bien sûr qu'il comprend.

— Mais comment ?

— Parce que les bébés comprennent tout. »

Pour les parents français, la Pause est essentielle. Mais ils n'en font pas une panacée. Ils ont en fait une foule de croyances et d'habitudes qui, une fois qu'elles sont patiemment et affectueusement mises en place, apaisent les bébés et leur permettent de s'endormir. La Pause est efficace parce que les parents ne considèrent pas leurs enfants comme de petits tas de chair impuissants. Ils sont capables d'apprendre. Cet apprentissage, fait en douceur et au rythme de bébé, n'est pas traumatisant. Au contraire, les parents pensent que les bébés y gagnent en confiance et en sérénité et prennent ainsi conscience des autres. Ce sont les bases des relations respectueuses que je vois ensuite se développer entre parents et enfants.

Si seulement j'avais su tout cela à la naissance de Bean.

Nous avons définitivement manqué le créneau des quatre mois pour lui apprendre facilement à dormir toute la nuit. À neuf mois, elle continue à se réveiller toutes les nuits vers deux heures du matin. Nous prenons notre courage à deux mains pour la laisser pleurer. La première nuit, elle pleure douze minutes. (Je serre le bras de Simon et pleure moi aussi.) Puis elle se rendort. La nuit suivante, elle ne pleure que cinq minutes.

La troisième nuit, Simon et moi nous réveillons à deux heures du matin, dans le silence. « Je crois qu'elle se réveillait pour nous, dit Simon. Elle devait penser qu'on en avait besoin. » Puis nous nous rendormons. Depuis, Bean fait toutes ses nuits.

CHAPITRE 4

« ATTENDS ! »

P etit à petit, je m'habitue à vivre en France. Un matin, après avoir fait le tour des squares du quartier, j'annonce à Simon que nous avons rejoint l'élite globale internationale.

« On fait partie de la globalité, mais pas de l'élite », me répond-il.

Bien que je commence à me recréer un univers en France, les États-Unis me manquent. Faire les courses en survêtement, sourire à des inconnus et être capable de plaisanter, tout cela me manque. Et surtout mes parents. J'ai du mal à croire que j'élève un enfant alors qu'ils sont à plus de six mille kilomètres.

Ma mère est tout aussi incrédule. Quand j'étais enfant puis adolescente, sa pire crainte était que je me marie avec un bel étranger. Elle parlait tellement de cette terreur qu'elle en a sûrement planté la graine. Lors de l'une de ses visites à Paris, elle nous a invités tous les deux à dîner et s'est effondrée en larmes à la table. « Qu'ont-ils donc ici que nous n'avons pas en Amérique ? » voulait-elle savoir. (Si on lui avait servi des escargots, j'aurais pu lui montrer son assiette, malheureusement elle avait commandé du poulet.)

Même si vivre en France m'est beaucoup plus facile, je ne me sens pas réellement intégrée. Au contraire, avoir un bébé

– et mieux maîtriser la langue française – me fait comprendre à quel point je suis étrangère. Peu de temps après que Bean commence à faire ses nuits, arrive notre premier jour de crèche – le service de garde collective d'enfants organisé par la commune. Durant le rendez-vous d'entrée, nous répondons haut la main à toutes les questions sur sa tétine et ses positions préférées pour dormir. Le carnet de vaccinations est prêt, ainsi que les numéros de téléphone en cas d'urgence. Mais nous butons sur un point : à quelle heure prend-elle son lait ?

Savoir quand nourrir les bébés est source de polémique aux États-Unis. Une vraie bataille de nourriture, comme à la cantine. Certains pensent qu'il faut les nourrir à heures fixes, d'autres qu'il faut attendre qu'ils aient faim. Simon estime qu'aucun problème ne peut résister au biberon ou au sein. Nous sommes prêts à tout pour qu'elle ne hurle pas.

Lorsque je finis d'expliquer notre système d'alimentation à la puéricultrice, elle me regarde comme si je venais de lui annoncer que nous laissons le volant de la voiture au bébé. Nous ne savons pas à quelle heure mange notre enfant ? Voilà un problème qu'elle saura vite régler ! Elle ne le dit pas, mais le pense très fort : nous vivons peut-être en France, mais nous élevons un enfant qui mange, dort – et fait sûrement caca – comme un Américain.

L'expression de la puéricultrice révèle que sur ce point comme sur celui du sommeil, il n'y a pas lieu de polémiquer. Les parents ne s'angoissent pas sur la fréquence des repas de leurs enfants. Dès leurs quatre mois, la plupart des bébés français mangent à des horaires réguliers. Comme pour les techniques de sommeil, les parents français ne voient là aucun modèle d'éducation, mais simplement du bon sens.

Le plus étrange, c'est que ces bébés français mangent presque tous à la même heure. À de légères variations près, les mamans m'expliquent que leurs enfants mangent vers huit heures du matin, midi, quatre heures de l'après-midi et huit heures du soir. *Votre enfant,* un guide français très respecté, ne propose qu'un seul menu type journalier pour les nourrissons de quatre-cinq mois. C'est la même séquence de repas. Elle ressemble à des horaires que je connais bien : petit déjeuner, déjeuner et dîner avec un goûter au milieu de l'après-midi. En d'autres termes, vers quatre mois, les bébés français mangent déjà aux mêmes heures que pour le reste de leur vie (les adultes abandonnent généralement le goûter).

Cette « programmation horaire nationale » des repas des bébés pourrait être une évidence reconnue. Eh bien non, elle a tout d'un secret d'État. Si vous demandez à des parents français si leurs enfants mangent à heure fixe, ils répondent la plupart du temps que non. Comme dans le cas du sommeil, ils insistent : ils suivent juste le « rythme » de leur enfant. Lorsque je souligne que les bébés français semblent tous manger plus ou moins à la même heure, les parents saluent cette coïncidence d'un haussement d'épaules.

Mais le mystère est encore plus profond : comment ces bébés sont-ils capables d'attendre quatre heures entre chaque repas ? Bean s'énerve dès qu'elle doit patienter ne serait-ce que quelques minutes pour manger. Nous aussi d'ailleurs. Je commence cependant à percevoir qu'« attendre » est une pratique très répandue autour de moi en France. D'abord il y a eu la Pause, le moment que s'accordent les parents français quand leur bébé vient de se réveiller, et voilà maintenant les horaires de repas, où les bébés doivent patienter de longues heures entre chaque « service ». Sans parler de tous ces enfants au restaurant qui attendent gentiment qu'on leur serve leur repas.

Les Français ne se contentent pas d'avoir réalisé le miracle de faire attendre les bébés et les petits, mais en plus ils le font dans la bonne humeur. Cette capacité à patienter pourrait-elle expliquer la différence entre les enfants français et américains ?

Pour m'aider à élucider ces questions, j'envoie un mail à Walter Mischel, expert mondial sur l'aptitude des enfants à retarder la satisfaction d'un désir. À quatre-vingts ans, il est titulaire d'une chaire de psychologie à l'université de Columbia, à New York. J'ai tout lu sur lui et nombre de ses publications sur le sujet. Je lui explique que je vis à Paris où je fais des recherches sur la parentalité française et lui demande s'il aurait le temps de m'accorder un entretien téléphonique.

Walter Mischel me répond quelques heures plus tard. À ma grande surprise, il me dit qu'il est lui aussi à Paris. Je pourrais passer prendre un café ? Deux jours plus tard, nous sommes attablés dans la cuisine de son amie dans le Quartier latin, à quelques pas du Panthéon. Il semble à peine avoir soixante-dix ans et certainement pas quatre-vingts. Le crâne rasé, il a l'énergie compacte d'un boxeur, mais un visage doux, presque enfantin. Je n'ai aucun mal à imaginer le petit garçon de huit ans fuyant Vienne et l'Autriche avec sa famille après l'annexion par les nazis.

Sa famille se réfugie finalement à Brooklyn. Lorsque le petit Walter entre à l'école publique, à neuf ans, il est inscrit dans une classe de maternelle afin d'y apprendre l'anglais. Il se souvient encore : « J'essayais de marcher sur mes genoux pour ne pas dépasser les enfants de cinq ans lorsque notre classe marchait en rang dans les couloirs. » Les parents de Walter Mischel – des personnes cultivées de la petite bourgeoisie viennoise – ouvrent un bazar, mais tirent le diable par la queue. Portée par l'énergie américaine, sa mère sort de la légère dépression dont elle souffrait à Vienne et se lance avec succès dans une carrière de décoratrice de vitrine. Mais son père ne se remet jamais de la perte de son statut social.

Cette expérience fondatrice a donné à Walter Mischel une perspective d'outsider qu'il a toujours nourrie et qui l'a aidé à structurer les questions auxquelles il a consacré sa vie. Il a une trentaine d'années quand il bouleverse la théorie de la personnalité en affirmant que les traits de caractère ne sont pas permanents, mais dépendants du contexte. Bien qu'il ait épousé une Américaine et élevé leurs trois filles en Californie, Walter Mischel se met alors à faire un pèlerinage annuel à Paris. « Je me suis toujours senti européen, et pour moi, Paris a toujours été la capitale de l'Europe. »

Walter Mischel est surtout connu pour son test du Chamallow (ou test du bonbon) qu'il a mené à la fin des années 1960 alors qu'il enseignait à l'université de Stanford, en Californie. L'expérience se déroule de la façon suivante : un adulte conduit un enfant de quatre ans dans une pièce où un Chamallow est posé sur la table. La personne explique ensuite à l'enfant qu'elle va quitter la pièce pour un petit moment. Si l'enfant parvient à ne pas manger le bonbon avant son retour, il sera récompensé par un deuxième Chamallow. Si en revanche il le mange, il n'en aura pas d'autres.

C'est un test très difficile. Sur les 653 enfants qui en ont fait l'expérience au cours des années 1960 et 1970, seuls un sur trois a réussi à résister et à ne pas manger le Chamallow durant le quart d'heure où il était seul. Certains l'ont avalé dès que la porte s'est refermée. La plupart n'ont pu se retenir plus de trente secondes[1].

Au milieu des années 1980, Walter Mischel a retrouvé les enfants qui avaient participé au test afin d'observer la présence éventuelle des différences comportementales entre les adolescents qui avaient originellement été capables de résister au Chamallow et les autres. Il a découvert avec ses collègues une corrélation impressionnante : plus les enfants avaient tenu bon face à la tentation de manger le bonbon quand ils avaient quatre ans, plus ils étaient performants dans toutes sortes de catégories (définies par Walter Mischel et son équipe). Entre autres compétences, les enfants qui avaient attendu le plus longtemps faisaient preuve d'une plus grande faculté de concentration et de raisonnement. « Ils savent résister au stress » sera l'une des conclusions établies dans un rapport publié en 1988 par l'équipe de scientifiques.

Cela signifierait-il que retarder la satisfaction du désir des enfants – comme le font les parents français – les aide à devenir plus posés et sûrs d'eux, alors que les enfants américains de la classe moyenne, qui la plupart du temps ont l'habitude d'avoir immédiatement ce qu'ils veulent, n'ont aucune résistance au stress ? En ne suivant que la tradition et leur instinct, les parents français font-ils exactement ce que préconisent les scientifiques comme Walter Mischel ?

Bean, qui obtient généralement presque sur-le-champ ce qu'elle désire, peut passer du calme à l'hystérie en quelques secondes. Et chaque fois que je retourne aux États-Unis, je constate que les caprices de bambins, qui exigent en hurlant, ou en se jetant sur le trottoir, de sortir de leur poussette, font partie du quotidien.

Je vois rarement ce genre de scènes à Paris. Les bébés et les petits Français, habitués à attendre plus longtemps, semblent étrangement paisibles quand ils n'obtiennent pas tout de suite ce qu'ils veulent. Lorsque je vais dans des familles françaises et passe un moment avec les enfants, l'absence de gémissements et de plaintes est flagrante. Souvent – du moins beaucoup plus souvent que chez moi –, tout le monde est calme et absorbé par ce qu'il est en train de faire.

En France, je suis régulièrement témoin d'un petit miracle : des adultes prennent tranquillement leur café chez eux, en tenant une discussion normale, alors qu'ils sont entourés de jeunes enfants. « Attendre » fait même partie du jargon parental. Au lieu de dire « du calme » ou « arrête » à des enfants chahuteurs, les parents français utilisent souvent simplement le mot « Attends ! ».

Walter Mischel n'a pas mené le test du Chamallow sur des enfants français. (Il faudrait sûrement l'adapter avec une version « pain au chocolat ».) Mais observant la France depuis de longues années, il avoue être impressionné par la différence entre les enfants français et américains.

Aux États-Unis, explique-t-il, « on a résolument l'impression que les enfants ont de plus en plus de mal à apprendre à se contrôler ». Il le remarque même parfois chez ses propres petits-enfants. « Lorsque je passe un coup de fil à l'une de mes filles, je n'aime pas l'entendre me dire qu'elle ne peut pas parler parce qu'un enfant réclame de l'attention et qu'elle ne lui dit pas : "Attends une seconde, je parle avec mon papa." »[2]

Avoir des enfants qui savent attendre rend la vie de famille infiniment plus agréable. En France, les enfants « semblent beaucoup plus disciplinés et élevés comme je l'ai moi-même été, explique Walter Mischel. Lorsque des amis français viennent chez vous avec de jeunes enfants, vous pouvez encore avoir un repas à la française… On attend des enfants français qu'ils se conduisent bien et profitent calmement eux aussi du repas. »

« En profiter » est une expression importante ici. La plupart des Français ne demandent pas à leurs enfants d'être muets, tristes et dociles. Ils ne voient simplement pas comment leurs enfants peuvent « en profiter » s'ils ne se contrôlent pas.

J'entends souvent des parents français dire à leurs enfants d'être *sages*. Dire « sois sage » revient à dire « *be good* » en anglais. Mais ça ne se limite pas à cela. Lorsque je dis à Bean d'être *good* quand nous allons chez quelqu'un, c'est un peu comme demander à un petit animal sauvage de se comporter en animal domestique, sachant qu'elle peut repasser à l'état sauvage à n'importe quel moment. Comme si être *good* était contraire à sa vraie nature.

Quand je dis à Bean d'être *sage*, je lui indique de bien se conduire. Je lui demande d'avoir du bon sens et d'être consciente et respectueuse des autres. Je présume donc qu'elle a une certaine compréhension de la situation et qu'elle peut se contrôler. Enfin, je suggère par là même que je lui fais confiance.

Être *sage* ne signifie pas être éteint. Les enfants français que je connais s'amusent beaucoup. Le week-end, Bean et ses copines courent en riant et hurlant dans le parc pendant des heures. Les récréations à la garderie, puis plus tard à l'école, sont de joyeux chaos. Paris propose également beaucoup d'activités formelles pour les enfants, comme des festivals de films pour enfants, du théâtre, des cours de cuisine, autant d'animations qui nécessitent patience et attention. Les parents français que je côtoie souhaitent offrir des expériences riches à leurs enfants et les exposer aux arts et à la musique.

Ils ne voient pas comment leurs enfants pourraient intégrer ces expériences sans être patients. À leurs yeux, les enfants ne peuvent s'amuser que s'ils savent se maîtriser et être calmement présents plutôt qu'impatients, irritables et exigeants.

Les parents français et tous les adultes qui s'occupent d'enfants ne croient pas que ces derniers ont une patience infinie. Ils ne s'attendent pas à ce que des petits puissent écouter des symphonies entières ou participer à des banquets officiels. La patience demandée aux enfants se mesure généralement en secondes ou en minutes.

Mais ces quelques secondes ou minutes semblent déjà faire une grande différence. Je suis à présent convaincue que si les enfants français se plaignent peu ou ne font que rarement des caprices – ou en tout cas, moins souvent que les Américains –, c'est parce qu'ils ont pu développer des ressources intérieures qui les aident à gérer leur frustration. Ils ne s'attendent pas à avoir immédiatement ce qu'ils demandent. Lorsque les parents français parlent de l'« éducation » de leurs enfants, il s'agit, en grande partie, de leur enseigner à ne pas manger le Chamallow.

Comment au juste les Français s'y prennent-ils pour transformer des enfants ordinaires en professionnels de l'attente ? Et sommes-nous, nous aussi, capables d'apprendre à Bean comment attendre ?

Walter Mischel a regardé les vidéos de centaines d'enfants de quatre ans se tortillant d'envie devant leur Chamallow. Il a fini par établir que ceux qui avaient le plus de mal à attendre étaient concentrés sur le bonbon, alors que les autres parvenaient à se distraire. « Les enfants qui arrivent à attendre très facilement sont ceux qui apprennent à se chanter des petites chansons pour attendre, ou à se tripoter les oreilles, ou bien à jouer avec leurs orteils », me raconte-t-il. Ceux qui ne savent pas comment se divertir et restent obnubilés sur le Chamallow finissent par le manger[3].

Walter Mischel conclut qu'avoir la volonté d'attendre ne signifie pas être stoïque. Il s'agit simplement d'apprendre des techniques qui rendent l'attente moins frustrante. « Il y a beaucoup de façons d'y arriver, et la plus simple et directe… est de se distraire », dit-il.

Les parents n'ont pas à apprendre à leurs enfants des « stratégies de distraction ». Selon Walter Mischel, les enfants les apprennent tout seuls si leurs parents leur laissent l'espace et le temps de s'entraîner à attendre. « Je crois que l'on sous-estime souvent, dans l'éducation des enfants, les extraordinaires capacités cognitives des petits, si tant est qu'on les laisse se développer », explique-t-il.

C'est exactement ce que je constate lorsque j'observe les parents français avec leurs enfants. Ils ne leur enseignent aucune technique de distraction, ils semblent surtout leur donner de nombreuses occasions de s'entraîner à attendre.

Dans la grisaille d'un samedi après-midi, je prends un RER pour Fontenay-sous-Bois, en proche banlieue est de Paris, où vit une famille que je vais rencontrer par l'intermédiaire d'une amie. Martine, la maman d'une trentaine d'années, est une jolie avocate en droit du travail. Elle vit avec son mari, un médecin urgentiste, et leurs deux enfants dans un petit immeuble moderne au milieu des arbres.

Je suis frappée de découvrir à quel point l'appartement de Martine ressemble au mien. Les jouets délimitent le périmètre du salon qui donne sur une cuisine américaine. Nous avons le même réfrigérateur en Inox.

Mais les similarités s'arrêtent là. Martine a beau avoir deux enfants, sa maison respire un calme qui donne envie. Quand j'arrive, son mari travaille sur son ordinateur portable dans le salon, tandis qu'Auguste, le bébé d'un an, fait sa sieste à côté de lui. Paulette, leur petite fille de trois ans, cheveux courts ébouriffés, est assise à la table de la cuisine en train de verser de la pâte à cupcake dans de petites collerettes en papier. Dès qu'une collerette est remplie, elle parsème la pâte de vermicelles sucrés multicolores et de groseilles fraîches.

Martine m'invite à m'asseoir à l'autre bout de la table pour discuter, mais je suis subjuguée par Paulette et ses cupcakes. La petite est totalement absorbée par sa tâche et parvient à résister à la tentation de manger la pâte. Lorsqu'elle a terminé, elle demande à sa mère si elle peut lécher la cuillère.

« Non, mais tu peux manger des petits vermicelles », répond Martine à sa fille qui renverse immédiatement plusieurs cuillerées de vermicelles sur la table.

Bean, ma fille, a alors le même âge que Paulette, mais jamais je n'aurais l'idée de lui laisser faire toute seule une activité aussi compliquée. Et si je m'y risquais, je superviserais tout et elle ferait de son mieux pour échapper à mon contrôle. L'ambiance serait tendue et il y aurait des gémissements (les siens et les miens). Bean prendrait certainement de la pâte, des groseilles et des vermicelles dès que j'aurais le dos tourné et je ne discuterais sûrement pas calmement avec une invitée.

Je n'ai aucun désir de tenter le coup le samedi suivant, même si faire des gâteaux semble être un rituel français de fin de semaine. Pratiquement chaque fois que le week-end je rends visite à une famille française, soit ils sont en train de faire un gâteau, soit ils me servent celui qu'ils ont préparé plus tôt dans la journée.

Au début, j'ai cru que c'était parce qu'ils me recevaient. Mais je me suis vite rendu compte que cela n'avait rien à voir avec ma présence. Tous les week-ends, c'est « atelier gâteau » à Paris ! Dès que les enfants savent se tenir assis, leurs mères leur proposent de faire des gâteaux. Leurs chérubins ne se contentent pas de renverser la farine et d'écraser quelques bananes : ils cassent des œufs, versent les mesures de sucre et mélangent avec une assurance surnaturelle. En fait, ils préparent le gâteau tout seuls. La première recette que la plupart des petits Français apprennent à faire est celle du *gâteau au yaourt*, voir recette p. 112 (où ils se servent des pots de yaourt vides pour doser les autres ingrédients). C'est un gâteau léger, pas trop sucré, auquel on peut ajouter des fraises, des framboises, des pépites de chocolat, du citron ou une cuillerée de rhum. Il est quasiment impossible de le rater.

Tous ces « ateliers gâteaux » ne se résument pas à produire de bons gâteaux, ils apprennent aussi aux enfants à se contrôler. Parce qu'il faut méthodiquement mesurer des ingrédients en suivant un ordre précis, faire un gâteau est une parfaite leçon de patience. Tout comme la retenue dont font preuve les Français pour déguster le gâteau, une fois qu'il est sorti du four (contrairement à moi !). D'habitude, ils le préparent le matin ou en début d'après-midi, puis attendent l'heure du *goûter* pour le manger.

Il m'est difficile d'imaginer un monde où les mères ne se promènent pas avec des paquets de Goldfish ou Cheerios (snacks salés et céréales pour les enfants) dans leurs sacs à main, pour parer aux inévitables crises de leur progéniture. Jennifer, une maman et journaliste au *New York Times*, déplore que toutes les activités de sa fille, quels qu'en soient l'horaire et la durée, incluent à présent des en-cas[4]. « Visiblement, nous, Américains, avons collectivement décidé que nos enfants étaient incapables de participer à toute activité sans se goinfrer en même temps », écrit-elle.

En France, le *goûter* est le seul moment de grignotage officiel. Il a généralement lieu vers quatre heures, quatre heures et demie, lorsque les enfants sortent de l'école. Il a un statut horaire permanent, comme les autres repas, et pratiquement tous les enfants le prennent.

Le goûter permet d'expliquer pourquoi les enfants français que je vois au restaurant mangent si bien : ils ont tout simplement faim parce qu'ils n'ont pas passé leur journée à grignoter. (Les adultes boivent parfois un café, mais ils mangent rarement entre les repas. L'un de mes amis américains de passage en France se plaint même de ne pas trouver de snacks pour adulte.)

Martine, la maman de Paulette, explique qu'elle n'a jamais précisément décidé d'enseigner la patience à ses enfants. Mais les rituels quotidiens de sa famille, que je vois se répéter dans de nombreux foyers français de la classe moyenne, permettent aux enfants de s'entraîner régulièrement à repousser la satisfaction de leur désir.

Martine déclare qu'elle achète souvent des bonbons à Paulette. (Les confiseries sont vendues dans la plupart des boulangeries.) Mais Paulette n'a pas le droit d'en manger avant l'heure du goûter, même si cela veut dire qu'elle doit attendre plusieurs heures. La petite en a l'habitude – Martine doit parfois lui rappeler la règle –, mais elle ne proteste pas.

Même le goûter ne tourne pas en scène de chaos. Clotilde Dusoulier, une auteure culinaire française qui a maintenant une petite trentaine d'années, raconte qu'enfant, elle faisait des gâteaux avec sa mère presque tous les week-ends. « Ce qui était génial, c'était qu'il y avait du gâteau. Mais le revers de la médaille c'est qu'à un moment, ma mère disait "Ça suffit". Ça nous apprenait à nous retenir. »

Les enfants s'entraînent quotidiennement à la patience au cours des repas, en acceptant les menus et les horaires fixes, mais aussi en mangeant correctement avec des adultes. Dès leur plus jeune âge, les enfants français ont l'habitude de manger des repas composés de plats successifs, avec – au minimum – une entrée, un plat principal et un dessert. Ils prennent également l'habitude de manger avec leurs parents, ce qui est certainement plus efficace pour apprendre la patience. Selon l'Unicef, 90 % des adolescents français de quinze ans partagent le repas principal de la journée avec leurs parents plusieurs fois par semaine. Aux États-Unis et au Royaume-Uni, ils ne sont que 67 %.

Ces repas ne sont pas pris à la va-vite. Une étude menée sur deux groupes de femmes, l'un vivant à Rennes et l'autre dans l'État de l'Ohio, a montré que le temps quotidien consacré à manger était au moins deux fois plus élevé pour les Françaises que pour les Américaines. Elles transmettent certainement ce rythme à leurs enfants.

Heureusement, c'est l'heure du goûter lorsque les cupcakes de Paulette sortent du four. La petite fille en mange joyeusement deux. Mais Martine ne touche pas à une seule miette. Elle semble s'être convaincue que les cupcakes sont réservés aux enfants ou ne sont peut-être que des pictogrammes colorés afin de ne pas les manger. (Malheureusement, elle s'imagine que je me suis convaincue de la même chose et ne m'en propose pas.)

C'est aussi comme cela que les parents français apprennent la patience à leurs enfants : en leur donnant l'exemple. Les petites filles qui grandissent dans des maisons où la mère ne mange pas de cupcake deviendront sans nul doute de jeunes femmes qui ne s'en goinfreront pas elles non plus. (Ma mère est bourrée de merveilleuses qualités, mais elle mange toujours son cupcake.)

Il me semble que Martine n'attend pas de sa fille une patience à toute épreuve. Elle imagine bien que Paulette plongera parfois son doigt dans la pâte et fera des erreurs. Mais Martine ne s'énerve pas, comme j'ai tendance à le faire. Elle sait que toute cette cuisine et cette attente sont des exercices qui permettent de développer la patience.

En d'autres termes, Martine fait elle-même preuve de patience pour enseigner la patience. Lorsque Paulette tente d'interrompre notre conversation, elle lui dit : « Attends deux minutes, ma puce. Je suis en train de parler. » C'est à la fois très ferme et très poli. Je suis autant surprise par la douceur avec laquelle elle lui parle que par sa certitude d'être obéie.

Martine enseigne la patience à sa fille depuis qu'elle est toute petite. Lorsque Paulette n'était qu'un bébé, elle attendait généralement cinq minutes avant de la prendre dans ses bras quand elle pleurait (et bien sûr, Paulette a fait ses nuits à deux mois et demi).

Martine apprend aussi à ses enfants une autre facette de la patience : savoir jouer tout seul. « Le plus important, c'est qu'il apprenne à être content tout seul », dit-elle à propos de son fils Auguste.

Un enfant qui sait s'amuser tout seul peut se débrouiller lorsque sa mère est au téléphone. C'est une faculté que les mères françaises, bien plus que les américaines, essaient délibérément de cultiver chez leurs enfants. Dans une étude menée sur des mères françaises et américaines ayant suivi des études supérieures, les Américaines affirment qu'elles ne voient pas grand intérêt à encourager leur enfant à jouer tout seul. Alors que les Françaises estiment que c'est fondamental[5].

Les parents qui valorisent cette compétence sont certainement plus aptes à laisser leur enfant seul. Quand les mères françaises disent qu'il est important de respecter le rythme de leur enfant, cela signifie aussi que lorsqu'il s'amuse, elles ne le dérangent pas.

Cet exemple illustre à nouveau l'intuition dont font preuve les parents français et les personnes qui s'occupent de leurs enfants en appliquant spontanément certaines conclusions de recherches scientifiques. Selon Walter Mischel, le pire des scénarios pour un petit de dix-huit à vingt-quatre mois est celui où « la maman propose à son enfant une fourchette d'épinards alors qu'il est occupé et content... La mère qui gâche tout est celle qui intervient quand l'enfant est en train de faire quelque chose et n'a pas besoin d'elle, et qui en revanche n'est pas présente lorsque l'enfant aimerait l'avoir près de lui. Il est absolument crucial d'en avoir conscience. »

En effet, une gigantesque étude du gouvernement américain sur les conséquences de l'éducation des petits[6] a conclu qu'il est fondamental que la mère ou la personne qui s'occupe de l'enfant soit « à l'écoute » du petit et de sa façon d'expérimenter le monde. « La mère à l'écoute est consciente des besoins de son enfant, de ses humeurs, de ce qui l'intéresse et de ses capacités, explique un chercheur. Elle se laisse guider par cette conscience dans sa relation avec l'enfant. » Inversement, l'état dépressif d'une maman peut être particulièrement nuisible, car la dépression l'empêche d'être pleinement à l'écoute.

La conviction de Walter Mischel de l'importance de la sensibilité à l'autre ne repose pas uniquement sur des recherches scientifiques. Il raconte en effet que sa mère oscillait entre présence étouffante et absence. Il ne sait d'ailleurs toujours pas faire de vélo parce qu'elle ne l'a jamais laissé apprendre de peur qu'il ne se blesse. Pourtant, ni son père ni sa mère ne sont venus assister à son discours de fin d'études au lycée.

De toute évidence, les parents américains souhaitent eux aussi que leurs enfants soient patients. Nous savons que « la patience est une vertu ». Nous encourageons nos enfants à partager, à attendre leur tour, à mettre la table et à faire du piano. Mais la patience est une faculté que nous n'entretenons pas avec autant d'assiduité que les parents français. Comme pour le sommeil, nous avons tendance à considérer que la capacité des enfants à attendre relève de leur tempérament. Pour nous, c'est juste une question de chance : on tire le gros lot avec un enfant qui a de la patience ou pas.

En France, les parents et les personnes qui s'occupent des enfants ont du mal à croire que nous puissions être si peu exigeants sur un sujet aussi important. À leurs yeux, avoir des enfants qui ont besoin de satisfaire immédiatement leur désir est un enfer. Lorsque je mentionne le sujet de ce livre à l'occasion d'un dîner parisien, mon hôte – un journaliste français – commence à raconter l'année qu'il a passée en Californie du Sud. Lui et sa femme, juge d'instruction, avaient sympathisé avec un couple américain et avaient décidé de partir en week-end tous ensemble à Santa Barbara. Ils n'avaient jamais rencontré leurs enfants, qui avaient de sept à quinze ans.

À en croire mon hôte, le week-end s'est vite transformé en folie douce. Des années plus tard, ils se souviennent encore des enfants américains qui interrompaient sans cesse les adultes en pleine discussion et de l'absence totale d'horaire de repas ; les petits Américains allaient se servir dans le réfrigérateur dès qu'ils en avaient envie.

Aux yeux du couple français, ces enfants décidaient de la vie familiale. « Ce qui nous a marqués et énervés, c'est que les parents ne disaient jamais "non" », explique le journaliste. « Ils faisaient n'importe quoi », ajoute sa femme. Et c'était apparemment contagieux. « Le pire de tout, c'est que nos enfants s'y sont mis eux aussi », conclut-elle.

Au fil du temps, je me rends compte que l'expression « n'importe quoi » revient souvent lorsque des Français décrivent des enfants américains, signifiant ainsi qu'ils n'ont pas de limites, que leurs parents manquent d'autorité et qu'ils peuvent faire tout ce qu'ils veulent. C'est l'antithèse parfaite de l'idéal du *cadre* dont parlent les parents français : cette idée selon laquelle les enfants ont des limites fermes, que les parents font strictement respecter, mais à l'intérieur desquelles les enfants bénéficient d'une grande liberté.

Bien entendu, les parents américains fixent eux aussi des limites ; elles sont cependant rarement similaires aux françaises. Les Français sont d'ailleurs souvent choqués par les limites américaines. Laurence, la nounou de Normandie, m'a raconté qu'elle refusait désormais de travailler pour des familles américaines, comme plusieurs de ses collègues. La dernière fois qu'elle était au service d'une famille américaine, elle est justement partie à cause d'un problème de limites.

« C'était difficile parce que c'était n'importe quoi, le petit faisait ce qu'il voulait quand il le voulait », m'explique-t-elle.

Laurence est grande, les cheveux courts, douce et pleine de bons sens. Elle ne veut pas me vexer, mais elle dit qu'en comparaison, on pleure et on chouine beaucoup plus dans les foyers américains que dans les familles françaises pour lesquelles elle a travaillé. (C'est la première fois que j'entends le verbe onomatopéique de *chouiner*.)

La dernière famille américaine chez qui elle a travaillé avait trois enfants, de huit ans, cinq ans et dix-huit mois. Chouiner était le « sport national de la petite de cinq ans. Elle chouinait tout le temps et pouvait déclencher des flots de larmes en un clin d'œil. » Laurence était d'avis d'ignorer le comportement de la petite afin de ne pas le renforcer. Mais la mère – qui était souvent à la maison, dans une autre pièce – accourait dès le moindre couinement de sa fille et cédait à toutes ses exigences.

Laurence raconte que le garçon de dix-huit mois était encore pire. « Il en voulait toujours un peu plus, et encore un peu plus. » Et quand on ne répondait pas à ses demandes incessantes, il devenait hystérique.

Laurence en conclut que dans pareille situation, « l'enfant est moins heureux. Il est un peu perdu… dans les familles plus structurées, pas rigides, mais simplement plus *cadrées*, tout se passe beaucoup mieux. »

Laurence a atteint son point de rupture lorsque la mère a insisté pour qu'elle mette les deux aînés au régime. Elle a refusé en déclarant qu'elle leur servirait simplement des repas équilibrés. Puis elle a découvert qu'une fois qu'elle était partie après avoir couché les enfants, vers vingt heures trente, la mère leur donnait des cookies.

« Ils étaient costauds, dit Laurence en parlant des trois enfants.

— Costauds ?

— Je dis *costauds* pour ne pas dire gros », me répond-elle.

J'aimerais pouvoir écrire qu'il s'agit là d'un stéréotype. De toute évidence, tous les enfants américains ne se conduisent pas de la sorte. Et les petits Français font très souvent *n'importe quoi* eux aussi. (Plus tard, Bean dira sévèrement à son frère de dix-huit mois, en imitant ses maîtresses : « Tu ne peux pas faire n'importe quoi ! »)

Mais il est vrai que j'ai vu, dans ma propre maison, des enfants américains battre des records de *n'importe quoi*[7]. Lorsque nous avons la visite de familles américaines, les adultes passent la plupart de leur temps à courir après leurs enfants ou à s'occuper d'eux. « Peut-être que dans cinq ans, nous pourrons avoir une conversation », plaisante une amie californienne en vacances à Paris avec son mari et leurs deux filles, de sept et quatre ans. Cela fait plus d'une heure que nous essayons simplement de finir nos tasses de thé.

Ces amis sont arrivés chez nous après avoir passé la journée à visiter Paris, non sans avoir essuyé plusieurs caprices spectaculaires de Rachel, la plus jeune. Je n'ai pas encore terminé de préparer le repas que les deux parents viennent dans la cuisine et m'informent que leurs filles ne pourront sûrement pas attendre plus longtemps. Quand nous finissons par nous asseoir, ils laissent Rachel ramper sous la table alors que tout le monde (y compris Bean) est en train de dîner. Ils expliquent que la petite est fatiguée et ne se contrôle plus. Puis ils s'émerveillent de son avance en lecture et de sa possible admission dans une garderie pour enfants précoces.

Au cours du repas, je sens quelque chose qui frotte mon pied.

« Rachel me fait des chatouilles », dis-je nerveusement à ses parents. Un instant plus tard, je pousse un cri. L'enfant précoce vient de me mordre.

Fixer des limites aux enfants n'est manifestement pas une invention française. De nombreux parents et experts américains estiment eux aussi que les limites sont cruciales. Mais aux États-Unis, cette conception s'oppose à la conviction concurrente que les enfants ont besoin de s'exprimer. J'ai parfois le sentiment que ce que me réclame Bean – un jus de pomme à la place de l'eau, porter une robe de princesse pour aller au parc, descendre de la poussette tous les six mètres – est immuable et primordial. Je ne cède pas à tout. Mais réprimer à plusieurs reprises ses envies me semble être une mauvaise idée, peut-être même préjudiciable.

Je dois admettre que j'ai du mal à imaginer que Bean puisse rester assise au fil des quatre plats d'un repas ou jouer tranquillement quand je suis au téléphone. Je ne suis même pas sûre de vouloir la voir faire ces choses-là. Cela risque-t-il de brider son énergie ? Est-ce que j'étoufferais sa créativité et ses chances d'inventer le prochain Facebook ? Généralement, sous le poids de toutes ces questions, je capitule.

Je ne suis pas la seule. À la fête d'anniversaire que j'ai organisée pour les quatre ans de Bean, l'un de ses copains anglo-saxons arrive avec un cadeau pour elle et un autre pour lui. Sa mère explique qu'il s'est énervé dans le magasin parce qu'il en voulait un lui aussi. Mon amie Nancy me parle d'un nouveau modèle d'éducation selon lequel l'enfant ne doit jamais entendre le mot « non », afin qu'il ne risque pas de le redire à ses parents.

Les Français ne sont pas aussi ambivalents à propos du « non ». « Il faut apprendre la frustration aux enfants » semble être une maxime de l'éducation à la française. Dans un des ouvrages de *Princesse Parfaite*, l'une de mes séries de livres pour enfants préférées, Zoé est dessinée en train de tirer sa mère vers une crêperie. On lit sous l'image : « En passant devant la crêperie, Zoé a fait la comédie. Elle voulait une crêpe à la confiture de mûres. Maman a refusé, car c'était tout juste après le déjeuner… »

Sur la page suivante, Zoé est de retour dans la crêperie, dans sa tenue de Princesse Parfaite, comme sur la couverture. Cette fois-ci, elle se cache les yeux pour ne pas voir le tas de brioches toutes fraîches. Elle est *sage*. « Mais parfois Zoé est une Princesse Parfaite ! Comme elle se connaît, pour éviter d'être tentée, elle tourne la tête de l'autre côté. »

Il est intéressant de noter que si Zoé pleure dans la première scène parce qu'elle n'obtient pas ce qu'elle veut, elle sourit dans la deuxième, où elle réussit à se distraire. Le message est que les enfants auront toujours l'impulsion de céder à leurs « vices », mais qu'ils sont plus heureux quand ils sont *sages* et qu'ils se contrôlent. (Autre point qui vaut la peine d'être souligné : les parents parisiens ne laissent pas leurs petites filles faire du shopping habillées en princesse. Ces tenues sont réservées aux fêtes d'anniversaire et pour se déguiser à la maison.)

Dans le livre *Un enfant heureux*, le psychologue français Didier Pleux développe l'idée que la meilleure façon d'avoir un enfant heureux est de le frustrer. « Attention, cela ne veut pas dire qu'il faut l'empêcher de jouer ou éviter de lui faire des câlins, avertit le psychologue. Il faut évidemment respecter ses goûts, ses rythmes, sa singularité. Simplement, il faut que l'enfant apprenne, et ceci dès le plus jeune âge, qu'il n'est pas seul au monde et qu'il y a un temps pour tout. »

Au cours des mêmes vacances à la mer où je découvre ces enfants français qui mangent tranquillement au restaurant, je suis frappée de voir à quel point les attentes des Français sont différentes de celles des Américains : j'entre avec Bean dans un magasin tapissé de piles de marinières multicolores parfaitement alignées qu'elle entreprend immédiatement de faire tomber. Elle s'arrête à peine quand je la gronde. La mauvaise conduite de Bean ne me semble pas incongrue compte tenu de ses dix-huit mois et je suis surprise lorsque la vendeuse me dit, sans malice : « Je n'ai jamais vu un enfant faire ça. » Je m'excuse et sors aussi vite que possible.

Walter Mischel explique que capituler face aux enfants amorce un cycle dangereux : « Si les enfants savent, quand on leur dit d'attendre, que s'ils se mettent à pleurer leur mère va céder, ils vont très vite apprendre à refuser d'attendre…

L'impatience, les pleurs et les chouinements sont ainsi récompensés. »

Les parents français se réjouissent que chaque enfant ait son propre tempérament. Mais ils partent aussi du principe que tous les enfants en bonne santé sont capables de ne pas chouiner, de ne pas s'effondrer quand on leur dit « non » et d'une manière générale de ne pas harceler leurs parents et de se retenir d'attraper tout ce qui passe à leur hauteur.

Ils considèrent les demandes impulsives des enfants comme des *caprices*, et leur dire non ne leur pose aucun problème. « Je pense que les Françaises comprennent plus tôt que leurs enfants peuvent avoir des exigences qui ne sont pas réalistes », me précise une pédiatre qui suit des enfants français et américains.

Une psychologue française[8] écrit que lorsqu'un enfant fait un caprice – disons qu'il est dans un magasin avec sa mère et lui réclame soudain un jouet –, celle-ci doit rester très calme et lui expliquer doucement qu'elle n'avait pas prévu de lui en acheter un aujourd'hui. Puis elle doit essayer de « contourner » le caprice en détournant l'attention de l'enfant, en lui racontant par exemple une histoire sur sa propre vie. « Les enfants sont toujours intéressés par les histoires sur leurs parents », ajoute la psychologue. (Après avoir lu cela, dès que Bean pique une crise, je lance toujours à Simon : « Raconte-lui une histoire sur ta vie ! »)

La psychologue explique que tout au long de l'incident, la mère doit rester très proche de son enfant, en le serrant dans ses bras ou en le regardant dans les yeux. Mais elle doit aussi lui faire comprendre « qu'il ne peut pas tout avoir tout de suite. Il ne faut surtout pas lui laisser croire qu'il est surpuissant, qu'il peut tout faire et tout avoir. »

Les parents français n'ont pas peur de traumatiser leurs enfants parce qu'ils les frustrent. Au contraire, ils pensent qu'il n'est pas bon pour leurs chérubins de ne pas savoir bien vivre l'insatisfaction. Gérer sa frustration est une compétence clef dans la vie des Français. Les enfants doivent la développer, c'est tout. Ne pas leur enseigner serait une négligence de la part des parents.

Laurence, la nounou, est catégorique : si un enfant réclame d'être porté alors qu'elle est en train de cuisiner, « il suffit de lui dire, "je ne peux pas te porter maintenant" et de lui expliquer pourquoi ».

Laurence admet que les petits ne le prennent pas toujours très bien. Mais elle reste ferme et laisse l'enfant exprimer sa déception. « Je ne le laisse pas pleurer toute la journée, mais je le laisse pleurer, dit-elle. Je lui explique que je ne peux pas faire autrement. »

Cela lui arrive souvent lorsqu'elle surveille plusieurs enfants en même temps. « Si vous êtes occupée avec un enfant et qu'un autre enfant vous réclame, si vous pouvez le prendre dans vos bras, bien sûr vous le faites. Mais sinon, il faut le laisser pleurer. »

L'idée française selon laquelle même les petits doivent être capables d'attendre est un héritage d'une période peu glorieuse de l'éducation française où l'on exigeait des enfants qu'ils soient calmes et obéissants. Mais elle est aussi nourrie de la croyance que même les bébés sont des êtres rationnels qui peuvent apprendre des choses. Ainsi, à en croire ce point de vue, quand nous nous précipitons pour faire manger Bean dès qu'elle couine, nous la traitons comme une droguée. Alors qu'il serait plus respectueux de miser sur sa patience.

Comme pour apprendre à dormir, les pédiatres français considèrent qu'apprendre à gérer le « non » est une étape fondamentale dans l'évolution de l'enfant. Cela les pousse à comprendre qu'il y a d'autres personnes sur terre avec des désirs aussi puissants que les leurs. Un pédopsychiatre français écrit que cette éducation devrait commencer entre le troisième et le sixième mois du bébé. « Sa maman commence à le faire parfois attendre un peu, introduisant ainsi la dimension temporelle dans son esprit. C'est donc grâce aux petites frustrations que ses parents lui imposent jour après jour, alliées à leur amour qui lui permet de les supporter, qu'il pourra renoncer, entre deux et quatre ans, à la toute-puissance pour s'humaniser. Ce renoncement n'est pas toujours bruyant, mais il est un passage obligé. »[9]

Du point de vue français, je ne rends pas service à Bean en lui passant tous ses caprices. Les experts et les parents français pensent que leur « non » sauve les enfants de la tyrannie de leurs désirs. « Quand on est petit, on a des besoins et des désirs sans fin. C'est très basique. Les parents sont là – c'est pour cela que vous êtes frustré – pour arrêter ce processus », dit Caroline Thompson, une psychologue familiale qui reçoit une clientèle francophone et anglophone dans son cabinet parisien.

Le Dr Thompson, elle-même de mère française et de père britannique, souligne que les enfants se mettent souvent en colère contre leurs parents lorsque ces derniers leur refusent quelque chose. Il est fréquent, explique-t-elle, que les parents anglo-saxons interprètent cet accès d'humeur comme le signe qu'ils font une erreur. Mais elle les met en garde : ce n'est pas parce que l'on contrarie un enfant que l'on est un mauvais parent.

Au contraire : « Si le parent ne peut pas supporter l'idée d'être détesté, alors il ne frustrera pas son enfant qui deviendra l'objet de sa propre tyrannie et devra affronter son avidité et son besoin d'en avoir toujours plus. Si le parent n'est pas là pour l'arrêter, l'enfant ne pourra alors compter que sur lui-même pour s'arrêter, ce qui est source de bien plus d'anxiété. » Le point de vue du Dr Thompson reflète ce qui semble être ici un consensus national : les enfants qui affrontent leurs limites et gèrent leur insatisfaction deviennent des personnes plus heureuses et plus souples. L'une des façons d'introduire la frustration, quotidiennement et en douceur, est de faire un peu attendre les enfants. Comme avec la Pause pour apprendre à dormir, les parents français sont devenus des experts en la matière. En France, savoir attendre n'est pas un apprentissage important parmi tant d'autres, mais l'une des bases fondamentales de l'éducation.

Le fait que les bébés soient pratiquement tous nourris aux mêmes heures me laisse toujours aussi perplexe. Comment se règlent-ils sur des horaires identiques, si leurs mères ne le leur imposent pas ? Lorsque je souligne ce mystère aux mamans françaises, elles continuent de vanter les vertus des rythmes, de la souplesse et de l'écoute de la singularité de chaque enfant.

Mais au fil du temps, je me rends compte qu'elles s'appuient également sur quelques principes de base, même si elles ne les mentionnent pas tout le temps. Le premier est que, au bout des trois premiers mois, un bébé est supposé manger tous les jours à peu près aux mêmes horaires. Le deuxième est qu'il vaut mieux que les repas des bébés soient copieux et moins fréquents plutôt que légers et trop nombreux. Et le troisième est que le bébé doit se régler sur le rythme familial.

Ainsi, même s'il est vrai que les parents français ne forcent pas leurs bébés à suivre leurs horaires, ils les y encouragent tout de même en respectant ces trois principes. Selon l'ouvrage *Votre enfant*, l'idéal est d'allaiter à la demande pendant les premiers mois, puis d'aller « progressivement et en souplesse, vers des horaires réguliers plus compatibles avec la vie quotidienne ».

Si les parents suivent ces principes, si leur bébé se réveille à sept ou huit heures du matin et doit attendre environ quatre heures entre les repas, le respect des horaires nationaux n'aura bientôt plus de secret pour lui. Il mangera le matin, à nouveau vers midi, aura son goûter vers quatre heures, et mangera une dernière fois vers huit heures du soir, avant d'aller dormir. Lorsque le bébé pleure à dix heures du matin, ses parents se disent que le mieux est d'attendre l'heure du déjeuner et de lui donner un bon repas. Il est possible qu'il ait besoin d'un peu de temps pour s'habituer à ce rythme. Les parents doivent l'y accompagner pas à pas, en douceur, et le bébé finit par s'y faire. La famille peut ainsi prendre ses repas ensemble.

Martine raconte qu'elle a allaité Paulette à la demande durant ses premiers mois. Puis, vers son troisième mois, afin de lui apprendre à attendre trois heures entre les tétées, elle la promenait ou la portait dans un porte-bébé et elle arrêtait rapidement de pleurer. Martine a appliqué la même méthode pour passer à quatre heures entre les tétées. Elle assure qu'elle n'a jamais laissé pleurer ses enfants très long-temps. Ils ont progressivement pris l'habitude de manger quatre fois par jour. « J'étais très souple, je suis juste comme ça », dit-elle.

Le postulat de base est que si le bébé a son propre rythme, la famille et les parents ont eux aussi des rythmes. En France, l'idéal est donc de trouver un équilibre entre ces dif-férents rythmes. *Votre enfant* explique : « Vous et votre bébé avez chacun vos droits et toute décision est un compromis. »

Le pédiatre habituel de Bean ne m'a jamais parlé de ce « programme horaire » de quatre repas par jour. Il est absent lors de la prochaine consultation et sa remplaçante est une jeune Française qui a une fille de l'âge de Bean. Je l'interroge sur les horaires de repas et elle me répond que *bien sûr* Bean ne devrait manger que quatre fois par jour. Puis elle grif-fonne ces heures sur un Post-it. C'est évidemment encore une fois la même chose : matin, midi, quatre heures et huit heures du soir. Lors d'une visite suivante, quand je demande au pédiatre habituel de Bean pourquoi il ne m'en avait jamais parlé, il me dit qu'il préfère ne pas suggérer d'heures de repas aux parents américains, parce qu'ils en font une obsession.

Cela nous prend plusieurs semaines, mais petit à petit nous exerçons Bean à respecter ces horaires. Elle n'a en fait aucun problème à attendre entre les repas. Elle avait juste besoin d'un peu d'entraînement.

LA RECETTE DU GÂTEAU AU YAOURT

2 yaourts nature au lait entier (on utilisera le pot
pour mesurer les autres ingrédients)
2 œufs
2 pots de sucre (ou un seul, selon le goût)
1 cuillerée à café de vanille liquide
Un peu moins d'un pot d'huile végétale
4 pots de farine
1 cuillerée 1/2 à café de levure chimique
Crème fraîche (en option)

Faites préchauffer le four à 180 °C (th. 6).
Graissez un moule à gâteau rond ou un moule à cake avec de l'huile végétale.
Mélangez délicatement les yaourts, les œufs, le sucre, la vanille et l'huile. Dans un autre bol, mélangez la farine et la levure. Mélangez ingrédients secs et humides jusqu'à ce vous ayez une pâte homogène (sans trop mélanger). Vous pouvez ajouter deux pots de fraises ou framboises congelées, ou un pot de pépites de chocolat ou tout autre ingrédient parfumé. Mettez au four pour 35 minutes, puis 5 minutes supplémentaires si le gâteau ne passe pas le test du couteau. Il doit être presque croustillant à l'extérieur et moelleux à l'intérieur. Laissez-le refroidir.
Le gâteau est délicieux servi avec du thé et une cuillerée de crème.

CHAPITRE 5

DE TOUT PETITS HUMAINS

Bean a un an et demi quand nous l'inscrivons à un centre d'adaptation du jeune enfant au milieu aquatique, aussi connu sous le nom de « bébés nageurs ». C'est un cours de natation payant organisé par la mairie de notre arrondissement qui a lieu tous les samedis dans l'une des piscines municipales du quartier.

Un mois avant le premier cours, les organisateurs convoquent les parents à une réunion informelle. Les autres parents nous ressemblent beaucoup : des diplômés d'études supérieures, prêts à sortir la poussette dans le froid d'un samedi matin pour que leurs enfants apprennent à nager. On attribue à chaque famille un créneau de nage de quarante-cinq minutes et on leur rappelle que – comme dans toutes les piscines municipales parisiennes – les hommes doivent porter un slip de bain et non un short de bain. (Prétendument pour des raisons d'hygiène, afin d'éviter qu'ils ne nagent dans des shorts qu'ils auraient pu porter et salir à l'extérieur.)

Le samedi venu, nous arrivons tous les trois à la piscine, nous nous déshabillons et enfilons nos tenues de bain aussi discrètement que possible dans les vestiaires mixtes. Puis nous rejoignons les autres enfants et parents dans le bassin. Bean lance des balles en plastique, glisse sur un toboggan et saute depuis de grosses bouées. Soudain, un maître-nageur nage vers nous, se présente et repart aussitôt. Sans que nous ne nous rendions compte de rien, nos quarante-cinq minutes sont écoulées et de nouveaux parents entrent dans le bassin avec leurs enfants.

Je me dis que ce doit être le cours d'introduction et que les leçons commenceront la semaine suivante. Mais la deuxième séance se déroule de la même façon : on s'éclabousse beaucoup, mais personne n'apprend à personne à pédaler avec ses pieds, à souffler sous l'eau et encore moins à nager. Il n'y a en fait aucune instruction organisée. De temps en temps, le maître-nageur coule une brasse de notre côté pour s'assurer que tout va bien.

Un samedi matin, je l'aborde dans un coin de la piscine :

« Quand allez-vous commencer à apprendre à nager à ma fille ?

— Les enfants n'apprennent pas à nager aux bébés nageurs », me répond-il avec un sourire indulgent, comme si c'était une évidence absolue. (Je ne découvrirai que plus tard qu'en règle générale les petits Parisiens n'apprennent à nager que vers six ans.)

Mais pourquoi barbotons-nous tous dans l'eau alors ? Il me dit que l'objectif de ces séances est de faire *découvrir* l'eau aux enfants, et de les *éveiller* aux sensations aquatiques.

Pardon ? Bean a déjà « découvert » l'eau dans son bain. Je veux qu'elle apprenne à nager ! Et je veux qu'elle nage le plus tôt possible, de préférence avant ses deux ans. C'est pour cela que j'ai payé ces leçons et que j'ai traîné ma famille hors du lit un samedi matin glacial.

Je regarde autour de moi et me rends compte que tous ces parents savaient lors de la réunion de présentation qu'ils s'inscrivaient pour que leur enfant « découvre » et « s'éveille » au milieu aquatique et non pour qu'il apprenne à nager. Est-ce que leurs enfants « découvrent » également le piano au lieu d'apprendre à y jouer ?

Je comprends alors que la différence entre les parents américains et français ne se limite pas en fait à quelques pratiques ; ils n'appréhendent pas du tout l'enfant et ses modes d'apprentissage comme nous. À mon avis, mon problème dépasse la natation, il est également d'ordre philosophique.

Dans les années 1960, le psychologue suisse Jean Piaget se rendit aux États-Unis pour y faire connaître ses théories sur les étapes du développement de l'enfant. Généralement, après chaque présentation, une personne dans le public lui posait ce qu'il se mit à appeler la « Question américaine », à savoir : « Comment les parents peuvent-ils accélérer ces étapes ? »

Ce à quoi le Dr Piaget répondait : « Pourquoi voudriez-vous faire une chose pareille ? » Il ne pensait pas qu'il était possible ou désirable de pousser les enfants à acquérir des compétences plus tôt que prévu. Il était persuadé qu'ils atteignent tous ces étapes à leur rythme, chacun animé par leur volonté intérieure.

La « Question américaine » résume à elle seule une différence fondamentale entre les parents américains et français. Nous, parents américains, nous donnons comme mission d'inciter, stimuler et porter nos enfants d'un stade de développement à l'autre. Nous pensons que nos performances en tant que parents se mesurent à la vitesse à laquelle se développeront nos enfants. À Paris, dans mon *playgroup*[1] anglophone pour les petits, quelques mamans se vantent de payer des cours de musique à leurs enfants ou bien d'aller à un autre *playgroup* où les enfants apprennent le portugais. Mais, veillant à en réserver la primeur à leur progéniture, ces mères sont souvent beaucoup moins bavardes quand il s'agit de donner des détails. Elles n'admettraient jamais qu'elles sont dans la compétition, même si c'est manifestement le cas.

Les parents français ne semblent pas s'inquiéter autant de donner de l'avance à leurs enfants. Ils ne les poussent pas pour apprendre à lire, nager ou faire des maths plus tôt que prévu. Ils n'essaient pas d'en faire des prodiges. Je n'ai pas l'impression de participer – subrepticement ou pas – à une course où le gagnant remportera un prix mystérieux. Ils inscrivent leurs enfants à des cours de tennis, d'escrime et d'anglais, mais ils n'exhibent pas leurs activités pour prouver qu'ils sont de bons parents. Et ils n'en parlent pas avec réserve, comme s'il s'agissait d'une sorte d'arme secrète. En France, on n'inscrit pas ses enfants à un cours de musique le samedi matin pour stimuler un quelconque réseau neuronal. On le fait surtout pour le plaisir de l'enfant. Comme ce maître-nageur, les parents français croient aux vertus de l'« éveil » et de la « découverte ».

En fait, les parents français ont une approche différente de l'enfant. En approfondissant mes connaissances sur le sujet, je découvre deux personnages clés que deux cents ans séparent : le philosophe Jean-Jacques Rousseau et une pédiatre dont je n'avais encore jamais entendu parler, Françoise Dolto. Ce sont les deux figures qui ont le plus influencé l'éducation française et leurs pensées sont toujours très présentes dans la France d'aujourd'hui.

La conception française contemporaine de l'éducation remonte à Rousseau (même si, comme Jean Piaget, il n'était pas français). Le philosophe n'était pas lui-même une référence en termes d'éducation. Né à Genève en 1712, il n'a pas une enfance idéale. Sa mère meurt dix jours après sa naissance. Son seul frère, plus âgé, se sauve ensuite du foyer. Plus tard son père, un horloger, doit fuir Genève suite à des querelles d'affaires, laissant Jean-Jacques derrière lui, chez un oncle. Rousseau s'installe à Paris, où il abandonne ses propres enfants à l'orphelinat peu après leur naissance. Il affirme le faire pour protéger l'honneur de leur mère, une ancienne couturière qu'il emploie à son service.

Rien de tout cela n'empêche J.-J. Rousseau de publier *Émile, ou de l'Éducation*, en 1762. L'ouvrage décrit l'éducation d'un jeune personnage de fiction prénommé Émile (qui rencontrera, après sa puberté, la douce et tout aussi imaginaire Sophie). Emmanuel Kant, le philosophe allemand, a comparé plus tard l'importance de ce livre à celle de la Révolution française. Des amis français me disent qu'il est régulièrement étudié dans les lycées français. L'influence de l'*Émile* est si persistante que certains passages et phrases cultes sont devenus des clichés de l'éducation contemporaine, comme la place accordée à l'« éveil ». Et nombre de ces principes sont considérés aujourd'hui comme des vérités établies par les parents français.

Émile fut publié à une époque peu reluisante de l'histoire de l'éducation française. Un fonctionnaire de police estimait en 1780 que sur les vingt et un mille bébés nés à Paris dans l'année, près de dix-neuf mille étaient envoyés en nourrice jusqu'en Normandie ou en Bourgogne[2]. Certains de ces nouveau-nés mouraient en route, à l'arrière des froides carrioles qui les y transportaient en cahotant. Beaucoup d'autres décédaient chez leurs nourrices : surchargées de travail et misérablement payées, elles acceptaient trop de bébés et les maintenaient sévèrement emmaillotés durant de longues heures afin, prétendument, qu'ils ne se blessent pas.

Pour les parents de la classe ouvrière, la nourrice était un choix économique ; elle leur revenait moins cher que de payer quelqu'un pour remplacer la mère dans le commerce familial[3]. En revanche, pour les femmes des classes sociales supérieures, il s'agissait plutôt d'un style de vie. Afin de profiter d'une vie sociale sophistiquée, comme l'y poussait la pression sociale, la femme devait être libre. L'enfant « ne gêne pas seulement sa mère dans sa vie d'épouse, mais aussi dans ses plaisirs [...] S'occuper d'un enfant n'était ni amusant, ni chic.[4] »

Rousseau tenta de bouleverser cette situation en écrivant l'*Émile*. Il insistait pour que les femmes allaitent leurs bébés. Il critiquait l'emmaillotage, les « bonnets rembourrés » et les « laisses », ces dispositifs de l'époque assurant la sécurité des petits. « Loin d'être attentif à éviter qu'Émile ne se blesse, je serais fort fâché qu'il ne se blessât jamais, et qu'il grandît sans connaître la douleur [...] ; s'il saisit un fer tranchant, il ne serrera guère, et ne se coupera pas bien avant », écrivait Rousseau.

Il considérait que l'on devait donner de l'espace aux enfants, afin qu'ils puissent se développer naturellement. Il disait d'Émile : « Au lieu de le laisser croupir dans l'air usé d'une chambre, qu'on le mène journellement au milieu d'un pré. Là, qu'il coure, qu'il s'ébatte, qu'il tombe cent fois le jour, tant mieux : il en apprendra plus tôt à se relever. » Il imaginait un enfant libre d'explorer et de découvrir le monde, laissant peu à peu ses sens « s'éveiller ». « Qu'Émile coure les matins à pieds nus, en toute saison, par la chambre, par l'escalier, par le jardin. » Il ne permettait au jeune Émile de ne lire qu'un seul livre : *Robinson Crusoé*.

Avant d'avoir lu l'*Émile*, j'étais perplexe quand les parents et éducateurs français parlaient de laisser leurs enfants « découvrir » et « s'éveiller ». Lors d'une réunion de parents à la crèche de Bean, l'une des puéricultrices s'extasie sur le fait que les enfants puissent aller tous les jeudis matin à un gymnase du quartier, non pas pour y faire de l'exercice, mais pour « découvrir » leurs corps. L'un des objectifs du projet éducatif de la crèche est que les enfants puissent « découvrir le monde, dans le plaisir et la joie... ». Une autre crèche associative du quartier s'appelle simplement « Enfance et Découverte ». Le plus beau compliment que l'on puisse visiblement faire au sujet d'un bébé français est de dire qu'il est *éveillé.* Contrairement aux États-Unis, ce n'est pas un euphémisme pour éviter de dire qu'il n'est pas beau.

« Éveiller » consiste à proposer à l'enfant des expériences sensorielles, y compris celles du goût. Cela ne nécessite pas toujours l'implication active des parents. Il suffit de regarder le ciel, de humer un plat en train d'être cuisiné, ou de jouer seul sur une couverture. C'est une façon d'aiguiser les sens de l'enfant et de le préparer à apprécier différentes expériences. C'est le premier pas vers l'apprentissage qui fera de lui un adulte cultivé sachant savourer la vie. L'éveil est en quelque sorte un entraînement destiné aux enfants pour qu'ils apprennent à *profiter* de la vie – c'est-à-dire apprécier les plaisirs et les richesses de l'instant.

Il va sans dire que je suis tout à fait favorable à ces activités d'éveil. Qui ne le serait pas ? Mais je suis éberluée par l'importance qu'on leur donne. Comme le découvrit Jean Piaget en son temps, ce qui nous intéresse plus, nous parents américains, c'est que nos enfants puissent acquérir des compétences concrètes et passent différents stades de développement.

Nous avons aussi tendance à croire que les actions des parents déterminent la qualité et la vitesse de la progression de leurs enfants. Ce qui par conséquent signifie que les décisions des parents et la qualité de leur intervention sont extrêmement importantes. De ce point de vue, on comprend que le langage des signes pour les bébés, les méthodes de préparation à la lecture pour les petits et le choix de la bonne maternelle soient cruciaux pour les parents américains et qu'ils soient constamment en quête de conseils et d'experts sur l'éducation.

Ma petite cour parisienne m'offre quantité d'illustrations de ces différences culturelles. La chambre de Bean est jonchée de *flashcards* (des cartes pour apprendre les lettres, les chiffres, les formes, les opérations, etc.), de cubes avec les lettres de l'alphabet, et de DVD de Baby Einstein[5] (à présent discrédité), tous des cadeaux que nous avons été heureux de recevoir de la part de nos amis et parents américains. Et Mozart passe en boucle à la maison afin de stimuler son développement cognitif.

Mais Anne, ma voisine architecte, ne connaît pas Baby Einstein et n'a manifesté aucun intérêt quand je lui en ai parlé. Elle aime laisser sa fille s'amuser tranquillement avec de vieux jouets achetés dans des vide-greniers et déambuler dans notre cour partagée.

Un jour, je lui mentionne qu'il y a une place dans la maternelle du quartier. Bean fait partie des enfants les plus âgés de la crèche, elle pourrait donc commencer l'école un an plus tôt et quitterait la crèche où je crains qu'elle ne soit pas assez stimulée.

« Pourquoi tu ferais une chose pareille ? me demande Anne. Laisse-lui le temps, elle est encore si petite. »

Les conclusions d'une étude de l'université du Texas montrent que les mères françaises ne cherchent pas, malgré toutes les activités d'éveil proposées aux enfants, à soutenir leur développement cognitif ou à leur donner une avance scolaire. Au contraire, elles croient que les activités d'éveil aideront leurs enfants à se forger des « qualités psychologiques, comme la confiance en soi et la tolérance ». D'autres mères exposent leur progéniture à une variété de goûts, de couleurs et d'images simplement parce que leurs enfants y prennent du plaisir.[6]

Ce plaisir est « ce qui nous fait vivre, affirme l'une des mamans. Sans plaisir, il n'y a pas de raison de vivre. »

Dans le Paris du XXIe siècle où je vis, l'héritage de Rousseau prend visiblement deux formes contradictoires. Il y a d'un côté, les cabrioles dans les champs (ou à la piscine) et de l'autre, une discipline très stricte. Rousseau affirmait que la liberté de l'enfant doit être encadrée d'une forte autorité parentale.

« Savez-vous quel est le plus sûr moyen de rendre votre enfant misérable ? écrivait-il. C'est de l'accoutumer à tout obtenir ; car ses désirs croissant incessamment par la facilité de les satisfaire, tôt ou tard l'impuissance vous forcera malgré vous d'en venir au refus ; et ce refus inaccoutumé lui donnera plus de tourment que la privation même de ce qu'il désire. »

Rousseau expliquait que le plus grand piège éducatif est de croire que le point de vue de l'enfant a autant de poids que celui du parent simplement parce qu'il sait le défendre. « La pire éducation est de le laisser flottant entre ses volontés et les vôtres, et de disputer sans cesse entre vous et lui à qui des deux sera le maître. »

Pour Rousseau, le seul maître possible est le parent. Ses propos semblent souvent décrire le fameux *cadre* qui est devenu le modèle des parents français contemporains, un idéal qui veut que les parents soient très stricts sur certains points, mais très détendus sur presque tout le reste.

Fanny, l'éditrice avec deux enfants, me raconte qu'avant d'être maman, elle a entendu à la radio un acteur français connu qui parlait de sa vie de père et exprimait précisément l'idée qu'elle se faisait du cadre – et la façon dont elle avait elle-même été élevée. « L'éducation est un cadre ferme et la liberté est dans ce cadre, expliquait-il. Ça me plaît beaucoup, commente Fanny. Je crois que l'enfant est rassuré. Il sait qu'il peut faire ce qu'il veut, mais qu'il y aura toujours des limites. »

Pratiquement tous les parents français que je rencontre se décrivent comme « stricts ». Ils n'en sont pas des ogres pour autant, mais, comme Fanny, ils sont fermes sur certains points et c'est justement ce qui donne toute sa force au *cadre*.

« J'ai tendance à être tout le temps un peu sévère, dit Fanny. J'ai compris qu'il ne fallait pas lâcher sur certaines règles, sinon on fait marche arrière. Je lâche rarement. »

Dans le cas de Fanny, ces règles concernent les repas, le sommeil et la télévision. « Pour tout le reste, elle peut faire ce qu'elle veut », me dit-elle à propos de sa fille, Lucie. Même dans ces domaines critiques, Fanny essaie de lui laisser un peu de liberté et de choix. « En ce qui concerne la télé, en fait il n'y en a pas, juste des DVD. Mais c'est elle qui choisit le DVD. J'essaie de faire la même chose pour tout… Quand elle s'habille le matin, je lui dis : "À la maison, tu peux t'habiller comme tu veux. Si tu veux mettre une chemise d'été en plein hiver, c'est d'accord. Mais quand on sort, c'est moi qui décide." Pour le moment, ça fonctionne. On verra comment ça se passera quand elle aura treize ans. »

L'objectif du cadre n'est pas d'emprisonner l'enfant, mais de créer un monde qui soit prévisible et cohérent. « On a besoin de ce cadre, sinon on se perd, je crois, dit Fanny. Ça donne confiance. Tu as confiance en ton enfant et il le sent. »

Le *cadre* semble simplifier la vie des enfants et les rendre plus forts. Mais l'héritage de Rousseau a un côté plus sombre. Lorsque j'amène Bean chez le médecin pour son premier vaccin, je la berce dans mes bras et m'excuse pour la douleur qu'elle va ressentir. Le pédiatre français me reprend.

« Vous n'avez pas à vous excuser, me dit-il. Se faire vacciner fait partie de la vie. Il n'y a pas de raison de vous excuser pour ça. »

Rousseau n'était pas sentimental au sujet des enfants. Son objectif était de modeler de bons citoyens à partir d'une matière brute. De nombreux penseurs ont continué à considérer les bébés comme de simples « pages vierges » pendant des centaines d'années. Vers la fin du XIXᵉ siècle, William James, le philosophe et psychologue américain, écrivit qu'aux yeux du nourrisson, le monde n'était qu'une « grande confusion vibrionnante et florissante ». Jusqu'au XXᵉ siècle, on pensait que les enfants n'appréhendaient que très lentement le monde et leur présence au monde.

En France, la conception de l'enfant en tant que petit être inintéressant qui gagne progressivement ses galons d'adulte a persisté jusque dans les années 1960. J'ai rencontré des Français d'une quarantaine d'années qui, enfants, n'avaient pas le droit de parler à table à moins qu'une grande personne ne leur adresse la parole. On attendait des enfants qu'ils soient « sages comme des images ».

Cette vision de l'enfant a commencé à évoluer en France à la fin des années 1960. En mai 1968, une manifestation d'étudiants à l'université de Nanterre initie une série de révoltes. C'est le début d'une importante révolution sociale : onze millions d'ouvriers français font grève et le président Charles de Gaulle dissout l'Assemblée nationale.

Les manifestants ont des revendications économiques précises, mais beaucoup d'entre eux désirent avant tout une nouvelle façon de vivre. La société française, religieuse et conservatrice, alors en place depuis des siècles semble soudain hors de son temps. Les manifestants espèrent une libération personnelle avec différents choix de vie pour les femmes, une hiérarchie sociale moins stricte et une vie qui ne soit pas uniquement réglée sur le « métro, boulot, dodo ». Le gouvernement français réussit à mettre fin aux manifestations, parfois dans la violence. Mais la révolte aura un profond impact sur toute la société française. (Par exemple, la France est aujourd'hui l'un des pays les moins religieux d'Europe.)

Le modèle autoritaire d'éducation est l'une des victimes de 1968. Si tous les êtres sont égaux entre eux, pourquoi les enfants n'ont-ils pas le droit de parler à table ? Le pur modèle de Rousseau – les enfants sont des pages vierges – ne convient plus à la société française fraîchement émancipée. De plus, les Français sont fascinés par la psychanalyse et prennent soudain peur de traumatiser leurs enfants en les faisant taire.

Dans les années 1970, on attend toujours des enfants français qu'ils soient polis et qu'ils se contrôlent, mais progressivement, on les encourage aussi à s'exprimer. Les jeunes parents français que je connais utilisent souvent le mot *sage*, signifiant ainsi que l'enfant se maîtrise tout en étant heureusement absorbé dans une activité. « Avant il était sage comme une image, maintenant il est sage et éveillé », explique Maryse Vaillant, la psychologue et écrivaine française, elle-même membre de cette fameuse génération 68.

Françoise Dolto, l'autre pilier de l'éducation française, est apparue dans ce soulèvement générationnel. Les Français avec qui je m'entretiens – y compris ceux qui n'ont pas d'enfant – sont éberlués d'apprendre que je n'aie jamais entendu parler d'elle et qu'un seul de ses ouvrages ait été traduit en anglais (d'ailleurs depuis longtemps épuisé).

En France, Françoise Dolto est connue de tous, un peu comme le Dr Spock l'est aux États-Unis. L'anniversaire des cent ans de sa naissance a été célébré en 2008 par un foisonnement d'articles, d'hommages et même un téléfilm sur sa vie. L'Unesco a organisé trois jours de conférences à Paris sur son travail et ses livres sont en vente dans toutes les librairies françaises.

Au milieu des années 1970, à plus de soixante-dix ans, Françoise Dolto était déjà la psychanalyste et pédiatre la plus connue de France. En 1976, sur France Inter, Françoise Dolto répondait aux lettres des auditeurs qui lui posaient des questions sur l'éducation. « Personne n'avait imaginé que le succès serait immédiat et durerait aussi longtemps », se souvient Jacques Pradel, alors jeune animateur de l'émission *Lorsque l'enfant paraît*. « Ses réponses aux questions, décrit-il, étaient brillantes, à la limite de la prémonition. Je ne sais pas où elle allait les chercher. »[7]

J'ai regardé des extraits de documentaires de cette période consacrés à Dolto et j'ai bien vu pourquoi elle attirait les parents anxieux. Avec ses lunettes aux verres épais et ses tenues austères, elle avait tout d'une grand-mère sage. (Elle ressemblait beaucoup à Golda Meir.) Et à l'instar de son homologue américain, le Dr Spock, tout ce qu'elle disait – y compris les affirmations les plus extravagantes – semblait relever du bon sens.

Dolto incarnait peut-être la grand-mère universelle, son message sur la façon d'être avec les enfants n'en était pas moins délicieusement radical et moderne. Émancipant en quelque sorte les bébés, elle assurait que les enfants sont rationnels et que même les bébés comprennent le langage dès leur naissance. C'est un message intuitif, presque mystique. Un message que les Français acceptent en bloc, même s'ils ne le comprennent pas dans tous ses détails. Après avoir lu Dolto, je me rends compte que la plupart des principes les plus étranges que j'ai entendus dans la bouche des parents français – comme de parler aux bébés de leurs difficultés à dormir – lui sont directement dus.

Les émissions radio de Dolto ont fait d'elle une figure quasi mythique. Dans les années 1980, des piles de livres reprenant les textes des émissions et d'autres conversations se vendaient dans les supermarchés français. Toute une cohorte d'enfants a été appelée la « génération Dolto ». Dans un hors série de *Télérama* qui lui a été consacré en 2008, un psychanalyste se souvient d'un chauffeur de taxi qui lui avait avoué ne jamais manquer une de ses émissions radio et être sidéré par ses propos : « Elle parle des enfants comme s'ils étaient des êtres humains ! »

Le cœur du message de Dolto n'est pas un modèle d'éducation. Elle ne donne pas des foules d'instructions précises. Mais si l'on en accepte le principe de base, à savoir que les enfants sont rationnels – comme le fait la société française –, quantités de repères commencent alors à évoluer. Si les bébés comprennent ce qu'on leur dit, il devient possible de leur apprendre beaucoup de choses, même quand ils sont encore petits, y compris manger au restaurant.

La future Françoise Dolto naît Françoise Marette en 1908, dans une grande famille bourgeoise catholique parisienne. En apparence, sa vie a tout d'agréable : des leçons de violon, une cuisinière et des paons qui paradent dans le parc familial. Elle reçoit l'éducation nécessaire à une jeune fille pour être bien mariée.

Mais Françoise n'est pas la fille discrète et obéissante que ses parents attendaient. Elle n'est pas *sage comme une image*. Elle est volontaire, directe et passionnément curieuse des gens qui l'entourent. Dans ses premières lettres, la jeune Dolto semble avoir conscience, de façon presque surnaturelle, de la troublante incompréhension qui la sépare de ses parents. À huit ans, elle a déjà décidé de devenir « médecin d'éducation » afin d'être l'intermédiaire entre les adultes et les enfants. Un travail qui n'existe alors pas encore, mais qu'elle créera plus tard.[8]

C'est l'époque où les femmes françaises commencent à pouvoir exercer une profession. Comme Simone de Beauvoir, elle aussi née en 1908, Françoise Dolto fait partie de cette première génération de jeunes filles qui a le droit de passer le baccalauréat français, nécessaire pour entrer à l'université.

Après avoir réussi son bac, Dolto entreprend, sous la pression de ses parents, des études pour devenir infirmière. Ce n'est que lorsque son jeune frère Philippe se prépare à entrer à la fac de médecine que ses parents lui permettent de faire médecine, chaperonnée par son frère. Elle étudie également la psychanalyse, ce qui à l'époque est encore rare. Sa famille pense que cela la guérira de ses ambitions si peu féminines.

Dans une lettre datée de 1934[9], le père de Dolto lui écrit qu'il espère que la psychanalyse « [l]'aidera à transformer [sa] nature, et [qu'elle sera] comme [elle dit] une vraie femme, ce qui ajoutera du charme à [ses] autres qualités… »

La psychanalyse – sous la conduite de René Laforgue, qui ouvre la première consultation psychanalytique hospitalière en France – libère effectivement Dolto, mais pour devenir ce « médecin d'éducation » dont elle rêvait enfant. Elle étudie ensuite la psychologie et la pédiatrie et se forme dans différents hôpitaux français.

Chose rare pour une spécialiste de l'éducation, Dolto a visiblement été une excellente mère pour ses trois enfants. Sa fille, Catherine, elle-même pédiatre, écrit à propos de ses parents : « Mais jamais ils ne nous faisaient faire nos devoirs, par exemple. En revanche, on se faisait engueuler comme tout le monde quand on avait de mauvaises notes. Moi, j'étais collée tous les jeudis pour indiscipline. Maman me disait : "C'est dommage pour toi, c'est toi qui es collée. Le jour où tu en auras marre, tu arriveras à tenir ta langue." »

Toute sa vie, Françoise Dolto a entretenu une mémoire extraordinairement précise de la façon dont elle voyait le monde quand elle était enfant. Elle rejetait l'idée dominante qui considérait les enfants comme une collection de symptômes physiques. (À l'époque, on attachait encore aux enfants qui faisaient pipi au lit des « pipi-stops » qui leur envoyaient des décharges électriques.) Elle préférait parler de leur vie aux enfants et croyait que nombre de leurs symptômes physiques avaient des causes psychologiques. « Et toi, qu'est-ce que tu en penses ? » avait-elle l'habitude de demander à ses jeunes patients.[10]

Il est bien connu que Dolto insistait pour que les enfants plus âgés la « paient » à la fin de chaque séance, avec un simple objet, comme une pierre, afin de souligner leur indépendance et leur responsabilité. Ce respect qu'elle portait aux enfants marqua profondément ses étudiants. « Elle changeait tout et c'était exactement ce que nous voulions, nous les étudiants », se souvient la psychanalyste Myriam Szejer.

Dolto faisait preuve du même respect à l'égard des bébés. Un ancien étudiant la décrit en train de s'occuper d'un nourrisson de quelques mois incommodé : « Françoise l'écoute sans l'observer, tous ses sens en éveil, en psychanalyste totalement réceptive aux émotions que l'enfant suscite en elle ; car il s'agit non pas de la consoler, mais de comprendre ce qu'elle raconte, ou plus précisément ce qu'elle revit. »

Des histoires légendaires racontent comment Dolto s'adressait à des bébés jusqu'alors inconsolables à l'hôpital : elle leur expliquait simplement pourquoi ils étaient là, où étaient leurs parents. Tout à coup, les bébés se calmaient.

Elle ne parlait pas aux bébés comme on leur parle aux États-Unis où l'on croit seulement qu'ils reconnaissent la voix de leur mère et qu'ils sont rassurés par un son apaisant. Il ne s'agissait pas non plus d'une méthode pour apprendre à s'adresser aux enfants, ou pour en faire le prochain prix Nobel de littérature.

Au contraire, Dolto soulignait l'importance primordiale du message que l'on délivre au bébé. Elle expliquait qu'il est crucial que les parents disent la vérité à leurs bébés afin de renforcer en douceur ce qu'ils savent déjà.

En fait, elle pensait que les bébés commencent à prêter l'oreille aux discussions d'adultes – percevant ainsi les problèmes et les conflits qui les entourent – dès le ventre de la mère. Elle a imaginé (avant l'ère des échographies) une conversation entre une mère et son bébé, quelques minutes après sa naissance : « Tu vois, nous t'attendions. Tu es un petit garçon. Tu nous as peut-être entendus dire qu'on attendait une petite fille. Mais nous sommes très contents que tu sois un petit garçon. »

Dolto a écrit qu'un enfant devrait être inclus dans les conversations au sujet du divorce de ses parents dès son sixième mois. Lors du décès d'un grand-parent, elle recommandait que même les jeunes enfants puissent brièvement assister aux funérailles. « Quelqu'un de la famille l'accompagne et lui dit : "Voilà, c'est l'enterrement de ton grand-père." C'est quelque chose que l'on fait dans une société. » Dans son introduction à la version anglaise de *Quand les parents se séparent*, Sherry Turkle, sociologue du MIT[11], écrit que pour Dolto, « l'intérêt de l'enfant ne repose pas toujours sur quelque chose qui va lui faire plaisir, mais sur sa compréhension rationnelle ». Ainsi, explique Sherry Turkle, ce dont l'enfant a le plus besoin c'est d'une « vie intérieure structurée capable de soutenir son autonomie et son développement ».

Des psychanalystes étrangers ont reproché à Dolto de trop se fier à son intuition. Mais en France, les parents semblaient trouver un plaisir intellectuel et esthétique dans ses envolées inspirées.

Si les idées de Dolto sont un jour arrivées jusqu'aux oreilles de parents anglophones, elles ont dû leur paraître bien étranges. Les parents américains étaient à l'époque sous l'influence du Dr Spock, de cinq ans l'aîné de Dolto, lui aussi psychanalyste. Il pensait qu'un enfant ne peut comprendre qu'il va avoir un petit frère ou une petite sœur qu'à partir de dix-huit mois. Il encourageait à écouter attentivement les parents, pas les bébés. Son guide sur l'éducation, *Baby and Child Care*, commence sur une accroche célèbre aux États-Unis : « Faites-vous confiance. Vous en savez plus que vous ne l'imaginez. »

Pour Dolto, c'était les enfants qui en savaient plus que quiconque ne pouvait imaginer. Même à la fin de sa vie, se déplaçant avec ses bouteilles d'oxygène portables, elle continuait à se baisser vers ses jeunes patients afin de voir le monde comme eux. À cette hauteur, sa vision était d'une charmante spontanéité.

« ... S'il n'y a pas de jalousie quand arrive le bébé [...], c'est très mauvais signe. L'enfant précédent *doit* montrer de la jalousie, parce que c'est pour lui un problème, c'est la première fois qu'il voit tout le monde admirer quelqu'un de plus jeune que lui », expliquait-elle.

Dolto soulignait le fait que les enfants ont des motivations rationnelles, même lorsqu'ils se conduisent mal. Elle affirmait qu'il revient aux parents d'écouter et de saisir ces intentions. « L'enfant qui a une réaction insolite a toujours une raison de l'avoir [...] ; quand un enfant présente tout d'un coup une réaction insolite, qui gêne tout le monde, notre tâche est de *comprendre* ce qui se passe. »

Dolto donne l'exemple d'un petit enfant qui tout à coup refuse de continuer à marcher dans la rue. Les parents n'y voient qu'une subite obstination. Mais l'enfant a une bonne raison. « Nous devrions essayer de le comprendre et nous dire : "Il y a une raison. Je ne comprends pas, mais réfléchissons !" Et surtout, ne pas en faire un drame tout de suite. »

Au cours de l'un des hommages à l'occasion du centenaire de sa naissance, un psychanalyste français a résumé sa pensée de la façon suivante : « Des humains parlent à d'autres humains. Certains sont grands, d'autres petits. Mais ils communiquent. »[12]

L'énorme volume du Dr Spock, *Baby and Child Care*, s'évertue à vouloir couvrir tous les scénarios possibles impliquant des enfants, de l'obstruction du canal lacrymal aux parents homosexuels (dans les éditions posthumes). Alors que les ouvrages de Dolto sont de petits livres de poche. Au lieu de donner une foison d'instructions précises, elle revient toujours aux quelques principes de base et semble croire que les parents y trouveront leur compte.

Lorsque France Inter lui proposa de faire une émission, Françoise Dolto accepta à condition qu'elle puisse répondre à des lettres de parents plutôt qu'à des appels téléphoniques.

Elle pensait qu'en écrivant leurs problèmes, les parents commenceraient déjà à y trouver des solutions. Jacques Pradel se souvient : « Elle m'a dit : "Vous verrez, un jour nous recevrons la lettre d'une personne qui nous dira : *Je vous envoie ces pages, mais je crois que j'ai déjà compris*. Et effectivement, nous en avons reçu une, exactement comme elle l'avait prévu. »

Comme au Dr Spock aux États-Unis, on a reproché à Dolto d'avoir donné naissance à une vague de parents démesurément permissifs, surtout dans les années 1970 et 1980. On imagine facilement comment ses conseils ont pu ainsi être interprétés : certains parents ont sûrement cru que s'ils devaient écouter leur enfant, il devait ensuite faire ce qu'il leur disait.

Ce n'est évidemment pas du tout ce que recommandait Dolto. Elle pensait que les parents devaient attentivement écouter leurs enfants et leur expliquer le monde. Mais elle était aussi d'avis que ce monde devait avoir de nombreuses limites et que l'enfant, étant un être rationnel, pouvait absorber ces limites et développer une façon de vivre avec. Elle ne souhaitait pas remettre en question le modèle du *cadre* de Rousseau. Elle voulait le préserver. Elle y a simplement ajouté une énorme dose d'empathie et de respect pour l'enfant – ce qui manquait sûrement dans la France d'avant 1968.

Les parents que je vois aujourd'hui à Paris semblent avoir trouvé un équilibre : ils sont à l'écoute de leurs enfants, tout en affirmant clairement que ce sont eux les responsables (même s'il faut parfois qu'ils se le rappellent !). Ils écoutent tout le temps leurs enfants, mais si la petite Agathe réclame un pain au chocolat pour le déjeuner, elle n'en aura pas.

Les parents français ont placé Dolto (perchée sur les épaules de Rousseau) au firmament de leur éducation. Lorsqu'un bébé fait un cauchemar, « tu dois toujours le rassurer en lui parlant », conseille Alexandra qui travaille dans la garderie parisienne. « Je suis très favorable au langage et au fait de parler avec les enfants, même avec les plus petits. Ils comprennent. J'en suis sûre. »

Le magazine français *Parents* explique que si un bébé a peur des étrangers, sa mère doit le prévenir quand un invité est sur le point d'arriver à la maison. Puis, lorsque la sonnette de la porte retentit, « dites-lui que l'invité est là, prenez quelques secondes avant d'ouvrir la porte… S'il ne pleure pas lorsqu'il voit l'étranger, n'oubliez pas de le féliciter. »

J'entends plusieurs histoires de parents français qui, lorsqu'ils rentrent de la maternité, font le tour de la maison avec leur nouveau-né[13]. De nombreux parents français racontent à leur nourrisson ce qu'ils sont en train de leur faire : je vais te prendre dans mes bras ; je change ta couche ; je vais te donner un bain. Il ne s'agit pas simplement de faire des bruits apaisants, mais de vraiment leur délivrer une information. Et puisque le bébé est une personne comme toutes les autres, les parents se montrent fréquemment très polis avec lui. Il n'est jamais trop tôt pour inculquer les bonnes manières.

Croire qu'un bébé ou qu'un nourrisson comprend ce que vous lui dites et peut y réagir a des implications pratiques considérables. Cela signifie entre autres que vous pouvez lui apprendre très tôt à dormir toute la nuit, à ne pas débouler dans votre chambre tous les matins, à s'asseoir correctement à table, à ne manger qu'aux heures des repas et à ne pas interrompre ses parents. *A priori*, il devrait essayer de satisfaire les demandes de ses parents – au moins dans une certaine mesure.

J'en fais l'expérience directe lorsque Bean a environ dix mois. Elle commence à se redresser en face d'une étagère de livres dans notre salon et attrape tous ceux qui sont à sa portée.

Évidemment, c'est agaçant ; je n'imagine pourtant pas une seconde pouvoir l'arrêter. Souvent, je me contente de ramasser les livres et de les ranger. Mais un matin, Lara, une amie française de Simon, passe à la maison. Lorsqu'elle voit Bean jeter les livres par terre, elle s'agenouille immédiatement à côté d'elle et lui explique, patiemment mais fermement, que l'« on ne fait pas ça ». Puis elle lui montre comment les remettre sur l'étagère et lui dit de les y laisser. Lara ponctue ses phrases du mot *doucement* (après cette expérience, je remarque que les parents français répètent sans cesse le mot *doucement*). Je suis soufflée de voir ma fille écouter Lara et lui obéir sur-le-champ.

L'incident révèle l'immensité de l'écart culturel qui nous sépare de Lara. Je partais du principe que Bean était une créature absolument adorable, complètement sauvage et avec beaucoup de potentiel, mais sans aucun contrôle d'elle-même. S'il lui arrivait occasionnellement de bien se conduire, cela n'était que le résultat d'un dressage ou un pur coup de chance. Après tout, elle ne savait pas encore parler et n'avait même pas de cheveux.

Mais Lara – qui à l'époque n'avait pas d'enfant et qui a aujourd'hui deux filles bien élevées – pensait qu'à dix mois, Bean pouvait comprendre ce qu'on lui disait et apprendre à se maîtriser. Elle estimait qu'elle était capable de faire les choses *doucement* si elle le voulait. Et ce fut effectivement le cas.

Françoise Dolto est décédée en 1988. Quelques-unes de ses intuitions sur les bébés sont à présent confirmées par des expériences scientifiques. Les chercheurs ont prouvé que l'on pouvait établir ce que savent les bébés en mesurant le temps qu'ils passent à regarder une chose plutôt qu'une autre. En effet, comme les adultes, ils fixent plus longuement ce qui les surprend. Dès le début des années 1990, des recherches reposant sur cette méthode ont attesté que « les bébés peuvent faire des associations rudimentaires entre les objets » et qu'« ils ont une véritable compréhension de la vie cérébrale : ils saisissent plus ou moins la façon dont les gens pensent et ce qui motive leurs actions », écrit Paul Bloom[14], psychologue à l'université de Yale. Une étude menée à l'université de Colombie-Britannique a notamment établi que les bébés de dix-huit mois comprenaient les probabilités[15].

Il est également prouvé que les bébés ont un vrai sens moral. Paul Bloom et d'autres chercheurs ont montré à des bébés de six et dix mois un pseudo-spectacle de marionnettes où un cercle essayait de remonter la pente d'une colline. Un personnage « facilitant » aidait le cercle à monter, tandis qu'un « opposant » le poussait à redescendre la pente. Après le spectacle, on présentait aux bébés le personnage « facilitant » et le personnage « opposant » disposés sur un plateau. Presque tous les bébés tendaient la main vers l'« aidant ». « Les bébés sont attirés par le gentil et repoussés par le méchant », explique Paul Bloom.

Évidemment, ces expériences ne prouvent pas – comme l'affirmait Dolto – que les bébés comprennent le langage. En revanche, elles semblent attester qu'ils sont effectivement rationnels dès un très jeune âge. Leur esprit n'est pas dans un état de « confusion vibrionnante et florissante ». Il faut donc, au minimum, faire attention à ce qu'on leur dit.

CHAPITRE 6

LA CRECHE ?

L e jour où j'appelle ma mère pour lui dire que Bean a été accepté dans une crèche de la ville de Paris, je n'entends d'abord qu'un long silence à l'autre bout du fil.

« Une crèche ? » finit-elle par demander.

Mes amies aux États-Unis sont sceptiques elles aussi. « Je ne choisirais pas du tout cette solution », réplique une amie qui a un fils de neuf mois, à peu près l'âge de Bean quand elle entrera à la crèche. « Je veux qu'on lui apporte plus d'attention individuelle. »

Mais lorsque j'annonce la nouvelle à mes voisines françaises, elles me félicitent et sont à deux doigts de sortir le champagne.

Je n'avais pas encore constaté de différence aussi cinglante entre les deux pays. Le moins que l'on puisse dire, c'est que les mères américaines de la classe moyenne ne sont pas de grandes fans des crèches. Le simple mot de « crèche » évoque des images de pédophiles et de bébés braillant seuls dans des pièces sombres et sales. « Je veux qu'il ait plus d'attention personnelle » est un doux euphémisme pour : « Contrairement à toi, j'aime vraiment mon enfant et je ne veux pas le mettre entre les mains d'une institution. » Les parents américains qui peuvent se le permettre ont plutôt tendance à employer des nounous à plein-temps, puis inscrivent leurs enfants dans des maternelles privées à mi-temps vers deux ou trois ans. Ceux qui n'ont pas d'autre choix que de mettre leurs enfants à la crèche le font avec méfiance et souvent avec un sentiment terrible de culpabilité.

En revanche, les parents français de la classe moyenne supérieure – architectes, médecins, journalistes – font des pieds et des mains pour obtenir une place dans la crèche de leur quartier (ouverte cinq jours sur sept, la plupart du temps de huit heures à dix-huit heures). Les mères font la demande dès le début de leur grossesse, puis harcèlent, cajolent et supplient l'administration pour obtenir la place si convoitée. Les crèches sont subventionnées par l'État et la participation financière des familles est calculée en fonction de leurs revenus.

« Je me suis dit que c'était un système parfait, absolument parfait ! » s'extasie mon amie Esther, une avocate française dont la fille a commencé à aller à la crèche à neuf mois. Même certaines de mes amies qui ne travaillent pas essaient de mettre leurs enfants à la crèche. En deuxième choix, loin derrière, elles considèrent ensuite l'option de la garderie à temps partiel ou des nounous à domicile, qui sont elles aussi subventionnées par l'État. (Le site internet du gouvernement recense toutes les options.)

Tout ceci me donne une sorte de vertige culturel. Est-ce que la crèche va rendre ma fille agressive, sera-t-elle délaissée, développera-t-elle un sentiment d'insécurité et d'attachement comme le clament les titres effrayants des journaux américains ? Ou sera-t-elle socialisée, « éveillée » et entourée par un personnel formé comme me l'assurent les parents français ?

Pour la première fois, j'ai peur que nous poussions trop loin notre petite aventure interculturelle. C'est une chose de se mettre à tenir sa fourchette de la main gauche et d'ignorer les inconnus, mais ça en est une autre de soumettre son enfant à une expérience étrange et potentiellement trauma-tisante au cours des premières années de sa vie. Sommes-nous déjà devenus trop français ? Bean peut goûter le foie gras, mais est-ce qu'elle doit vraiment goûter aux joies de la crèche ?

Je décide d'étudier la question de ce mode de garde au nom si surprenant pour nous Américains. D'ailleurs, d'où vient ce nom de « crèche » ? Je le croyais réservé à la repré-sentation de la Nativité.

Je découvre que l'histoire des crèches françaises débute dans les années 1840. Jean-Baptiste-Firmin Marbeau, un jeune avocat ambitieux à la recherche d'une cause, était adjoint au maire du 1er arrondissement. Nous étions au cœur de la révolution industrielle et les villes comme Paris grouillaient de femmes de province venues y travailler comme couturières ou ouvrières. Marbeau fut chargé d'écrire un rapport sur les *salles d'asile*, des garderies gratuites pour les enfants de deux à six ans.

Impressionné par ce qu'il découvrit, Marbeau écrivit : « Avec quel soin la société veille sur les enfants de la classe indigente ! »

Mais qui s'occupait de ces enfants avant qu'ils aient deux ans pendant que leurs mères travaillaient ? Marbeau consulta la liste des pauvres de son arrondissement et entreprit de ren-contrer plusieurs mères. « Au fond d'une arrière-cour infecte, j'appelle Mme Gérard, blanchisseuse. Elle descend, afin de ne pas me laisser pénétrer dans son logis, trop sale pour être vu (ce sont ses expressions). Elle a sur les bras un nouveau-né ; à la main un enfant de dix-huit mois. »

Marbeau découvrit que lorsque Mme Gérard allait laver le linge au lavoir, elle laissait ses enfants à une autre femme char-gée de les surveiller. Cela lui coûtait soixante-dix centimes par jour, près d'un tiers de son salaire journalier. Quant à l'autre femme qui était « à son poste, surveillant trois jeunes enfants par terre dans une pièce miteuse », décrivit Marbeau, elle était tout aussi pauvre.

Pour l'époque et leur milieu social, ces enfants n'étaient pas maltraités. Certaines mères enfermaient les enfants à clef dans les appartements ou les attachaient au pied de leur lit toute la journée. Des enfants à peine plus âgés devaient souvent s'occuper de leurs frères et sœurs pendant que leurs mères travaillaient. De nombreux bébés vivaient chez des nourrices dans des conditions de vie déplorables.

Marbeau eut alors une révélation : créer des crèches ! (On choisit effectivement ce nom, car il évoquait l'atmosphère douillette de la Nativité.) Ce serait un lieu d'accueil à temps plein destiné aux enfants de familles pauvres, de la naissance à deux ans. Les financements seraient assurés par des patrons fortunés, dont certains allaient d'ailleurs participer à l'organisation des crèches. Marbeau imagina des bâtiments spartiates, mais d'une propreté irréprochable, où des femmes appelées « infirmières » s'occuperaient des bébés et conseilleraient leurs mères sur l'hygiène et les mœurs. Elles ne paieraient que cinquante centimes par jour et celles qui avaient des enfants non sevrés retourneraient deux fois par jour à la crèche afin d'y allaiter leurs petits.

L'idée de Marbeau toucha un point sensible. Une commission fut rapidement créée afin d'étudier la question des crèches et il se mit en quête de mécènes potentiels. Comme tout bon leveur de fonds, il fit à la fois appel à leur sens de la charité et à leur intérêt économique.

« Ces enfants sont vos concitoyens, vos frères. Ils sont pauvres, malheureux et faibles : vous devez les secourir », écrivit-il dans son ouvrage *Des crèches* publié en 1845. Il ajoutait ensuite : « Si vous pouvez sauver la vie de dix mille enfants, hâtez-vous : vingt mille bras supplémentaires par an ne sont pas à dédaigner. Les bras c'est du travail et le travail est le créateur de la richesse. » La crèche était aussi supposée apporter aux mères une tranquillité d'esprit qui leur permettrait de « se livrer au travail sans inquiétude ».

Dans son manuel, Marbeau demande aux crèches d'ouvrir leurs portes dès cinq heures du matin et de les fermer à huit heures et demie du soir, afin de couvrir les horaires habituels des ouvrières. La vie des mères que décrivait Marbeau n'était pas si éloignée de celles de nombreuses femmes que je connais : « Avant 5 heures, elle se lève, habille son enfant, prépare son petit ménage, court à la crèche, court au travail ; à 9 heures, elle revient déjeuner et allaiter son enfant ; à 2 heures, elle revient encore ; à 8 heures, elle accourt, prend son enfant, le linge de la journée, va vite coucher ce pauvre petit, et laver son linge pour qu'il soit sec le lendemain ; et tous les jours il faut recommencer ! »

De toute évidence, Marbeau était un homme convaincant. La première crèche ouvrit ses portes dans un bâtiment donné par un riche bienfaiteur, rue de Chaillot, à Paris. Deux ans plus tard, on recensait treize crèches et leur nombre ne cessa d'augmenter, surtout à Paris.

Après la Seconde Guerre mondiale, le gouvernement français plaça les crèches sous le contrôle d'un nouveau service, la Protection maternelle et infantile (PMI), et développa un cursus officiel de formation spécialisée dans les soins aux bébés et jeunes enfants, créant ainsi le métier de *puéricultrice*.

Au début des années 1960, on comptait moins de familles françaises très démunies et leur situation s'était améliorée. Mais un plus grand nombre de mères de la classe moyenne travaillaient et commencèrent, elles aussi, à trouver un intérêt dans les crèches. Les établissements se démultiplièrent – plus du double en dix ans – et l'on ne dénombrait pas moins de trente-deux mille crèches en 1971. Les mères de la classe moyenne se mirent à convoiter ces places de crèches et à se plaindre quand elles n'en avaient pas pour leur enfant, comme si cela était devenu un droit.

Toutes sortes de variantes de la crèche virent le jour au cours de la même période. Des crèches à temps partiel, des crèches familiales où les familles participaient à l'organisation et des crèches d'entreprises destinées aux enfants des employés. L'influence de Françoise Dolto suscita un nouvel intérêt pour la façon d'éduquer et de soigner les enfants qui ne se limitait plus à la prévention de maladies ou de potentiels délinquants. Bien vite, les crèches ne jurèrent plus que par les valeurs de la classe moyenne comme la « socialisation » et l'« éveil ».

C'est mon amie Dietlind qui me parle pour la première fois de la crèche, alors que je suis enceinte. Elle est originaire de Chicago, mais vit en Europe depuis qu'elle a terminé ses études universitaires. (Il y a à Paris une vraie caste de femmes initialement venues pour un semestre d'études qui se sont finalement mariées avec leur petit ami de la fac ou qui ne se sont jamais résolues à retourner aux États-Unis.) Dietlind est chaleureuse, parle français avec aisance et continue à se présenter, avec un certain charme, comme « féministe ». Elle est l'une des rares personnes que je connaisse qui s'efforce de rendre le monde meilleur. Dietlind n'a qu'un seul point faible : elle ne sait pas cuisiner. Sa famille ne survit pratiquement que grâce à Picard, une chaîne française de magasins de produits surgelés. Elle a même essayé un soir de me servir des sushis décongelés.

Cela ne l'empêche pas d'être une mère modèle. Et quand elle m'explique que ses deux fils de cinq et huit ans sont allés à la crèche de mon quartier, je prends note. C'était parfait, m'assure-t-elle. Des années plus tard, elle s'y arrête encore pour saluer la directrice et les personnes qui s'occupaient de ses fils. Ces derniers en parlent d'ailleurs toujours avec une joyeuse nostalgie. Leur auxiliaire de puériculture préférée leur coupait même les cheveux.

Pour couronner le tout, Dietlind me propose de parler de moi à la directrice. Elle me répète que la crèche n'est pas un lieu sophistiqué. Je ne suis pas certaine de comprendre ce qu'elle veut dire. S'imagine-t-elle qu'il me faut des parcs à bébés signés Philippe Starck ? Est-ce que « pas sophistiqué » est un code pour « sale » ? J'ai beau arborer une fière position multiculturelle pour rassurer ma mère, je dois avouer que je partage ses doutes sur le sujet. Le fait que la crèche soit gérée par la ville de Paris me donne la chair de poule. J'ai l'impression que je vais déposer mon bébé à la poste ou au service des cartes grises. J'imagine des fonctionnaires sans visage passant à toute allure devant le berceau de Bean en train de pleurer. J'ai peut-être besoin que ce soit « sophistiqué » après tout. À moins que je veuille tout simplement m'occuper toute seule de Bean ?

J'en suis malheureusement incapable. Je n'ai écrit que la moitié du livre que j'étais supposée rendre avant sa naissance. Je me suis octroyée quelques mois de vacances après l'accouchement. Mais ma *deadline* – déjà repoussée une fois – se rapproche à grands pas. Nous avons embauché une nounou adorable, Adelyn, originaire des Philippines. Elle s'occupe de Bean toute la journée. Le problème, c'est que je travaille à la maison, dans un petit coin bureau, et que je ne résiste pas à la tentation de surveiller leurs moindres faits et gestes, à la grande irritation de tout le monde.

Bean semble développer une certaine compréhension passive du tagalog, la langue la plus parlée aux Philippines. Mais je soupçonne qu'Adelyn utilise surtout sa langue maternelle pour lui parler du McDonald du quartier (ma fille me le montre du doigt en hurlant chaque fois que nous passons devant). La crèche « pas sophistiquée » est peut-être une meilleure option.

Avoir un pied dans la crèche, grâce à Dietlind, alors que je suis toujours désynchronisée du reste du pays me sidère. Il m'arrive encore de découvrir que le jour est férié seulement quand je descends dans la rue et me rends compte que tous les magasins sont fermés. Si Bean va à la crèche, nous serons plus directement en contact avec la vie française.

La crèche est également terriblement pratique : il y en a une juste en face de chez nous et celle de Dietlind est à cinq minutes de marche. Comme ces blanchisseuses du XIXᵉ siècle, je pourrais y passer deux fois par jour pour allaiter Bean et la moucher.

Mais le point essentiel est qu'il est difficile de résister à la pression de mes amies françaises. (Heureusement, elles n'essaient pas de me faire fumer.) Anne et les autres mamans de notre cour n'en finissent pas elles aussi de me rappeler les vertus de la crèche. Simon et moi estimons que même avec notre « petit piston », nos chances d'avoir une place restent très faibles. Nous nous rendons quand même à notre mairie d'arrondissement afin d'y remplir un dossier d'inscription.

Pourquoi les Américains de la classe moyenne sont-ils si sceptiques au sujet des crèches ? Il faut se tourner vers le XIXᵉ siècle pour y trouver la réponse. Avant les années 1850, la nouvelle de la création des crèches de Marbeau atteignit les États-Unis qui avaient déjà leur catalogue d'histoires d'horreur à propos d'enfants attachés aux pieds du lit. Des philanthropes curieux et des militants des causes sociales firent le voyage jusqu'à Paris où ils furent impressionnés de ce qu'ils y découvrirent. Au cours des décennies suivantes, plusieurs crèches financées par des dons et destinées aux enfants des femmes pauvres qui travaillaient ouvrirent leurs portes à Boston, New York, Philadelphie et Buffalo. Quelques-unes gardèrent le nom français de crèche, mais la plupart s'appelèrent « *day nurseries* / pouponnières de jour ».

En 1890, on comptait déjà quatre-vingt-dix crèches sur le sol américain. Beaucoup s'occupaient des enfants d'immigrants récemment arrivés ; leur mission était d'empêcher que ces enfants n'échouent dans la rue et de les aider à devenir de vrais « Américains »[1].

Au début du XXe siècle apparut aux États-Unis le nouveau mouvement des *nursery schools* qui visait à créer des *preschools* / maternelles et des jardins d'enfants privés pour les enfants de deux à six ans. Ce mouvement s'inspirait d'idées nouvelles qui défendaient l'importance de l'apprentissage précoce et de la stimulation du développement social et émotionnel de l'enfant. Elles attirèrent immédiatement les parents américains des classes moyennes et moyennes supérieures.

Les origines séparées des crèches et des *preschools* américaines expliquent pourquoi, plus d'un siècle plus tard, la « crèche » a gardé une connotation ouvrière alors que les parents de la classe moyenne se démènent pour trouver une *preschool* à leur bambin de deux ans. Cela explique aussi pourquoi les *preschools* américaines contemporaines ne fonctionnent généralement que quelques heures par jour : on part du principe que les mères des enfants ne travaillent pas ou peuvent se payer des nounous.[2]

La seule frange de la société américaine qui ne soit pas ambivalente sur les crèches est l'armée américaine. Le ministère de la Défense gère le plus grand système de crèches des États-Unis, avec environ huit cents *Child Development Center* (centres de développement de l'enfance), implantés sur ses bases militaires de par le monde. Les centres acceptent les enfants dès l'âge de six semaines et sont habituellement ouverts de six heures du matin à dix-huit heures trente.[3]

Le système de crèche de l'armée américaine ressemble étonnamment au système français. Les heures d'ouverture sont adaptées aux horaires de travail. La participation financière des familles est calculée selon les revenus des parents. Le gouvernement subventionne près de la moitié du coût. Et comme dans les crèches françaises, les centres pour enfants de l'armée sont si populaires qu'il y a généralement de longues listes d'attente.

Mais en dehors de l'armée, les parents de la classe moyenne américaine ne sont pas vraiment convaincus par le système des crèches.[4] C'est en partie un problème de nomenclature. « Si l'on appelait cela "éducation des petits, de zéro à cinq ans", ils trouveraient cela intéressant », explique Sheila Kamerman, professeur à l'université de Columbia, qui étudie les crèches depuis des décennies. Mais aujourd'hui, le terme le plus fréquemment utilisé est celui de « *child care* / garde d'enfants ».

Les Américains restent angoissés par l'impact qu'aura la crèche, même normale, sur la psyché fragile de leur enfant. Les mêmes questions défraient toujours la chronique : les crèches retardent-elles les processus d'apprentissage, rendent-elles les enfants plus agressifs, ou créent-elles un attachement maladif à leur mère ? Je connais des mamans américaines qui ont préféré quitter leur emploi plutôt que prendre le risque de mettre leurs enfants à la crèche.

Sachant que la qualité des crèches américaines est très irrégulière, elles ont souvent raison de s'inquiéter. Il n'existe aucune réglementation nationale. Dans certains États, aucune formation n'est demandée au personnel qui s'occupe des enfants. Selon le département du travail américain, les travailleurs sociaux employés dans le domaine de la petite enfance gagnent moins d'argent que les gardiens d'école et « des salaires et une couverture sociale insatisfaisants, couplés à des conditions de travail stressantes, expliquent que beaucoup quittent leur emploi ». Il n'est pas rare que les taux de renouvellement annuels des employés atteignent les 35 %.

Il va sans dire qu'il y a aussi de bonnes crèches. Mais elles peuvent être extrêmement chères ou limitées aux employés de certaines entreprises. Il y a également pléthores de mauvaises crèches où les enfants, généralement issus de familles pauvres, sont très mal encadrés. D'autres organisations – souvent chères – s'occupent des bébés comme s'ils étaient en classe préparatoire. Peut-être pour calmer l'anxiété des parents, une société du Colorado se vante même d'avoir des crèches où l'on apprend à lire et écrire aux bébés de moins d'un an.

Les mères françaises sont convaincues que la crèche est une bonne chose pour leurs enfants. À Paris, la moitié des enfants va dans un lieu de garde collectif et près d'un tiers des moins de trois ans est inscrit dans une crèche (il faut noter qu'il y a moins de crèches en dehors de Paris). Les mères françaises sont elles aussi préoccupées par la question des pédophiles, mais pas à la crèche. Selon un rapport établi par un groupe national de représentants de parents, elles estiment que les enfants sont plus en sécurité dans des espaces où de nombreux adultes formés prennent soin d'eux, plutôt que « seuls avec un inconnu ». Ce rapport explique également que les mères préfèrent la solution de la crèche à celle de la nounou privée, ou de l'« assistante maternelle » qui s'occupe de trois enfants chez elle. « Si ma fille doit être en tête à tête avec quelqu'un, je veux que ce soit moi », me dit la maman d'une petite fille de dix-huit mois qui va à la même crèche que Bean. Si elle n'avait pas eu de place à la crèche, elle aurait démissionné, m'explique-t-elle.

Les mères françaises redoutent le jour où elles devront déposer leur enfant à la crèche pour la première fois. Mais elles ne voient là que leur difficulté personnelle à se séparer de leur enfant. « En France, les parents n'ont pas peur d'envoyer leurs enfants à la crèche », déclare Marie Wierink, une sociologue affectée au ministère du Travail français. « *Au contraire*, elles ont peur que leurs enfants ne manquent une expérience s'ils ne vont pas à la crèche. »

Les enfants n'apprennent pas à lire à la crèche, ils n'y apprennent pas l'alphabet, ni d'autres techniques de lecture et d'écriture. Ils y vivent et jouent entre eux. Aux États-Unis, seuls certains parents me soulignent que c'est un des avantages de la crèche, alors qu'en France, tous les parents sont de cet avis. « Je sais que c'était très bien, c'était une ouverture sur la vie sociale », me dit mon amie Esther, l'avocate, qui a mis sa fille à la crèche quand elle avait neuf mois.

Les parents français ne doutent pas une seconde de la grande qualité de toutes les crèches, ni de la formation et de la compétence du personnel. Sur les forums internet français consacrés au sujet de l'éducation, je ne trouve pas de plainte plus sérieuse que celle d'une mère qui regrette que l'on ait servi des raviolis avec de la moussaka – deux plats riches – à son enfant. « J'ai envoyé une lettre à la crèche et ils m'ont répondu que le cuisinier habituel était absent », explique-t-elle. Puis elle ajoute avec cynisme : « Voyons voir ce que donnera le reste de la semaine. »

Cette certitude que la crèche est une bonne chose pour leurs enfants atténue considérablement la culpabilité et les doutes des mamans. Mon amie Hélène, une ingénieure, n'a pas travaillé pendant quelques années après la naissance de sa dernière fille. Mais elle ne s'est jamais excusée le moins du monde de l'envoyer à la crèche cinq jours par semaine. Elle l'a fait en partie afin d'avoir du temps pour elle, mais aussi pour que son enfant ne manque rien de cette expérience sociale.

Les crèches ne soulèvent qu'une seule question en France : comment en faire profiter plus d'enfants ? Grâce au baby-boom français des dernières années, aucun homme politique

– qu'il soit de droite ou de gauche – ne peut faire campagne sans promettre de construire plus de crèches ou d'agrandir celles qui existent déjà. J'ai même lu un article à propos d'un projet visant à transformer les zones dévolues aux bagages perdus dans les gares en crèches destinées aux enfants de banlieusards (le plus gros du coût serait consacré à l'isolation sonore).

La concurrence pour décrocher une place en crèche est pour le moins *énergique*, comme disent les Français. Dans chacun des vingt arrondissements parisiens, un comité de fonctionnaires et de directeurs de crèche se réunit pour attribuer les places disponibles. Dans le 16ᵉ arrondissement, plutôt bourgeois, il y a quatre mille demandes pour cinq cents places. Dans nos quartiers moins élitistes de l'Est parisien, nous avons une chance sur trois d'avoir une place.

Faire des pieds et des mains pour obtenir une place en crèche est l'un des rituels initiatiques imposés aux jeunes parents. À Paris, les femmes peuvent officiellement s'inscrire auprès de la mairie à six mois de grossesse. Mais les magazines les encouragent à prendre rendez-vous avec la directrice de leur crèche préférée dès que leur test de grossesse est positif.

La priorité va aux parents célibataires, aux grossesses multiples, aux enfants adoptés, aux familles de trois enfants et plus, ou aux familles présentant des « difficultés particulières ». Trouver le moyen d'entrer dans cette dernière catégorie fait l'objet de furieuses spéculations sur les forums en ligne. Une mère recommande d'écrire aux élus de la mairie en leur expliquant l'urgence de votre retour au travail ainsi que vos aventures épiques et infortunées pour trouver un autre mode de garde. Elle suggère d'envoyer une copie de la lettre au préfet et au président de la République, en demandant un rendez-vous privé avec le maire d'arrondissement. « Vous vous y rendez avec le bébé dans les bras, l'air désespéré, et vous lui racontez la même histoire que dans votre lettre. Je vous garantis que ça marchera. »

Simon et moi décidons de miser sur notre seul point particulier : être étrangers. Dans une lettre jointe au dossier d'inscription, nous portons aux nues le bilinguisme naissant de Bean (en fait, elle ne parle pas encore !) et expliquons comment la présence d'une petite anglo-américaine enrichirait la vie de la crèche. Comme promis, Dietlind parle de nous à la directrice de la crèche où est allé son fils. Je la rencontre et tente de jouer sur un mélange de désespoir et de charme. J'appelle la mairie une fois par mois (pour une raison inconnue, c'est moi la femme, comme dans les couples français, qui suis responsable de l'opération « séduction de la crèche ») pour leur rappeler que « nous sommes très intéressés et avons terriblement besoin d'une place ». Comme je ne suis pas française et ne vote pas, je décide de ne pas ennuyer le président de la République.

Par miracle, ces efforts pour assouplir le processus administratif portent leur fruit. Une lettre de félicitations de la part de notre mairie d'arrondissement nous annonce qu'une place en crèche a été attribuée à Bean pour la mi-septembre, lorsqu'elle aura neuf mois. Triomphante, j'appelle Simon : nous, les étrangers, avons vaincu les locaux à leur propre jeu. Nous sommes émerveillés et surexcités par la victoire, mais avons aussi l'impression d'avoir remporté un prix que nous ne méritons pas vraiment et que nous ne sommes même pas certains de vouloir.

J'ai toujours des doutes le jour où j'amène Bean à la crèche pour la première fois. Elle est située au fond d'une impasse, dans un immeuble de trois étages avec une petite cour couverte de gazon artificiel. Elle ressemble à une école publique américaine où tout aurait été miniaturisé. Je reconnais certains meubles sortis du catalogue Ikea. Rien de sophistiqué, mais c'est propre et gai.

Les enfants sont répartis en trois groupes d'âge : les petits, les moyens et les grands. Le groupe de Bean joue dans une pièce ensoleillée avec des dînettes, des petits meubles et de gros cubes débordants de jouets adaptés à son âge. La pièce donne sur un dortoir, derrière un panneau vitré où chaque enfant a son lit, avec sa tétine et son animal en peluche (que l'on appelle un *doudou*).

Je suis accueillie par Anne-Marie, la personne qui sera responsable du groupe de Bean. (C'est la même auxiliaire de puériculture qui coupait les cheveux aux fils de Dietlind.) Anne-Marie est une grand-mère d'une soixantaine d'années, blonde aux cheveux courts, avec une panoplie de tee-shirts, cadeaux des parents rapportés de vacances. (Nous lui offrirons un jour un tee-shirt attestant de son amour pour Brooklyn !) Les employées de la crèche y travaillent en moyenne depuis treize ans. Anne-Marie y est depuis bien plus longtemps. Comme d'autres de ses collègues, elle a suivi des études pour devenir *auxiliaire de puériculture*, ce qui n'a pas vraiment d'équivalent aux États-Unis.

Un pédiatre et une psychologue se rendent dans la crèche toutes les semaines. Les personnes qui s'occupent de Bean notent les horaires de ses siestes et de ses selles et me font le rapport de ce qu'elle a mangé. Les enfants de l'âge de Bean mangent chacun à leur tour, soit assis sur les genoux d'une adulte, soit dans un transat. Elles couchent les enfants plus ou moins à la même heure tous les jours et affirment ne pas les réveiller. Pour cette période d'adaptation, Anne-Marie me demande d'apporter un de mes tee-shirts afin que Bean dorme avec. Je trouve cela un peu « canin », mais je m'exécute.

Je suis soufflée par l'assurance d'Anne-Marie et des autres puéricultrices. Elles savent exactement ce dont a besoin chaque enfant selon son âge, sont toutes aussi confiantes dans leurs capacités à le lui donner et expriment cette assurance sans aucune suffisance ni impatience. Il n'y a qu'une seule chose qui m'irrite : Anne-Marie insiste pour m'appeler la « maman de Bean » plutôt que Pamela. Trop difficile d'apprendre les prénoms de tous les parents, m'explique-t-elle.

Compte tenu de nos doutes sur la crèche, nous avons transigé en ne l'inscrivant que quatre jours par semaine, de neuf heures et demie à quinze heures trente. Beaucoup de ses copains et copines y passeront de plus longues journées, cinq jours par semaine. (La crèche est ouverte de sept heures et demie à dix-huit heures.)

Comme à l'époque de Marbeau, Bean est supposée arriver avec une couche propre. Ceci devient quasiment un sujet de discussion talmudique entre Simon et moi. Comment définit-on l'« arrivée à la crèche » ? Si Bean fait caca lorsqu'on entre à la crèche ou lorsque nous lui disons au revoir, qui doit changer la couche incriminée ? Nous ou les *auxiliaires de puériculture* ?

Les deux premières semaines sont une période d'adaptation où elle reste de plus en plus longtemps à la crèche, avec nous, puis sans nous. Elle pleure un peu chaque fois que je m'en vais, mais Anne-Marie m'assure qu'elle se calme aussitôt après mon départ. Souvent, l'une des auxiliaires la tient à la fenêtre qui donne sur la rue pour que je puisse lui envoyer un bisou en sortant.

Si la crèche a traumatisé Bean, nous n'avons rien vu. Très vite, elle est toute contente quand nous l'y déposons et heureuse quand nous venons la chercher. Au bout d'un certain temps, je remarque que la crèche est un microcosme de l'éducation à la française. Tout y est, y compris les mauvais côtés ; les puéricultrices n'en reviennent pas que j'allaite encore Bean à neuf mois, surtout lorsque je lui donne le sein sur place. Elles ne sont pas enthousiasmées par mon projet – vite abandonné – de déposer du lait tiré avant tous les déjeuners, mais elles n'essaient pas de m'en dissuader.

Toutes les grandes idées positives de l'éducation à la française sont bien là. Et de toute façon, compte tenu du consensus général sur les fondamentaux de l'éducation, les parents français n'ont pas à craindre que les employées dérogent à leur philosophie personnelle de l'éducation. La plupart du temps, les personnes qui s'occupent des enfants renforcent les mêmes horaires et habitudes que les parents.

Les auxiliaires de la crèche parlent aux enfants, y compris les plus jeunes, et semblent être totalement convaincues d'être comprises.[5] Évidemment, le *cadre* est souvent mentionné. Lors d'une réunion de parents, l'une des auxiliaires l'évoque presque avec poésie : « Tout est très *encadré*, les heures d'arrivée et de départ, par exemple. Mais dans ce cadre, nous essayons d'introduire de la souplesse, de la fluidité et de la spontanéité, autant pour les enfants que pour l'équipe. »

Bean passe une grande partie de sa journée à déambuler tranquillement dans la pièce, jouant avec ce qui l'amuse. Je m'inquiète : où sont les cercles de musique et les activités organisées ? Je comprends vite que cette liberté n'est pas le fruit du hasard. Encore un coup du *cadre* français. On donne des limites fermes aux enfants, mais beaucoup de liberté dans le cadre de ces limites. Ils sont supposés apprendre à jouer tout seuls et à composer avec l'ennui. « Lorsque l'enfant joue, il se construit », me dit Sylvie, l'une des personnes qui s'occupent de Bean en grande section.

Un rapport officiel de la mairie sur les crèches parisiennes fait appel à l'esprit de « vitalité découvreuse » dans lequel les enfants doivent « exercer leur appétit d'expérimentation des cinq sens, du tonus musculaire, des sensations et des espaces (découvrir la verticalité, exercer sa force et son habileté) ».

On propose aussi des activités organisées aux enfants plus âgés, mais personne n'est obligé d'y participer.

« Nous proposons, nous n'obligeons pas », explique une autre des auxiliaires de Bean. De la musique apaisante accompagne les enfants dans leur sieste et une pile de livres est à leur disposition s'ils veulent en feuilleter dans leur lit. Ils se réveillent peu à peu pour l'heure du goûter ; la crèche n'est pas le service des cartes grises... c'est plutôt un centre de vacances trois étoiles.

Il y a peu de règles dans la cour et c'est tout aussi délibéré. L'idée est de donner autant de liberté que possible aux enfants. « Lorsqu'ils sont à l'extérieur, nous intervenons très peu », dit Mehrie, une autre des personnes qui s'occupent de Bean. « Si nous intervenons tout le temps, ils s'énervent. »

À la crèche, les enfants apprennent également l'art de la patience. Je regarde une petite de deux ans réclamer que Mehrie la prenne dans ses bras. Mais celle-ci est en train de nettoyer la table après le repas des enfants. « Je ne suis pas disponible pour le moment. Attends deux secondes », dit-elle gentiment à la petite fille. Puis elle se tourne vers moi et m'explique : « Nous essayons de leur apprendre à attendre, c'est très important. Ils ne peuvent pas tout avoir tout de suite. »

Les auxiliaires parlent calmement et respectueusement aux enfants, en explicitant leurs droits : tu as le droit de faire ci, tu n'as pas le droit de faire ça. Elles le font avec cette conviction profonde que j'ai déjà perçue dans la voix des parents français. Tout le monde est persuadé que la force du cadre passe par sa constance. « Les interdictions sont toujours les mêmes et nous leur donnons toujours une raison », me dit Sylvie.

Je sais que la crèche est stricte sur certains points, car au bout d'un moment, Bean répète des phrases qu'elle a fini par apprendre par cœur (elle n'a pas pu les apprendre ailleurs, c'est le seul endroit où on lui parle français). C'est un peu comme si elle avait secrètement enregistré toutes les conversations de la journée et nous les faisait écouter de retour à la maison. La plupart des phrases qu'elle répète sont sur le mode de l'ordre, comme, « On va pas crier ! » Mes deux préférées sont : « couche-toi ! » et « mouche-toi ! »

Pendant toute une période, Bean ne parle donc français qu'à la forme impérative ou en énumérant ce qu'elle a le droit de faire ou pas. Lorsqu'elle joue « à la crèche » à la maison, elle se tient sur une chaise, agite son doigt et crie des instructions à des enfants imaginaires ou parfois à nos invités pris de court.

Bientôt, en plus des ordres, Bean rentre à la maison en chantant des comptines. Elle en fredonne souvent une dont nous ne connaissons que « *tomola tomola, vatovi !* » qu'elle chante à chaque reprise un peu plus fort, tout en faisant des moulinets avec ses bras. Je n'apprends que plus tard qu'il s'agit d'une des chansonnettes les plus populaires du répertoire français (en version originale : « Ton moulin, ton moulin va trop vite »).

Ce que nous aimons le plus à la crèche, c'est la nourriture ou plus précisément l'expérience du repas. Tous les lundis, le menu de la semaine est accroché sur un tableau blanc géant près de l'entrée.

Je le prends parfois en photo et l'envoie par mail à ma mère. Il n'a rien à envier aux menus écrits sur les ardoises des brasseries parisiennes. Le repas est composé de quatre plats : une entrée froide, un plat principal avec des féculents ou des légumes cuits en accompagnement, un nouveau fromage tous les jours et en dessert, un fruit frais ou une compote de fruits. Le menu est légèrement modifié pour chaque groupe d'âge : les plus jeunes enfants mangent la même chose que les plus grands, mais en purée.

Un menu typique commence avec des cœurs de palmier ou une salade de tomates. L'entrée est suivie d'une tranche de dinde au basilic avec du riz à la sauce provençale. Puis vient un morceau de saint-nectaire avec une tranche de pain frais et pour finir, un kiwi.

Dans chaque crèche, tous les jours, une cuisinière prépare intégralement le repas. Des ingrédients de saison, frais, parfois même bio, sont livrés plusieurs fois par semaine. À l'exception de l'occasionnelle purée de tomates en boîte, rien n'est industriel ou préparé à l'avance. Quelques légumes sont congelés, mais jamais précuits.

J'ai du mal à imaginer des bambins de deux ans assis autour d'une table, en train de manger un repas pareil. La crèche m'autorise donc à assister à un déjeuner, un mercredi où Bean est restée à la maison avec une baby-sitter. Je suis stupéfaite de découvrir la façon dont mange ma fille quatre fois par semaine. Je m'assois calmement avec mon bloc-notes, tandis que ses copains et copines se rassemblent en groupes de quatre autour de tables carrées à leur taille. L'une des auxiliaires arrive avec un chariot chargé de plats sous couvercle et de petits pains enveloppés dans du plastique afin qu'ils restent frais. Un adulte est assis à chaque table.

Dans un premier temps, l'auxiliaire soulève le couvercle de chaque plat et les dispose sur la table. En entrée, une salade de tomates en vinaigrette. « Suivi du poisson », dit-elle aux enfants qui lancent des regards approbateurs, tandis qu'elle pose un plat de poisson blanc nappé d'une légère sauce au beurre, accompagné de petits pois, carottes et oignons. Puis elle annonce le fromage : « Aujourd'hui, c'est du bleu », précise-t-elle en leur montrant le fromage. Enfin, elle place le dessert sur la table : des pommes entières qu'elle découpera elle-même.

La nourriture semble simple, fraîche et appétissante. Si ce n'était les assiettes en mélamine, les toutes petites portions et les encouragements prononcés pour que certains disent « merci », je pourrais me croire au restaurant.

Mais qui sont vraiment les personnes qui s'occupent toute la journée de ma fille ? Pour le savoir, je me rends un matin venteux d'automne à ABC Puériculture, l'une des écoles qui forment les futures employées de crèche. C'est un jour d'examen et j'y trouve des centaines de jeunes femmes d'une vingtaine d'années (une poignée d'hommes) qui, nerveuses, se jettent des coups d'œil timides ou révisent *in extremis* des questions dans leurs gros livres.

Elles sont angoissées, à juste titre. Seules trente personnes seront admises sur les cinq cents qui se seront présentées. Les candidats sont testés sur leurs capacités de raisonnement et de compréhension d'un texte, ainsi que sur des questions de mathématiques et de biologie humaine. Ceux qui réussissent la première étape doivent alors passer un examen psychologique et une présentation orale avant d'être enfin interrogés par un jury de professionnels.

Les trente premiers suivent ensuite une année d'enseignement composée de cours et de stages, selon un programme établi par le gouvernement. Ils apprennent les bases de la nutrition, du sommeil et de l'hygiène infantiles et s'entraînent à préparer des biberons et changer des couches. Tout au long de leur carrière, ils continueront à suivre différents stages d'une semaine.

En France, travailler dans le domaine de la petite enfance est un vrai métier. D'autres écoles respectant rigoureusement les mêmes critères d'entrée sont disséminées dans tout le pays et forment une armée de personnes qualifiées prêtes à travailler dans les crèches. Seule la moitié du personnel d'une crèche doit avoir le diplôme d'auxiliaire ou un équivalent. Un quart doit détenir un diplôme relatif à la santé, les loisirs ou le travail social. Un autre quart est dispensé de toutes qualifications, mais doit être formé dans la crèche[6]. Dans la crèche de Bean, treize des seize personnes qui y travaillent ont le diplôme d'auxiliaire ou un équivalent.

Je commence à regarder Anne-Marie et ses collègues comme de brillantes spécialistes de la petite enfance. Je comprends mieux leur assurance. Elles maîtrisent leur domaine et ont gagné le respect des parents. Je leur dois beaucoup : durant les presque trois années que Bean a passées à la crèche, elles lui ont appris à être propre et à manger correctement, et lui ont offert un cours d'immersion à la culture et à la langue françaises.

Quand Bean entame sa troisième année de crèche, je commence à sentir qu'elle trouve le temps un peu long et qu'elle n'est plus assez stimulée. Je suis prête à ce qu'elle entre en maternelle. Mais Bean semble toujours se plaire à la crèche. Elle parle constamment de Maky et Lila, ses deux meilleures copines. (Chose intéressante, elle a été attirée par les enfants d'étrangers : les parents de Lila sont marocains et japonais. Le père de Maky est sénégalais.) Elle est définitivement devenue un être social. Lorsque Simon et moi l'emmenons à Barcelone pour un long week-end, elle n'arrête pas de demander où sont les autres enfants.

Les enfants du groupe de Bean passent beaucoup de temps à courir et crier dans la cour couverte de gazon artificiel où quantité de trottinettes et de petites voitures sont aussi disponibles. C'est généralement là que je la trouve quand je viens la chercher. Dès qu'elle me voit, elle fonce vers moi et me saute joyeusement au cou en me hurlant aux oreilles les nouvelles de la journée.

Le dernier jour de crèche arrivé, après sa fête d'au revoir et le nettoyage de son casier, Bean serre Sylvie – l'auxiliaire qui s'est occupée d'elle – dans ses bras et lui fait une bise. Toute l'année, Sylvie a été un modèle de professionnalisme. Mais lorsque Bean l'embrasse, Sylvie se met à pleurer. Moi aussi.

Après trois ans de crèche, Simon et moi avons le senti-ment que Bean a fait une bonne expérience. Mais souvent, nous nous sommes sentis coupables en la déposant le matin. Et nous ne pouvons nous empêcher de remarquer les titres effrayants qui arrivent régulièrement des États-Unis souli-gnant les effets nocifs des crèches sur les enfants.

Les Européens ne se posent plus vraiment ces questions. Selon Sheila Kamerman, de l'université de Columbia, il est acquis pour eux que les crèches de qualité avec de petits groupes d'enfants, dotées d'un personnel chaleureux, bien formé et dont c'est le métier, sont bénéfiques pour les enfants. Inversement, ils estiment évidemment que de mau-vaises crèches ont des effets désastreux sur les enfants.

Les Américains ont trop de doutes sur les crèches pour avoir la même confiance. Le gouvernement américain a donc commissionné la plus grande étude jamais menée afin d'étu-dier la corrélation entre les modes de garde des enfants et leurs développement et comportement ultérieurs.[7]

Quand ils abordent le sujet des crèches, les magazines et journaux américains puisent souvent leurs gros titres dans les conclusions de cette étude géante. L'une d'entre elles est que les modes de garde de la petite enfance n'ont pas une influence très significative. « La qualité de l'éducation prodi-guée par les parents est un indice beaucoup plus déterminant du développement de l'enfant que le type, la quantité ou la qualité du mode de garde en bas âge, explique un des cher-cheurs. Les enfants réussissent mieux quand leurs parents sont plus éduqués et plus fortunés, lorsqu'ils ont eu des livres et des jeux à la maison, et lorsqu'ils ont connu des expé-riences enrichissantes », comme se rendre à la bibliothèque. Les résultats étaient identiques, que l'enfant soit allé à la crèche trente heures ou plus par semaine ou qu'il soit resté à la maison avec sa mère.

Comme je l'ai mentionné plus tôt, l'étude établit que le point crucial est l'« écoute » de la mère – sa capacité à ressentir l'expérience de son enfant. Ceci vaut également pour le lieu de garde. L'un des chercheurs[8] écrit que les enfants bénéficient d'un mode de garde « haut de gamme » lorsque la personne qui s'occupe d'eux est « attentive aux besoins de l'enfant, réactive à ses signes, indices verbaux et non verbaux, impliquée dans la stimulation de sa curiosité et de son désir de connaître le monde, tout en étant chaleureuse, bienveillante et affectueuse ».

Les enfants réussissent mieux quand la personne qui s'est occupée d'eux est sensible, que ce soit une nounou, une grand-mère ou une employée de crèche. « Il serait impossible d'entrer dans une salle de classe et d'y repérer, sans autre information supplémentaire, les enfants qui sont allés dans un lieu de garde collectif », écrit le chercheur.

Je pense que nous ferions mieux, nous, Américains, de nous inquiéter du malaise d'un enfant placé dans une mauvaise crèche et pas seulement de savoir si une mauvaise crèche a un impact négatif (ce qui est une évidence). Nous sommes tellement focalisés sur le développement cognitif des enfants que nous en oublions de considérer si les petits en crèche sont heureux et s'ils y vivent une expérience positive. C'est précisément ce dont parlent les parents français.

Même ma mère finit par s'habituer à la crèche. Elle ne dit plus *day care*, mais utilise le mot français (ce qui doit l'y aider). La crèche présente beaucoup d'avantages pour nous. Nous nous sentons mieux intégrés au pays, ou du moins à notre quartier. Nous mettons heureusement notre éternel questionnement « rester ou ne pas rester à Paris ? » entre parenthèses. Nous avons du mal à nous imaginer déménager et devoir chercher un lieu de garde de qualité et financièrement abordable. Et nous apercevons déjà au coin de la rue la prochaine excuse pour rester plus longtemps en France : l'école maternelle ! Une *preschool* gratuite avec de la place pour tout le monde.

C'est surtout parce que Bean aime sa crèche que nous l'aimons aussi. Elle mange du fromage bleu, partage ses jouets et joue à « tomate, ketchup » (la version française de « *duck, duck, goose* »). Elle a également appris la forme impérative en français. Je la trouve un peu trop agressive : elle aime me donner des coups de pied dans les tibias. Elle doit tenir sa mauvaise humeur de son père. Je ne peux quand même pas mettre tous ses défauts sur le dos de la crèche.

Maky et Lila sont toujours des copines très proches de Bean. Il nous arrive même parfois de passer par la crèche pour regarder les enfants qui jouent dans la cour. Et de temps en temps, Bean se tourne et me dit impromptu : « Sylvie a pleuré. » C'était un lieu où elle avait sa place.

CHAPITRE 7

BEBE AU SEIN

Finalement, s'habituer à la crèche était facile. Mais s'habituer aux mamans de la crèche ? C'est une autre histoire ! J'ai conscience que la spontanéité avec laquelle les Américains sympathisent n'existe pas en France. J'ai entendu dire qu'ici les amitiés entre femmes débutent lentement et peuvent prendre des années à se développer. (Ceci dit, une fois que vous êtes amie avec une Française, vous êtes supposée l'aimer toute votre vie. Alors que les amitiés instantanées américaines peuvent vous lâcher à tout moment.)

J'ai réussi à sympathiser avec quelques Françaises depuis que je vis à Paris. Mais la plupart n'ont pas d'enfant ou habitent de l'autre côté de la ville. Je croyais que j'allais faire la connaissance d'autres mères dans le quartier avec des enfants du même âge que Bean. J'imaginais que nous allions échanger des recettes, organiser des pique-niques et nous plaindre en chœur de nos maris. C'est comme cela que ça se passe aux États-Unis ; ma mère est toujours proche des femmes qu'elle a rencontrées à l'aire de jeux quand j'étais petite.

Je ne suis donc pas du tout préparée à ce que les mamans françaises de la crèche – qui vivent toutes dans le quartier et ont des enfants du même âge – m'ignorent complètement. À peine si elles soufflent un *bonjour* le matin lorsque nous

161

déposons nos bambins. Je finis par apprendre les noms de la plupart des enfants du groupe de Bean. Mais au bout d'un an, je suis persuadée qu'aucune mère ne connaît celui de ma fille. Et encore moins le mien.

Cette étape initiale – s'il s'agit bien de cela – n'est pas très encourageante. Des mamans que je vois plusieurs fois par semaine à la crèche semblent ne pas me reconnaître lorsque nous nous croisons au supermarché. Comme l'affirment les ouvrages sur la transculturalité, elles respectent peut-être mon intimité ; parler reviendrait à établir une relation et par conséquent à se créer des obligations. À moins qu'elles ne soient tout simplement coincées.

C'est la même chose à l'aire de jeux. Les rares mères canadiennes et australiennes qu'il m'arrive d'y croiser ont la même vision que moi : l'aire de jeux est un lieu où rencontrer d'autres mamans qui pourraient devenir des amies pour la vie. Quelques minutes après nous être repérées, nous nous sommes déjà révélé la ville dont nous sommes originaires, notre statut marital et nos opinions sur les écoles bilingues. En un clin d'œil, nous papotons comme de vieilles copines et nous extasions sur la similarité de nos expériences : « Tu crapahutes jusqu'à la Concorde pour acheter des céréales Grape Nuts ? Moi aussi ! »

Mais la plupart du temps, il n'y a que les mères françaises et moi au square. Et elles ne communiquent pas du tout sur le mode du « moi aussi ». En fait, elles échangent à peine un regard avec moi, même lorsque nos enfants se disputent des jouets dans le bac à sable. Quand j'essaie de briser la glace en demandant « Il a quel âge ? », elles marmonnent généralement un chiffre, puis me scrutent comme si j'étais une désaxée. Elles répondent rarement en me posant elles aussi une question. Et lorsqu'elles le font, c'est parce qu'elles sont italiennes.

Logique, je vis au cœur de Paris, l'un des endroits sûrement le moins sympathique au monde. Je suis persuadée qu'on a dû y inventer le sarcasme. Même les Français qui n'habitent pas à Paris me disent qu'ils trouvent les Parisiens froids et distants.

Je devrais simplement ignorer ces femmes. Mais je ne peux pas m'en empêcher : elles m'intriguent. Pour commencer, beaucoup d'entre elles ont bien plus d'allure que nous, les Américaines. Quand je dépose Bean le matin à la crèche, j'ai les cheveux tirés en queue-de-cheval et j'ai rapidement enfilé ce qui traînait par terre à côté de mon lit. Les mères françaises arrivent coiffées et parfumées. Les voir fièrement entrer dans le square en bottes à talons et jeans moulants derrière la poussette de leur nouveau-né ne me surprend même plus. (Les femmes prennent quand même un peu plus de poids quand on s'éloigne du centre de Paris.)

Ces mères ne sont pas simplement élégantes, elles sont aussi étrangement sereines. Elles ne crient pas le nom de leurs enfants dans le parc et ne s'enfuient pas à toute allure avec un bambin en pleine crise. Elles sont en forme. Elles ne respirent pas ce fameux cocktail de fatigue, inquiétude et nervosité qui émane de la plupart des mères américaines que je côtoie (y compris moi-même). Si leur enfant n'était pas à côté d'elle, il serait impossible de savoir qu'elles sont mamans.

Une partie de moi aimerait gaver ces femmes de cuillerées de pâté bien gras. Mais une autre meurt d'envie de connaître leurs secrets. Avoir des enfants qui dorment bien, qui attendent et ne chouinent pas tout le temps, les aide sûrement à rester aussi calmes. Mais il doit y avoir autre chose. Contre quoi se bagarrent-elles secrètement ? Où est passé leur ventre ? Les mères françaises sont-elles vraiment parfaites ? Et si oui, sont-elles heureuses ?

Une fois que le bébé est né, l'allaitement est la première différence flagrante entre les mères françaises et américaines. Pour nous, mères anglophones, la durée des tétées est une mesure de performance – comme un bonus à Wall Street. Une ancienne femme d'affaires de notre *playgroup* se glisse souvent à côté de moi et me demande avec une fausse innocence : « Oh, tu allaites encore ? »

Quelle hypocrisie ! Nous savons toutes que notre « durée » d'allaitement est une façon concrète de concourir les unes contre les autres. Le score d'une mère est diminué s'il lui arrive de donner du lait maternisé, si elle se sert trop souvent d'un tire-lait ou allaite trop longtemps (et commence à ressembler à une hippie déphasée).

Dans les cercles de la classe moyenne américaine, de nombreuses mères considèrent pratiquement le lait maternisé comme une forme de maltraitance. Que l'allaitement exige de l'endurance, entraîne des désagréments et dans certains cas même de la douleur physique ne fait que renforcer leur statut.

Les mères américaines s'attribuent des points supplémentaires si elles allaitent en France où cette pratique n'est pas encouragée et dérange de nombreuses personnes. « La mère qui allaite est considérée au mieux comme une curiosité intéressante, sinon comme une personne qui en fait plus qu'elle ne devrait », explique le guide des parents publié par Message, l'association de mères anglophones à Paris.

Nous échangeons entre expatriées des histoires atroces sur les médecins français qui recommandent allégrement de passer au lait maternisé dès qu'ils sont confrontés à d'occasionnels mamelons crevassés ou canaux bloqués. Pour mener la bataille, l'association Message a sa propre armée de « supporters de l'allaitement » bénévoles. Avant que je n'accouche de Bean, l'une d'entre elles m'a prévenue de ne jamais laisser mon enfant aux infirmières de l'hôpital pendant mon sommeil, au risque qu'elles ignorent mes instructions et lui donnent un biberon quand elle pleure. À l'écouter, la confusion du bébé entre la tétine et le téton est encore plus grave que l'autisme.

Face à cette adversité, les mères anglophones vivant à Paris se prennent pour des super héroïnes superlactées, combattant de méchants docteurs et autres inconnus qui voudraient voler les anticorps destinés à leurs enfants. Sur les forums en ligne, des mères expatriées énumèrent les endroits les plus étranges où elles ont donné le sein à Paris : au Sacré-Cœur, sur une tombe au cimetière du Père-Lachaise et à un cocktail à l'hôtel Four Seasons George V. Une mère raconte comment elle a allaité son bébé « tout en faisant une réclamation au guichet d'easyJet à l'aéroport Charles-de-Gaulle. J'ai plus ou moins installé le bébé sur le comptoir. » Je compatis avec le pauvre agent d'easyJet.

Emportées par notre zèle, nous ne comprenons pas pourquoi les mères françaises donnent si rarement le sein. Près de 63 % des mères françaises s'essaient à l'allaitement[1]. Un peu plus de la moitié poursuit après avoir quitté la maternité et la plupart abandonnent très vite après leur retour à la maison. Les femmes qui allaitent longtemps ne sont pas nombreuses. Aux États-Unis, 74 % des mères ont au moins partiellement allaité leur enfant et un tiers continue à ne donner que du lait maternel au bout de quatre mois[2].

Il est encore plus difficile pour nous anglophones de comprendre pourquoi même un certain type de mères françaises – celles qui font de la purée à leurs bébés de sept mois avec des poireaux qu'elles ont fait cuire à la vapeur et qui envoient leur grand de trois ans au même cours de percussions africaines que les nôtres – allaitent si peu elles aussi.

« Elles n'ont peut-être pas les mêmes informations médicales que nous ? » me demande une maman américaine incrédule. Plusieurs théories circulent entre les mères anglophones afin d'expliquer pourquoi les Françaises n'allaitent pas : ça leur passe au-dessus de la tête, elles font plus attention à leurs lolos qu'à leurs bébés (même si apparemment c'est la grossesse, et pas l'allaitement, qui met les seins à rude épreuve) et elles ne savent tout simplement pas à quel point c'est important.

Des Françaises m'expliquent que l'allaitement a gardé une connotation paysanne, remontant à l'époque où les enfants étaient envoyés en nourrice à la campagne. D'autres soulignent que les producteurs de lait industriel graissent la patte aux hôpitaux, inondent les maternités d'échantillons gratuits et matraquent les mères de campagnes publicitaires. Olivier, l'époux de Christine, une amie journaliste, théorise sur le fait que l'allaitement démystifie la poitrine féminine, la transformant en quelque chose d'utilitaire et d'animal. Tout comme les pères français évitent stratégiquement de se trouver face au « bout du tunnel » durant l'accouchement, ils évitent de poser le regard sur une poitrine féminine lorsqu'elle n'est pas en mode sexy. « Les hommes préfèrent ne pas regarder une femme en train d'allaiter », assure Olivier.

Il y a quelques petits groupes isolés de femmes favorables à l'allaitement en France. Mais il y a en général très peu de pression sociale pour que les mamans allaitent longtemps. Lorsque Alison, une amie anglaise qui enseigne l'anglais à Paris, a dit à son médecin qu'elle allaitait toujours son enfant de treize mois, il lui a demandé : « Qu'en disent votre mari et votre psy ? » *Enfant Magazine*, l'un des principaux magazines français, déclare qu'« allaiter après trois mois est toujours mal vu par l'entourage ».

Alexandra, qui a deux filles et travaille dans une crèche, me raconte qu'elle n'a pas donné une goutte de son lait à ses deux filles. Elle le dit sans s'excuser, ni s'en vouloir. Elle explique qu'elle était ravie que son mari, un pompier, ait envie d'aider à s'occuper de leurs filles et que donner le biberon était pour lui une très bonne façon de participer. Elle souligne par ailleurs que ses deux filles sont aujourd'hui en excellente santé.

Alexandra ajoute : « C'était un bon exercice pour le père de donner le biberon la nuit. Je pouvais dormir et boire du vin au restaurant. Pas si mal pour une jeune maman. »

Selon Pierre Bitoun, un pédiatre français partisan de longue date de l'allaitement, beaucoup de Françaises pensent ne pas avoir assez de lait. Il explique que dans de nombreuses maternités françaises, on n'encourage pas les mamans à faire téter leur bébé toutes les deux heures. Or, c'est un point critique juste après l'accouchement afin qu'elles puissent produire suffisamment de lait. Si elles ne donnent pas le sein régulièrement, le recours au biberon de lait maternisé apparaît alors inévitable. « À son deuxième jour, le bébé a perdu deux cents grammes. "Oh, vous n'avez pas assez de lait, on va lui donner le biberon, ce bébé meurt de faim", assure alors le personnel médical. C'est comme ça que ça se passe. C'est de la folie », relate le Dr Bitoun.

Il intervient souvent dans les hôpitaux français pour y présenter les recherches scientifiques sur l'allaitement et ses avantages. « La culture est plus forte que la science, déclaret-il. Les trois quarts des personnes avec qui je travaille dans les hôpitaux ne croient pas que le lait maternel soit plus sain que le lait maternisé. Ils pensent qu'il n'y a pas de différence, que le lait industriel ne pose aucun problème. »

De fait, même si les bébés français consomment une quantité phénoménale de lait maternisé, ils sont en bien meilleure santé que les enfants américains sur pratiquement tous les critères. La France dépasse d'environ six points la moyenne des pays économiquement avancés dans le classement de la santé et de la sécurité des enfants établi par l'Unicef (il inclut la mortalité infantile, les taux de vaccination et les décès accidentels jusqu'à l'âge de treize ans). Les États-Unis sont dix-huit points *sous* la moyenne.

Les parents français ne voient pas pourquoi ils devraient croire que le lait maternisé est une infamie ou qu'inversement l'allaitement est un rite sacré. Ils estiment que le lait maternel est effectivement plus important pour le nourrisson d'une mère démunie en Afrique subsaharienne que pour celui d'une Parisienne de la classe moyenne. « Nous regardons autour de nous et constatons que tous les bébés qui sont nourris au lait industriel vont très bien », dit Christine, qui a deux enfants. « Nous en avons tous bu. »

Je ne suis pas si sereine sur le sujet. À dire vrai, je suis tellement paniquée par les propos de la consultante en lactation que j'insiste, à la maternité, pour que Bean reste avec moi dans la chambre vingt-quatre heures sur vingt-quatre. Je me réveille à chacun de ses couinements et ne me repose pratiquement pas.

Cette souffrance et ce sacrifice personnel me semblent être dans l'ordre naturel des choses. Mais au bout de quelques jours, je me rends compte que je suis sûrement la seule mère dans la maternité qui se soumette à pareille torture. Les autres, même celles qui allaitent, confient leur bébé aux infirmières pour qu'ils passent la nuit dans la pouponnière au bout du couloir. Elles s'autorisent à dormir quelques heures d'affilée par nuit.

Je finis par être suffisamment épuisée pour m'y risquer, même si j'ai l'impression de me passer un gros caprice. Je suis immédiatement convaincue par ce système et Bean ne semble pas en souffrir. Contrairement aux rumeurs, les infirmières et les puéricultrices qui travaillent à la pouponnière sont plus que contentes de me l'amener lorsqu'elle a besoin de téter, puis elles la ramènent avec les autres bébés et me laissent dormir.

La France ne sera probablement jamais championne de l'allaitement, mais elle a la Protection maternelle et infantile (le service qui supervise aussi les crèches). Ce service de santé a des antennes dans tout Paris et propose consultations et vaccinations gratuites pour tous les enfants jusqu'à l'âge de six ans, même pour ceux qui ne sont pas légalement entrés en France. Les parents de la classe moyenne vont rarement à la PMI, car la Sécurité sociale couvre pratiquement tout le coût de la consultation chez un pédiatre privé. (L'État français est l'assureur principal, mais la plupart des médecins français ont un cabinet privé.)

A priori, l'idée d'aller dans un centre de soins public ne m'enthousiasme pas. Est-ce que ce sera impersonnel ? Propre ? Un point crucial finit par me convaincre : ce sera intégralement gratuit. La PMI de notre quartier est à dix minutes de marche de notre appartement. Et j'y apprends que je peux rencontrer le même médecin à chaque visite. Une immense aire de jeux se trouve dans la salle d'attente d'une propreté immaculée. Au retour de la maternité, la PMI envoie une puéricultrice à domicile afin de vérifier que la maman et le bébé vont bien. Si le baby blues menace, un psychologue est à votre disposition. Et tout cela est gratuit, pas même l'ombre d'une facture. De quoi mettre les cent millilitres de lait maternel en perspective.

Je ne prends cependant aucun risque avec l'allaitement. L'Académie américaine de pédiatrie recommande que j'allaite pendant douze mois et je m'y applique au jour près. Je donne une ultime tétée d'adieu à Bean pour son premier anniversaire. Il m'arrive parfois d'avoir un réel plaisir à donner le sein. Mais la plupart du temps, je suis énervée de devoir interrompre ce que je suis en train de faire pour me précipiter à la maison afin d'allaiter Bean ou – de plus en plus fréquemment – d'y retrouver mon tire-lait. Je tiens surtout le coup parce que j'ai lu que c'était bon pour sa santé et parce que je veux rabattre le caquet à cette femme du *playgroup*.

La forte pression sociale exercée sur les mères américaines pour qu'elles allaitent remplit véritablement une fonction de santé publique : les bébés sont effectivement bien nourris au lait maternel. Mais elle nous fait aussi perdre le sens commun. Les Françaises repèrent de loin le rouleau compresseur de l'anxiété et de la culpabilité et tentent au moins d'y résister.

Le Dr Bitoun explique qu'au fil des années passées à mener campagne en faveur de l'allaitement, il a constaté que les Françaises n'étaient généralement pas convaincues par les arguments de santé impliquant les points de QI et l'immunoglobuline A. Ce qui les persuade d'allaiter, c'est l'affirmation qu'elles y trouveront du plaisir avec leur bébé. « Nous savons que l'argument du plaisir est le seul argument convaincant », assure-t-il.

Beaucoup de mères françaises aimeraient sûrement pouvoir allaiter plus longtemps qu'elles ne le font. Mais elles ne veulent pas le faire sous la contrainte morale, et n'aiment pas beaucoup s'exposer en public au moment de la tétée. Le lait industriel est sans doute moins bon pour les bébés, mais grâce à lui, les mamans françaises passent sans nul doute des premiers mois bien plus détendus avec leur enfant.

Les mères françaises ne sont peut-être pas stressées par l'allaitement, mais elles le sont en revanche quand il s'agit de retrouver leur ligne après l'accouchement. Je suis sidérée d'apprendre que la serveuse toute fine du café où je me rends presque tous les jours pour écrire a un enfant de six ans. Je la prenais pour une minette branchée de vingt-trois ans.

Lorsque je lui parle de l'expression « MILF » (acronyme pour Mom I'd Like to Fuck, ce que l'on peut traduire par : « une maman que j'aimerais baiser »), elle trouve cela hilarant. L'équivalent n'existe pas en français. Peut-être parce qu'il n'y a pas de raison *a priori* pour qu'une femme ne soit pas sexy parce qu'elle a des enfants. Il n'est d'ailleurs pas rare d'entendre un Français dire que devenir mère donne à une femme un air de *plénitude* très attirant.

Bien sûr, certaines mères américaines perdent rapidement les kilos qu'elles ont pris pendant leur grossesse. Mais on trouve facilement des modèles qui encouragent les femmes dans la direction opposée. Une photo de mode genre « Nouveau look pour nouvelle maman » publiée dans *American Baby Magazine* met en scène trois femmes mal à l'aise et toutes en rondeurs qui arborent un sourire gêné dans leurs robes trop larges. Elles ont stratégiquement positionné leurs petits devant leurs hanches. L'article est direct et ne cherche pas d'excuse : « Donner naissance à un enfant change votre corps et devenir mère change votre vie », puis il vante les avantages des pantalons à cordon.

Aux yeux de certaines mères américaines, s'engager totalement dans la maternité aux dépens de son corps relève en quelque sorte de la vertu morale. Un peu comme s'abandonner à une cause supérieure. Une consultante en marketing sportif vivant dans l'État du Connecticut, maman d'un bébé de six mois, me raconte qu'une Française a récemment rejoint son *playgroup* et a immédiatement demandé, avec j'imagine un charmant accent français : « Bon, alors comment est-ce qu'on perd ses kilos ici ? » Selon la consultante, toutes les mères américaines – elle y compris – se sont tues sur-le-champ. Ce n'est pas exactement l'un de leurs sujets de conversation favoris. Bien sûr, elles adoreraient claquer des doigts et se débarrasser de dix kilos, mais aucune d'entre elles ne perd vraiment beaucoup de poids. Il leur semblerait égoïste de passer moins de temps avec leur bébé pour s'occuper de leur graisse, ou même d'en parler plus que nécessaire.

La même question ne laissera aucune mère muette à Paris. Tout comme les femmes subissent une énorme pression sociale pour ne pas trop grossir au cours de la grossesse, une pression similaire les pousse à perdre rapidement leurs kilos en trop après la naissance.

Mon amie Nancy, la sœur de la consultante en marketing sportif du Connecticut, vit à Paris avec son compagnon français et leur fils. Les deux sœurs, qui d'ailleurs se ressemblent, sont à elles seules un cas d'école sur l'interculturalité. Le lieu de résidence de leur compagnon conditionne manifestement des pressions sociales radicalement différentes. Nancy, la « Parisienne », me raconte que quelques mois après son accouchement, son compagnon français a commencé à la taquiner afin qu'elle arrête de porter des pantalons de survêtement et qu'elle perde sa bedaine. En guise de motivation, il lui a proposé de l'accompagner faire du shopping pour qu'elle se refasse une garde-robe.

Nancy avoue avoir été à la fois surprise et vexée. Comme sa sœur au Connecticut, elle se croyait à l'abri dans l'« espace protégé de la maternité » où on la laisserait tranquille sur son apparence pendant un moment afin qu'elle puisse se consacrer à son bébé. Mais le compagnon français de Nancy n'avait pas la même conception des choses. Il continuait à la considérer comme une femme et pensait avoir le droit aux plaisirs esthétiques qui y sont associés. Il était tout aussi surpris et agacé qu'elle soit prête à faire une croix dessus.

En France, « trois mois » semble être la formule magique : des Françaises de tous âges me racontent constamment qu'elles ont « retrouvé leur ligne » au bout de trois mois après l'accouchement. Audrey, la journaliste française, m'explique en prenant le café qu'elle a perdu tous ses kilos juste après ses deux grossesses – y compris celle des jumeaux. « Bien sûr, ça s'est fait naturellement, dit-elle. Toi aussi, non ? » (J'étais déjà assise quand elle est arrivée dans le café.)

Comme je suis étrangère et que mon mari n'est pas français, je me suis dispensée de la règle des trois mois. Je ne suis même pas sûre d'en avoir entendu parler avant que Bean ait six mois. Mon corps a décidé, avec une coquetterie très personnelle, de stocker ses surplus autour de mon ventre et de mes hanches, donnant l'impression que je m'accroche au placenta.

Je serais certainement plus mince si j'étais harcelée sur ma ligne par une belle-famille française. Si l'environnement social est un facteur de propagation de l'obésité, il l'est aussi pour la minceur. Quand toutes les femmes autour de vous sont persuadées qu'elles vont perdre leurs kilos superflus, vous avez clairement plus de chance de réussir. (C'est aussi plus facile de perdre du poids quand on n'en a pas trop pris.)

Afin de perdre leurs kilos de grossesse, les Françaises semblent faire la même chose que d'habitude, mais en se serrant un peu plus la vis.

« Je fais très attention », m'explique un jour mon amie Virginie, la mère filiforme de trois enfants, alors que je m'empiffre un bol géant de soupe aux nouilles cambodgienne. (Tous les pays que la France a occupés ou colonisés sont largement représentés à Paris par de délicieux restaurants ethniques bon marché.)

Virginie affirme ne jamais suivre de régime. Elle fait simplement très attention la plupart du temps.

« Qu'est-ce que tu veux dire ? » lui demandé-je entre deux cuillerées de nouilles.

« Pas de pain, répond-elle fermement.

— Pas de pain ? répété-je incrédule.

— Pas de pain », confirme Virginie avec une assurance inébranlable.

Virginie ne veut pas dire qu'elle ne mange *jamais* de pain, mais qu'elle n'en prend pas en semaine, du lundi ou vendredi. Le week-end et lors de dîners occasionnels en semaine, elle prétend manger ce qu'elle veut.

« Tu veux dire "ce que tu veux" avec modération, pas vrai ?

— Non, je mange ce que je veux », me répond-elle avec la même conviction.

Mireille Guiliano conseille à peu près la même chose dans *French Women Don't Get Fat.* (Elle suggère de ne prendre qu'un jour de « repos » et de ne pas trop exagérer.) Connaître une personne qui respecte effectivement ce rythme, avec de toute évidence beaucoup de succès, est une vraie source d'inspiration.

« Faire attention » illustre à nouveau la capacité qu'ont les Françaises de faire intuitivement ce que la science recommande. Les scientifiques ont en effet établi que la meilleure façon de perdre du poids et de ne pas en reprendre est de se surveiller attentivement – par exemple, en notant tout ce que l'on mange ou en se pesant tous les jours.[3] Ils ont aussi découvert que l'on a plus de volonté quand on n'exclut pas définitivement certains aliments, mais qu'on se les réserve pour plus tard[4] (sûrement pour le week-end).

J'apprécie également la formulation française « faire attention », parce qu'elle est neutre et pragmatique, alors que l'américaine, « *being good* » – que l'on pourrait traduire par « bien faire » – est lourde de jugements (et vient avec ses contraires culpabilisants et démoralisants : « tricher » et « mal faire »). Quand on a mangé une part de gâteau parce que l'on n'a simplement *pas fait attention*, il est plus facile de se pardonner et d'être plus vigilante lors du prochain repas.

Selon Virginie, cette façon de manger est un secret de Polichinelle pour les Parisiennes. « Toutes celles qui sont minces, dit-elle en soulignant sa ligne d'un geste de la main, font très attention. » Lorsque Virginie pense avoir pris un peu de poids, elle fait encore plus attention. (Plus tard, mon amie Christine me résumera ce système en quelques mots : « Les Parisiennes ne mangent pas beaucoup. »)

Au cours du repas, Virginie me regarde de haut en bas et conclut que je n'ai pas fait attention.

« Tu prends des cafés crème, pas vrai ? » me demande-t-elle. Le café crème est le « café au lait » des Parisiens. C'est une tasse de lait chaud versée dans un expresso, sans la mousse qui en ferait sinon un cappuccino.

« Oui, mais je prends du lait écrémé », dis-je d'une petite voix. C'est ce que je fais à la maison. Virginie assure que même le lait écrémé est difficile à digérer. Elle boit des *cafés allongés*, c'est-à-dire un expresso dilué avec de l'eau bouillante. (Le café filtre américain ou le thé sont très bien aussi.) Je griffonne les suggestions de Virginie – Boire plus d'eau ! Monter les escaliers ! Marcher ! – comme si c'était des révélations.

Je ne suis pas obèse. Comme mon amie Nancy, j'arbore les rondeurs de la maternité et Bean ne risque pas de se cogner sur ma hanche quand je la prends sur mes genoux. Mais je rêve de minceur et je me suis promis de ne pas penser à la prochaine grossesse tant que je n'aurai pas terminé mon livre et perdu mes kilos. (Après des années passées en France, je ne sais toujours pas comment m'habiller quand j'entends la température en degrés Celsius ou si quelqu'un est grand ou petit lorsqu'on me donne sa taille en centimètres. Mais je sais immédiatement si mon poids en kilos rentrera dans mes jeans ou pas.)

De toute évidence, les mères françaises ne sont pas simplement différentes parce qu'elles sont minces – d'ailleurs, elles ne le sont pas toutes ! – et je connais des Américaines qui rentrent dans leur jean « d'avant la grossesse » dès le fameux troisième mois après l'accouchement. Mais je les repère de loin dans le parc uniquement à leur langage corporel : comme moi, elles sont penchées sur leurs enfants, en train de sortir des jouets sur la pelouse tout en vérifiant que rien ne traîne dans l'herbe avec lequel ils pourraient s'étouffer. Elles sont entièrement dévouées au service de leurs enfants.

La vraie différence, c'est que les mères françaises retrouvent leur identité « anté-bébé » après bébé. Pour commencer, elles semblent être moins collées à leur enfant. Je n'ai jamais vu de maman française monter sur un portique, glisser sur un toboggan ou s'asseoir sur une balançoire à bascule avec son enfant – ce qui est très courant aux États-Unis et quand des Américains nous rendent visite à Paris. La plupart du temps, à l'exception de la période où les bébés apprennent à marcher, les parents français s'installent sur le périmètre extérieur de l'aire de jeux ou du bac à sable et discutent ensemble (mais pas avec moi).

Dans les foyers américains, chaque pièce est susceptible d'être envahie de jouets. J'ai visité un jour une maison où les parents avaient enlevé tous les livres de leur salon pour laisser toute la place aux jouets et jeux des enfants.

Certains parents français entreposent les jouets dans leur salon, mais beaucoup ne le font pas. Les enfants de ces familles ont des tonnes de jeux et jouets, ils ne les déversent simplement pas dans tous les lieux de vie communs. Au minimum, il les range le soir. Les parents y voient une séparation salutaire et l'opportunité de s'aérer l'esprit quand les enfants vont se coucher. Samia, la voisine qui durant la journée est la mère dévouée d'une petite de deux ans, me confie : « Lorsque ma fille va au lit, je ne veux plus voir de jouet... Son univers reste dans sa chambre. »

La différence entre la France et les États-Unis ne s'arrête pas à l'espace physique. Je suis également impressionnée par le postulat quasi universel selon lequel même les bonnes mères ne sont pas au service constant de leurs enfants, et ce, sans culpabilité.[5]

Les guides d'éducation américains rappellent toujours que les mères ne doivent pas oublier d'avoir une vie. Mais j'entends souvent des mères au foyer américaines expliquer qu'elles ne font jamais appel à des baby-sitters, car elles considèrent que s'occuper des enfants est *leur* travail.

À Paris, il est acquis que même les mères qui ne travaillent pas inscriront leurs enfants dans un lieu de garde collectif au moins à temps partiel, afin d'avoir un peu de temps pour elles. Elles s'accordent du temps libre, sans aucune culpabilité, pour aller à leur cours de yoga et faire rafraîchir leur balayage. Par conséquent, même les mères au foyer les plus impliquées ne viennent jamais au parc mal coiffées ou mal fagotées comme si elles appartenaient à une tribu différente.

Les Françaises ne se contentent pas de s'autoriser du temps libre, elles se permettent aussi de se détacher mentalement de leurs enfants. Dans les films d'Hollywood, on sait immédiatement si un personnage féminin a des enfants. C'est d'ailleurs souvent le sujet du film. Mais dans les comédies romantiques et les drames français que j'arrive parfois à voir entre deux, le fait que le personnage principal ait des enfants est en général anecdotique. Dans *Les Regrets*, film français par excellence, l'institutrice d'une petite ville retombe amoureuse de son ancien petit ami, revenu en ville parce que sa mère est malade. Au cours du film, on est vaguement conscient que l'institutrice a une fille, mais l'enfant n'apparaît que brièvement. Il s'agit avant tout d'une histoire d'amour avec tout ce qu'il faut de scènes de sexe torrides. Le personnage n'est pas supposé être une mauvaise mère, mais être une mère ne fait pas partie de l'histoire.

En France, le message social dominant est que même si le rôle de parent est important, il ne doit pas écraser les autres. Les femmes que je connais à Paris expriment cette idée en disant que les mères ne doivent pas devenir « esclaves » de leurs enfants. Lorsque Bean est née, j'ai découvert *Les Maternelles*, un magazine télé diffusé presque tous les matins par une grande chaîne où experts et parents dissèquent tous les aspects de la vie des parents et de leurs jeunes enfants. Elle est immédiatement suivie par une autre émission intitulée *On n'est pas que des parents* ; on y aborde plutôt des thèmes comme le travail, la vie sexuelle, les loisirs et les relations familiales.

Naturellement, certaines Françaises se perdent dans la maternité, tout comme certaines mères américaines parviennent à éviter l'écueil. Mais les idéaux sont très différents de chaque côté de l'océan. Je suis frappée par le cahier mode d'un magazine français pour les mamans[6] : l'actrice Géraldine Pailhas, âgée de trente-neuf ans et maman de deux enfants, y prend la pose pour incarner différents types de mère. Sur une photo, elle fume une cigarette en poussant une poussette, le regard dans le vague. Sur une autre, elle porte une perruque blonde et lit une biographie d'Yves Saint Laurent. Sur une troisième, vêtue d'une robe de soirée noire et perchée sur d'improbables talons aiguilles ornés de plumes, elle pousse un landau vintage.

Le texte décrit Géraldine Pailhas comme un idéal de la mère française : « Elle incarne la plus simple expression de la liberté féminine : heureuse dans son rôle de mère, avide et curieuse de nouvelles expériences, parfaite dans les situations de crise, à l'écoute de ses enfants, sans être enchaînée au concept de la mère parfaite, qui, elle nous rassure, "n'existe pas !" »

Il y a quelque chose dans ce texte et dans l'allure de Géraldine Pailhas qui me rappelle ces mères françaises qui me snobent au parc. Dans la vraie vie, la plupart ne se pavanent pas sur des talons Christian Louboutin. Mais comme l'actrice, elles font clairement comprendre que tout en étant des mères dévouées, elles pensent aussi à des choses qui n'ont rien à voir avec leurs enfants et apprécient leurs moments de liberté sans aucune culpabilité.

Il va sans dire que Géraldine Pailhas perd tous ses kilos de grossesse avant même que ses enfants aient eu le temps de pousser leur premier cri. Mais cette vie intérieure, dont nous avons un aperçu sur les photos et que j'entrevois chez ces mères françaises à la crèche et au parc, est nécessaire pour garder son allure et se sentir séduisante[7]. Géraldine Pailhas n'a rien d'une MILF de bande dessinée. Elle a simplement l'air d'une femme sexy et détendue. J'ai du mal à l'imaginer en train de me dire que son bonheur ne dépend que de celui de ses enfants.

J'interroge mon amie Sharon, une agent littéraire belge francophone mariée à un beau Français. Ils ont vécu dans de nombreux pays avec leurs deux enfants. Sharon souligne immédiatement une autre caractéristique visible sur les photos de Géraldine Pailhas et qui concerne aussi les mères qui m'entourent à Paris : « Pour les Américaines, le rôle de mère est très cloisonné, c'est un absolu, dit-elle. Lorsqu'elles sont dans leur rôle de maman, elles portent la panoplie qui va avec. Quand il est l'heure d'être sexy, elles sont en tenue sexy, et les enfants ne voient que la facette "maman". »

En France, et apparemment en Belgique aussi, les rôles de « maman » et de « femme » fusionnent idéalement en un seul. Les deux sont visibles à tout moment.

CHAPITRE 8

LA MERE PARFAITE N' EXISTE PAS

Voici quelque chose que vous ne savez peut-être pas : passer douze heures par jour sur un ordinateur en engouffrant nerveusement des M&Ms n'est pas la meilleure façon de mincir !

Mais cela m'aide quand même à terminer mon livre. Et la simple présence de cet ouvrage sur Amazon.com réveille subitement la « femme » en moi. Tout comme la tournée promotionnelle qui accompagne sa sortie aux États-Unis. Je m'envole pour New York sans mari, ni enfant, afin d'y parler de l'ouvrage et de le regarder amoureusement dans les librairies. (Un libraire familier de ce genre de comportement s'approche de moi et me demande : « Vous êtes l'auteur ? »)

Mais ma véritable transformation a lieu lors de sa publication française. Après des années de présence « distante » à Paris, je suis soudain propulsée dans la conversation nationale. L'ouvrage est une enquête journalistique sur la perception de l'infidélité selon les cultures. (Le sujet m'a paru aussi éloigné que possible de la finance et mener cette recherche en France me semblait opportun.) Les Américains l'ont lu comme une investigation morale, alors que les Français y ont vu un livre drôle et perspicace.

Je suis invitée au *Grand Journal*, un magazine télévisé, afin d'en parler en français et en direct. J'avais déjà vaguement remarqué cette émission, diffusée cinq soirs par semaine à dix-neuf heures cinq. Mon éditrice française – une femme de caractère d'une cinquantaine d'années armée d'un Rolodex qui vaut de l'or – m'explique que cette émission est une institution. Elle est à la croisée du *Tonight Show* et de *Meet the Press*. Son animateur, Michel Denisot, est un journaliste très connu. Accompagné de sa brochette de journalistes, il passe chaque invité au crible. Tout le monde fait preuve d'esprit avec une touche de férocité, un peu comme un dîner parisien chic diffusé en direct à la télé.

Mon éditrice est surexcitée par les retombées publicitaires, mais mon niveau de français la fait paniquer. Elle m'organise des heures de pratique pour m'entraîner à répondre aux questions en français avec un de ses amis. Lui aussi semble nerveux ; il me répète sans cesse que le mot « affaires » n'a aucun sens extraconjugal en français, contrairement à l'anglais, et que je dois utiliser les mots d'*aventure* ou de *liaison*.

Quand le jour de l'émission arrive, je me sens à l'aise avec mon français et fin prête. J'avale trois tasses d'expresso et prends place pour la séance de maquillage et de coiffure. Puis je me retrouve soudain derrière deux rideaux géants. Denisot lance mon nom et les pans d'étoffe s'ouvrent. Je descends les marches blanches et brillantes, à la Miss America, et me dirige vers une grande table où m'attendent Denisot et ses acolytes.

Je suis tellement concentrée sur les questions que j'en oublie d'être nerveuse. Heureusement, ils me posent essentiellement celles que nous avons préparées. Comment l'idée du livre m'est-elle venue ? Comment la France se situe-t-elle sur le sujet par rapport aux États-Unis ? Lorsqu'un des intervieweurs me demande si j'ai moi-même été infidèle en écrivant l'ouvrage, je papillonne des yeux avec coquetterie et réponds que je suis journaliste et que j'ai donc été très professionnelle. Les intervieweurs – et le public dans le studio – adorent !

Sur cette note de gloire, Denisot reprend l'interview en main pour la conclure en donnant le résumé officiel. Je relâche mon attention. Mon frère, qui a regardé l'enregistrement sur internet, remarque que je suis visiblement soulagée.

Puis d'un coup, j'entends à nouveau mon nom. Denisot s'apprête à me poser une nouvelle question. Ce qui vient d'être dit ne lui suffit pas. Il me demande quelque chose à propos de Moïse – *Moses* en anglais – et d'un blog. Moïse avait un blog ? Selon mon frère, j'ai l'air pétrifié lorsque la caméra revient sur moi. Effectivement, je n'ai aucune idée de ce que l'animateur me demande.

Et soudain, je comprends : Denisot ne dit pas « blog », mais « blague ». Il veut que je lui raconte une des blagues de mon livre. Celle de Moïse qui descend du mont et déclare : « J'ai de bonnes et de mauvaises nouvelles. La bonne nouvelle, c'est que j'ai réussi à le faire descendre à dix commandements. La mauvaise, c'est que l'adultère en fait toujours partie. »

Je n'ai pas travaillé cette question avec mon coach. Sur le coup, je n'arrive plus à me souvenir précisément de la blague et suis encore moins capable de la raconter en français. Comment est-ce que l'on dit *mount* (« mont ») ? *Commandment* (« commandement » en français) ? Je parviens seulement à dire : « L'adultère en fait toujours partie ! »

Par chance, le public est toujours suffisamment bien disposé à mon égard pour rire et Denisot passe adroitement à l'invité suivant.

Malgré cet incident, je suis ravie de faire à nouveau partie du monde du travail. Cela me met en phase avec la société française où, après avoir eu l'audace de ne pas allaiter, puis de reconditionner leur esprit et leur corps, les mères françaises retournent au travail. En effet, les femmes qui ont fait des études supérieures abandonnent rarement leur carrière, temporairement ou définitivement, pour avoir des enfants. Lorsque je dis aux Américains que j'ai un enfant, ils me demandent généralement : « Est-ce que vous travaillez ? » Alors que les Français préfèrent : « Qu'est-ce que vous faites comme travail ? »

Je connais beaucoup de femmes aux États-Unis qui ont arrêté de travailler pour élever leurs enfants. Ici, je n'en connais qu'une seule. J'ai une vision de ce qu'aurait été ma vie de mère au foyer en France un matin où je lâche mon boulot pour accompagner Bean au parc. Le square de notre quartier a été construit au XIX\ :e siècle, sur le site de l'ancien enclos des Templiers (et toc pour Central Park !). Ça fait un peu *Da Vinci Code*, mais en réalité c'est plutôt bourgeois. On a plus de chance d'y déterrer une tétine abandonnée qu'une relique médiévale. Il y a une pièce d'eau, un kiosque à musique en fer forgé et une aire de jeux qui grouille d'enfants dès quatre heures et demie.

Bean et moi sommes justement dans le kiosque à musique, lorsque je suis électrisée par un accent américain qui vient d'une femme avec deux enfants. En moins de temps qu'il ne faut pour le dire, nous sommes en train de papoter sur nos vies respectives. Elle m'explique qu'elle a démissionné de son travail de *fact-checker*[1] pour accompagner son mari en année sabbatique à Paris. Ils se sont entendus sur le fait qu'il se consacrerait à sa recherche, pendant qu'elle profiterait de la ville et s'occuperait des enfants.

Neuf mois plus tard, elle n'a pas l'air de quelqu'un qui profite de la Ville lumière, mais plutôt d'une mère qui passe son temps à faire des allers-retours fatigants au square avec ses deux bambins. Elle bafouille un peu, puis s'excuse en m'expliquant qu'elle ne discute pas souvent avec des adultes. Elle a entendu parler des groupes de jeux organisés par les mères anglophones, mais dit n'avoir pas voulu « socialiser » avec des Américaines alors qu'elle n'est en France que pour une petite année. (J'essaie de ne pas le prendre pour moi.) Son français est excellent et elle pensait qu'elle allait rencontrer des mamans françaises et se faire des copines.

« Où sont toutes les mères ? » me demande-t-elle.

Au boulot, bien sûr ! Si les mères françaises reprennent leur travail, c'est, en partie, parce qu'elles en ont la possibilité. Les crèches de grande qualité, les nounous partagées et les assistantes maternelles subventionnées par l'État facilitent considérablement la logistique de la transition. Ce n'est pas un hasard si les Françaises doivent avoir retrouvé leur ligne au bout de trois mois : cela correspond à peu près au moment où elles retournent au bureau.

Mais si les mères françaises recommencent à travailler, c'est aussi parce qu'elles en ont envie. Dans une étude du Pew Research Center menée en 2010, 91 % des adultes français affirmaient que le modèle de mariage le plus satisfaisant était celui où le mari et l'épouse travaillaient tous les deux. (Seuls 71 % des Américains et des Britanniques étaient de cet avis.)[2]

Je connais ici certaines femmes diplômées de l'enseignement supérieur qui travaillent en quatre cinquièmes et restent à la maison le mercredi avec les enfants. Mais les mères que je rencontre m'assurent ne connaître pratiquement aucune femme qui ait décidé de rester à temps plein à la maison. « J'en connais une et elle est sur le point de divorcer », me dit mon amie Esther, l'avocate. En guise d'exemple édifiant, Esther rapporte l'histoire d'une femme qui a quitté son travail en tant que vendeuse pour s'occuper de ses enfants. Elle est devenue financièrement dépendante de son mari et s'est alors sentie moins en droit de donner son opinion.

« Elle réprimait ses émotions et ses récriminations et bien sûr au bout d'un moment, les malentendus ont empiré », continue Esther avant d'ajouter qu'il y a des circonstances où les mères ne peuvent vraiment pas travailler, comme avec l'arrivée d'un troisième enfant. Mais elle assure que toute rupture avec le travail devrait être limitée dans le temps, peut-être jusqu'aux deux ans du plus jeune.

Les Françaises qui exercent une profession libérale m'expliquent qu'arrêter de travailler, ne serait-ce que pour quelques années, est un choix risqué. « Si ton mari n'a plus de travail demain, qu'est-ce que tu fais ? » me demande mon amie Danièle. Hélène, l'ingénieure qui a trois enfants, maintient qu'elle préférerait ne pas travailler et dépendre du salaire de son mari. Elle ne le fait pourtant pas. « Les maris peuvent disparaître », dit-elle.

Les Françaises ne travaillent pas uniquement pour leur sécurité financière, mais aussi pour la reconnaissance sociale. Et la femme au foyer n'en a pas beaucoup à Paris. On l'imagine souvent à un dîner, assise, l'air maussade, parce que personne ne veut lui parler. « J'ai deux amies qui ne travaillent pas, j'ai l'impression qu'elles n'intéressent personne », me confie Danièle. Elle est journaliste, une petite cinquantaine d'années avec une fille adolescente. « Quand les enfants sont grands, quelle est leur fonction sociale ? »

Les Françaises se demandent aussi ouvertement ce que serait leur qualité de vie si elles s'occupaient toute la journée de leurs enfants. Les médias français décrivent volontiers cette expérience avec une ambivalence froide. J'ai lu un article qui expliquait que le principal avantage des mères « sans activité professionnelle est de voir grandir leurs enfants. Mais être une mère au foyer a aussi ses inconvénients, notamment l'isolement et la solitude. »

Puisque la classe moyenne parisienne compte peu de femmes au foyer, il y a aussi peu de *playgroups* hebdomadaires, de rencontres pour raconter des histoires aux enfants ou de cours sur le mode « Maman et moi ». Et quand il en existe, ils sont la plupart du temps organisés par et pour des anglophones. Il n'y a d'ailleurs qu'un seul enfant « à 100 % » français dans le *playgroup* de notre quartier et il vient avec sa nounou. Sa maman, une avocate, souhaite apparemment que son fils soit exposé à la langue anglaise. (Je ne l'ai lui-même jamais entendu parler anglais.) On n'a vu sa mère qu'une seule fois, le jour où elle devait à son tour recevoir le groupe chez elle. Revenue à toute allure de son bureau, en tailleur et talons hauts, elle nous a regardées avec nos baskets et nos sacs à langer gonflés à bloc, comme si nous étions des animaux exotiques.

La parentalité à l'américaine et tout son attirail – les *flashcards*[3] et les maternelles élitistes – sont aujourd'hui des clichés qui ont vécu. Il y a eu un contrecoup, puis un contrecoup au contrecoup. Je suis donc effarée par ce que je découvre dans un square new-yorkais... L'aire de jeux est réservée aux bambins qui commencent à peine à marcher, avec un petit toboggan et des animaux sur ressorts ; elle est isolée du reste du parc par une haute grille en métal. Tout a été conçu pour que les enfants puissent grimper et tomber en toute sécurité. Quelques nounous sont assises « à la fran-çaise » sur des bancs tout autour des jeux et papotent en regardant les enfants s'amuser.

Puis une mère blanche, de classe moyenne supérieure, arrive avec son petit. Elle le suit autour du portique miniature, sans jamais interrompre son monologue. « Tu veux aller sur la grenouille, Caleb ? Tu veux aller sur la balançoire ? »

Caleb ignore ses questions. Il n'a visiblement pas d'autre envie que mettre un pied devant l'autre. Mais sa mère le suit en commentant chacun de ses gestes. « Tu marches, Caleb ! » lance-t-elle à un moment.

Je me dis que Caleb est tombé sur une mère particuliè-rement zélée, lorsque arrive une autre femme de classe moyenne supérieure poussant la poussette d'un petit blond, vêtu d'un tee-shirt noir. Immédiatement, elle se met elle aussi à commenter toutes les actions de son enfant. Quand il s'éloigne vers la grille pour regarder la pelouse, elle semble décider que ce n'est pas assez stimulant et se précipite vers lui pour le renverser et le tenir la tête en bas.

« Tu as la tête en bas ! » crie-t-elle. Quelques instants plus tard, elle soulève son chemisier pour donner un peu de lait à son chérubin. « On est au parc ! On est au parc ! » piaille-t-elle pendant qu'il tète.

La scène se répète avec d'autres mamans et leur progéniture. Au bout d'une heure, je suis capable de prédire avec une précision absolue si une mère va commenter les jeux de son enfant rien qu'en estimant le prix de son sac à main. Ce qui me surprend le plus, c'est qu'elles n'aient pas honte de passer pour des folles. Elles ne murmurent pas discrètement leurs commentaires, elles les crient haut et fort pour que tout le monde les entende.[4]

Lorsque je décris la scène à Michel Cohen, le pédiatre français qui exerce à New York, il voit immédiatement de quoi je parle. Selon lui, ces femmes clament leurs commentaires parce qu'elles ont besoin d'exhiber leurs performances de bonnes mères. Cette pratique est d'ailleurs si répandue qu'il a inclus dans son livre sur la parentalité un chapitre intitulé « Stimulation », où il explique aux mères qu'il est important de se taire. « Les périodes de jeux et de rires doivent naturellement alterner avec les périodes de repos et de calme, écrit-il. Vous n'avez pas à parler, chanter et divertir votre enfant à tout bout de champ. »

Quelle que soit votre opinion sur les bienfaits – ou préjudices – de cette supervision intensive des enfants, une chose semble certaine : elle n'allège pas la tâche des mères.[5] Les regarder à l'œuvre est déjà en soi épuisant. Et elles ne s'arrêtent pas à l'aire de jeux. « Nous ne passons peut-être pas nos nuits à nous demander comment laver plus blanc que blanc, mais vous pouvez parier que nous allons perdre des heures de sommeil à essayer de comprendre pourquoi le petit Jasper porte encore des couches », écrit Katie Allison Granju sur babble.com. Elle y décrit une mère de ses connaissances, titulaire d'un master en biologie, qui vient de passer une semaine – *toute* la semaine – à apprendre à son enfant comment utiliser une cuillère.

Cette biologiste s'est certainement interrogée sur sa propre santé mentale... mais cela ne l'a pas arrêtée. Nous, les mères américaines, savons qu'éduquer nos enfants avec autant d'intensité n'est pas sans conséquence. Mais à l'instar des parents qui posaient la « Question américaine » à Jean Piaget – comment accélérer les stades de développement d'un enfant ? –, nous croyons que le rythme auquel avancent nos enfants dépend de nos décisions et de notre engagement. Ne pas apprendre à son enfant à tenir une cuillère ou ne pas commenter une descente de toboggan présente ainsi un risque beaucoup trop élevé pour être pris – surtout si les autres parents s'y appliquent.

On attend aujourd'hui des mères de la classe moyenne américaine qu'elles s'investissent plus avec leurs enfants que par le passé. Commenter les jeux et donner un cours intensif sur l'utilisation de la cuillère sont des manifestations de l'« éducation concertée » que la sociologue Annette Lareau a pu observer sur des groupes de parents blancs et afro-américains de la classe moyenne.[6]

« Les parents de la classe moyenne [...] considèrent leurs enfants comme un projet, explique Annette Lareau. Ils cherchent à développer leurs talents et leurs compétences par des activités organisées, un processus intensif de raisonnement et de développement du langage et par une supervision rapprochée de leurs expériences scolaires. »[7]

Ma décision de vivre en France est sans doute un acte monumental d'éducation concertée. Mon projet est que mes enfants soient bilingues, internationaux et amateurs de bons fromages. Et au moins en France, j'ai d'autres modèles – et il n'y a pas de maternelle pour enfants précoces. Aux États-Unis, l'éducation concertée ne semble pas vraiment être un choix. Au contraire, la pression s'est visiblement renforcée ces dernières années. Une de mes amies américaines, qui travaille à plein temps, me fait part de sa frustration : elle doit non seulement accompagner sa fille à ses matchs de foot, mais elle est aussi supposée assister à ses entraînements.[8]

Élisabeth, une mère française vivant à Brooklyn, s'est étonnée que les parents américains soient autant investis dans les résultats sportifs de leurs enfants. Elle écrit qu'elle a dû changer à plusieurs reprises la date et l'heure de l'anniversaire de son fils de dix ans pour s'adapter aux horaires de match de ses copains américains. Chacune des mamans américaines lui a expliqué que la présence de son enfant était indispensable au match et a affirmé que « l'équipe comptait sur lui ». Sans lui, « l'équipe risque de perdre ! »[9]

L'exigence d'excellence débute souvent avant que l'enfant ne sache marcher. J'ai entendu parler d'une maman new-yorkaise qui avait payé à sa fille d'un an des cours à domicile de français, espagnol et chinois. Lorsque sa petite a eu deux ans, la mère a laissé tomber les cours de français, mais les a remplacés par des cours d'art, de musique, de natation et de mathématiques. Et comme elle avait abandonné son travail de consultante en management, elle passait le plus clair de son temps à remplir des dossiers d'inscription auprès de deux douzaines de maternelles.

Ces histoires ne sont pas le lot de quelques parents new-yorkais excessifs. En allant à Miami, je déjeune avec Danielle, une mère américaine de mes connaissances que je trouve particulièrement sensée. Si quelqu'un peut résister aux charmes de la famille frénétique, c'est bien elle. Elle est équilibrée, chaleureuse et reste fermement non matérialiste bien qu'elle vive dans une ville où les gens suivent de près les dernières tendances en joaillerie. Elle a passé une partie de son enfance en Italie, parle trois langues et est généralement bien dans sa peau. Elle a aussi un MBA, et plusieurs postes de marketing à haut niveau sur son CV.

Danielle n'approuve pas le mode d'éducation surinvestie de certains parents. Elle est horrifiée par une mère de son quartier dont le fils de quatre ans prend déjà des cours de tennis, de foot, de français et de piano. Elle la trouve extrême, et sa présence dans les parages stresse toutes les autres.

« Tu commences à être nerveuse, tu te dis : son fils fait déjà tout ça... Est-ce que le mien va être au niveau ? Alors tu t'arrêtes et tu te dis : non, ce n'est pas la question. On ne veut pas qu'il soit en compétition avec ce genre d'enfants. »

Danielle s'est pourtant laissé entraîner dans un programme quotidien ininterrompu avec ses quatre enfants (les plus jeunes sont des jumeaux). Au cours d'une semaine typique, Juliana, sa fille de sept ans, a foot le mardi et le mercredi après-midi, catéchisme le mercredi, Jeannettes tous les jeudis après le foot et un *playdate*[10] tous les vendredis. De retour à la maison, Juliana a deux heures de devoirs.

« Hier soir, elle a dû écrire un conte populaire, un petit essai sur l'influence de Martin Luther King aux États-Unis, et réviser un contrôle d'espagnol », précise Danielle.

Récemment, Juliana a dit qu'elle aimerait aussi prendre des cours de céramique. « Et moi, comme je me sens coupable parce qu'il n'y a pas de cours d'art à l'école, j'ai répondu : "D'accord, on va faire de la céramique." Il ne restait plus que le lundi de libre. » L'agenda de Juliana est complet toute la semaine. Et Danielle a trois autres enfants.

« Tout ce que j'ai appris à l'école de commerce en cours de management opérationnel ne m'a jamais été aussi utile. Je m'en sers pour assurer la logistique croisée de tous ces agendas et faire en sorte que tout le monde soit là où il doit être à la bonne heure », commente-t-elle.

Danielle reconnaît qu'elle pourrait simplement arrêter toutes ces activités, à l'exception du foot (son mari est l'entraîneur de l'équipe). Mais que feraient ses enfants à la maison ? Ils n'auraient pas d'autres copains dans le quartier avec qui jouer, puisqu'ils font tous des activités eux aussi.

Total des courses, Danielle n'a pas repris son travail. « J'ai toujours pensé que lorsque mes enfants iraient à l'école primaire, je pourrais reprendre un travail à temps plein », dit-elle. Puis elle s'excuse et fonce vers sa voiture.

Les divers modes de garde proposés et subventionnés par l'État français facilitent sans nul doute la vie des mères françaises. Mais à chacun de mes retours en France, je suis bluffée par la faculté de ces femmes à se simplifier l'existence. Par exemple, l'équivalent du *playdate* américain consiste à déposer Bean chez sa copine et à repartir. (Alors que mes amies anglo-saxonnes présument que je vais passer tout l'après-midi avec elles.) Les parents français ne sont pas froids, ils ont tout bonnement le sens pratique. Ils se disent – à raison – que j'ai sûrement autre chose à faire. Mais il m'arrive de prendre un café quand je reviens la chercher en fin d'après-midi.

C'est la même chose en ce qui concerne les anniversaires. Les mères américaines et anglaises s'attendent à ce que je reste avec elles à papoter tout l'après-midi. Personne ne l'avoue jamais, mais à mon avis si nous ne partons pas, c'est en partie pour nous assurer que nos enfants sont à l'aise.

À Paris, dès trois ans, les fêtes d'anniversaire fonctionnent sur le mode garderie. Les parents sont supposés avoir confiance, leurs enfants iront parfaitement bien sans eux. La plupart du temps, pères et mères sont invités à prendre une coupe de champagne à la fin de la fête et à « socialiser » entre adultes. Simon et moi sommes aux anges quand Bean est invitée à un anniversaire : baby-sitting gratuit suivi d'un apéro !

Les Français ont une expression pour décrire les mères qui passent tout leur temps à déposer leurs enfants à droite et à gauche : les *mamans-taxis*. Ce n'est pas exactement un compliment. Nathalie, une architecte parisienne, me racontait qu'elle paie une baby-sitter chargée d'accompagner ses trois enfants à leurs différentes activités du samedi. Pendant ce temps, elle va au restaurant avec son mari. « Lorsque je suis avec eux, je suis là à 100 %, mais quand je ne suis pas là, je ne suis pas là », explique-t-elle.

Virginie, ma référence en matière d'alimentation, retrouve presque tous les jours un groupe de mamans de l'école élémentaire de son fils. Je les rejoins un matin et aborde le sujet des activités extrascolaires. Les esprits s'échauffent immédiatement. Virginie se redresse sur sa chaise et prend la parole au nom du groupe. « Il faut laisser les enfants tranquilles, ils ont besoin de s'ennuyer un peu à la maison, d'avoir du temps pour jouer. »

Virginie et ses amis ne sont pas du genre tire-au-flanc. Elles ont un beau parcours universitaire et professionnel. Ce sont des mères dévouées. Leurs maisons sont tapissées de livres. Leurs enfants prennent des cours d'escrime, de guitare, de piano, de tennis et de judo. Mais la plupart ne choisissent qu'une seule activité par trimestre.

L'une des mamans, une jolie publicitaire tout en rondeur – comme moi, elle essaie de « faire attention » –, explique qu'elle a arrêté d'envoyer ses enfants aux cours de tennis et à toute autre activité, parce que c'était trop « contraignant ».

« Contraignant pour qui ? ai-je demandé.

— Contraignant pour moi », me répond-elle avant de poursuivre... « Tu les amènes au cours, tu poireautes une heure et tu y retournes pour aller les chercher. La musique ? Il faut les faire travailler le soir... je perds mon temps. Et les enfants n'en ont pas besoin. Ils ont beaucoup de devoirs, plein de jeux à la maison, et ils sont deux : impossible de s'ennuyer. En plus, nous partons en week-end toutes les semaines. »

Je suis époustouflée de constater à quel point ces petites décisions changent le quotidien des mères françaises. Elles mettent un point d'honneur à savoir se détendre lorsqu'elles ont du temps libre. Un jour, chez le coiffeur, j'ai déchiré un article d'un numéro de *Elle* dans lequel une mère expliquait qu'elle aimait accompagner ses deux fils au vieux carrousel près de la tour Eiffel.

« Pendant qu'Oscar et Léon essaient d'attraper les anneaux en bois, j'ai trente minutes de vraie pause. Généralement, j'éteins mon téléphone portable et je passe en mode douce rêverie en les attendant... Du baby-sitting haut de gamme ! » Je connais très bien ce manège : ma demi-heure à moi consiste à attendre le passage régulier de Bean sur son cheval de bois pour lui faire signe.

Ce n'est pas un hasard si tant de mères françaises élèvent leurs enfants de cette façon. Ce principe du « laissez-les vivre » est un héritage direct de Françoise Dolto, la sainte patronne française de l'éducation. Dolto soutenait qu'il fallait laisser l'enfant seul, bien entendu en sécurité, afin qu'il se débrouille par lui-même.

« Pourquoi la mère fait-elle tout pour son enfant ? » demande Françoise Dolto dans *Les Étapes majeures de l'enfance*. « Il est si content d'agir par lui-même, de passer sa matinée à s'habiller tout seul, à mettre ses chaussures, si content de mettre son pull à l'envers, de s'emberlificoter dans son pantalon, de jouer, de "fourgonner" dans son coin.

Il ne va pas au marché avec sa mère ? Eh bien tant pis, ou plutôt tant mieux ! »

Le 14 juillet, j'amène Bean sur la belle pelouse du square voisin. Ça grouille de parents avec leurs jeunes enfants. Je ne commente pas les jeux de ma fille, mais je ne m'attends pas à ouvrir le magazine – du mois dernier évidemment – que j'ai fourré dans un sac géant rempli de livres et de jouets pour Bean. Je passe finalement une grande partie de ma journée à jouer avec elle et à lui faire la lecture.

Une mère française est assise sur une couverture à côté de nous. Une brune élancée qui discute avec une amie pendant que sa fille d'un an s'amuse avec... trois fois rien ! Il semble que la mère n'ait apporté qu'une balle pour tout l'après-midi. Elles déjeunent, puis l'enfant joue dans l'herbe, fait quelques galipettes et regarde ce qui se passe autour d'elle tandis que sa mère est en pleine discussion d'adulte avec son amie.

C'est le même soleil et la même pelouse, mais je pique-nique à l'américaine alors qu'elle pique-nique à la française. Comme ces mères new-yorkaises, j'essaie d'éveiller Bean à la prochaine étape de son développement – et je suis même prête à y sacrifier mon plaisir personnel ! La mère française, qui a visiblement les moyens de s'acheter un nouveau sac à main quand elle en a envie, semble tout à fait satisfaite de laisser sa fille « s'éveiller » toute seule. Et l'enfant ne donne pas l'impression d'être traumatisée pour autant !

Voilà qui éclaire ce mystérieux air calme qu'arborent les mères françaises autour de moi. Mais ça n'explique pas tout. Il manque une pièce essentielle au puzzle : l'énigme de la mécanique maternelle française tient, à mon avis, à la façon dont ces mères gèrent leur culpabilité.

De nos jours, les mères américaines passent plus de temps à s'occuper de leurs enfants qu'en 1965.[11] Elles y parviennent en prenant du temps sur les tâches domestiques, leur moment de détente et leur temps de sommeil. Malgré tout, les parents américains restent persuadés qu'ils ne consacrent pas encore assez de temps à leurs enfants.

D'où une énorme culpabilité. J'en fais le constat chaque fois que je rends visite à Emily, qui vit à Atlanta avec son mari et leur fille de dix-huit mois. Après quelques heures passées ensemble, je me rends compte qu'Emily a répété une bonne demi-douzaine de fois qu'elle est « une mauvaise mère ». Elle le dit quand elle cède à sa fille qui lui réclame plus de lait ou quand elle n'a pas le temps de lui lire plus de deux livres. Elle le répète quand elle essaie de la faire dormir à heure fixe et pour expliquer pourquoi elle la laisse parfois un peu crier la nuit.

« Je suis une mauvaise mère » est une expression que j'entends dans la bouche de beaucoup d'autres mamans américaines. C'est devenu un tic de langage. Emily l'utilise si souvent que, malgré son côté négatif, elle doit y trouver un certain réconfort.

La culpabilité est une taxe émotionnelle que les mères américaines paient pour aller au travail, éviter d'acheter des aliments bio, ou lorsqu'elles abandonnent leurs enfants devant la télé afin de surfer sur internet ou préparer le dîner. Un bon sentiment de culpabilité nous dédouane et nous offre cette liberté. Nous ne sommes pas égoïstes, puisque nous avons « payé » pour nos fautes.

Sur ce point aussi, les mères françaises marquent leur singularité. Elles reconnaissent tout à fait la tentation de la culpabilité. Elles se sentent écartelées et incompétentes comme les mères américaines. Après tout, elles aussi travaillent en élevant des tout-petits. Et comme nous, elles ne se considèrent pas à la hauteur, ni au travail, ni avec les enfants.

La différence, c'est que les mères françaises ne valorisent pas cette culpabilité. Au contraire, elles la trouvent malsaine et désagréable et tentent de la bannir. « La culpabilité est un piège », dit mon amie Sharon, l'agent littéraire. Et lorsqu'elle prend un verre avec ses amies francophones, elles se rassurent en se rappelant que « la mère parfaite n'existe pas ».

Le niveau d'exigence est clairement élevé pour les mères françaises. Elles sont supposées être sexy, réussir professionnellement et servir un repas fait maison tous les soirs. Mais elles essaient de ne pas se charger en plus du fardeau de la culpabilité. Mon amie Danièle, la journaliste française, a coécrit un livre intitulé *La mère parfaite, c'est vous*.

Danièle se souvient encore du jour où elle a déposé sa fille de cinq mois à la crèche. « Je me sentais mal de la laisser là, mais je me serais sentie aussi mal de rester avec elle et de ne pas travailler. » Elle s'est forcée à affronter sa culpabilité, puis à passer à autre chose. « D'accord, je me sens coupable, mais la vie continue. » Et de toute façon, « la mère parfaite n'existe pas », ajoute-t-elle pour nous rassurer toutes les deux.

La vraie force des Françaises face à leur culpabilité tient à ce qu'elles estiment malsain, autant pour les mères que pour les enfants, de passer tout leur temps ensemble. Selon elles, une trop grande attention ou anxiété risque d'étouffer leurs petits voire de créer une désastreuse *relation fusionnelle*, au sein de laquelle les besoins de la mère et de l'enfant ne sont plus dissociables. Les enfants, même les bébés et les tout-petits, ont ainsi la possibilité de développer leur vie intérieure sans l'intervention constante de leur mère.

« Ce n'est pas bon pour un enfant d'être le centre du monde de sa mère, dit Danièle. Que se passe-t-il pour l'enfant si sa mère reporte toutes ses attentes sur lui ? Je crois que c'est l'opinion de tous les psychanalystes. »

Mais il y a aussi le risque de pousser cette séparation trop loin. Quand Rachida Dati, alors ministre de la Justice, a repris son travail cinq jours après la naissance de sa fille Zora, toute la presse française s'en est émue. Dans une enquête publiée par le magazine *Elle*, 42 % des personnes interrogées ont jugé Dati « trop carriériste ». (Le fait qu'elle soit une mère célibataire de quarante-trois ans et qu'elle ne nomme pas le père de l'enfant a soulevé moins de controverse.)

Pour nous Américaines, l'équilibre vie-travail consiste à jongler entre les différentes facettes de notre vie sans faire trop de dégâts.

Les Françaises elles aussi parlent d'équilibre, mais sous un autre jour. Leur idée est de faire en sorte qu'aucune partie de leur vie, y compris l'éducation des enfants, ne prenne le pas sur les autres ; un peu comme un repas équilibré, avec une bonne proportion de protéines, glucides, fruits, légumes et sucre. En ce sens, la « carriériste » Rachida Dati soulevait le même problème que les mères au foyer : une vie accaparée par une seule dimension.

Bien sûr, pour certaines mères françaises, l'équilibre n'est qu'un idéal. Mais il a le mérite d'être rassurant. Lorsque je demande à Esther – mon amie parisienne, avocate en droit social à plein temps – de se juger en tant que mère, je suis saisie par la simplicité de sa réponse, dénuée de toute tension névrotique : « En général, je ne me demande pas si je suis une bonne mère, parce que je sais que j'en suis une. »

Inès de la Fressange n'est pas une Française ordinaire. Dans les années 1980, elle a été la muse de Karl Lagerfeld et l'un des principaux mannequins de Chanel. Puis on lui a proposé de devenir le nouveau visage de Marianne, l'effigie de la République française que l'on peut voir sur les timbres-poste et en buste dans les mairies. Brigitte Bardot et Catherine Deneuve ont avant elle prêté leurs traits à Marianne. Après avoir accepté la proposition, les chemins d'Inès de la Fressange et de Lagerfeld se sont séparés. Il aurait déclaré qu'il ne voulait pas « habiller un monument ».

Aujourd'hui, avec sa cinquantaine d'années, Inès de la Fressange est toujours cette belle brune languissante aux yeux de biche et aux jambes si longues qu'elles semblent impossibles à replier sous une table de café. Elle a créé une ligne de prêt-à-porter à son nom et il lui arrive encore parfois de défiler sur les podiums. En 2009, les lectrices de *Madame Figaro* l'ont élue meilleure incarnation de la Parisienne.

Inès de la Fressange est aussi maman. Ses deux filles, Nine, l'adolescente, et Violette, de quelques années plus jeune, ont hérité de sa photogénie et de ses belles jambes et ont déjà lancé leur style et leur carrière de mannequin. Inès de la Fressange avait l'habitude de tourner en dérision ses propres charmes en se donnant le surnom d'« asperge ». Elle assure ne pas être une mère parfaite. « J'oublie de faire mon yoga le matin et je finis toujours par me maquiller dans le rétroviseur de la voiture. L'important est de se débarrasser de la culpabilité de ne pas être parfaite. »

De toute évidence, Inès de la Fressange n'est pas Madame Tout-le-monde, mais elle incarne l'idéal français de l'équilibre. Dans une interview donnée à *Paris Match*, elle décrit comment, trois ans après le décès de son mari, elle a rencontré un homme dans une station de ski des Alpes où elle était en vacances avec ses filles. Il était à la tête de l'un des plus importants magazines français et décoré de la Légion d'honneur. (Inès de la Fressange n'était pas la muse de Lagerfeld pour rien !)

Elle a refusé les avances de son prétendant pendant quelques mois, expliquant qu'elle n'était pas prête. Mais comme elle l'a confié à *Paris Match* : « C'est finalement moi qui l'ai rappelé en déclarant : "D'accord, je suis une maman et je travaille, mais je suis aussi une femme." J'ai pensé que c'était bien pour les filles d'avoir une mère amoureuse. »

CHAPITRE 9

« CACA BOUDIN ! »

Lorsque Bean approche de ses trois ans, elle se met à utiliser une expression que je n'ai encore jamais entendue. Je crois d'abord qu'elle dit *caca buddha*, ce qui pourrait être vaguement insultant pour mes amis bouddhistes (en anglais aussi, *caca* est un terme enfantin qui signifie crotte). Mais au bout d'un moment, je comprends qu'elle dit *caca boudin*. « Boudin » se traduit en anglais par *sausage*. Ma fille se balade donc en hurlant « *poop sausage* » ou « saucisse de crotte ».

Comme tous les bons jurons, *caca boudin* est versatile. Bean le crie en jubilant lorsqu'elle court avec ses copains dans l'appartement. Elle l'utilise aussi pour dire « n'importe quoi », « laisse-moi tranquille » et « ça te regarde pas ». C'est une réplique multifonctionnelle.

Moi : « Qu'est-ce que tu as fait à l'école aujourd'hui ? »

Bean : « Caca boudin. » (gloussement)

Moi : « Tu veux encore des brocolis ? »

Bean : « Caca boudin ! » (rire hystérique)

Simon et moi ne savons pas trop quoi penser de *caca boudin*. Est-ce impoli ou mignon ? Devons-nous nous mettre en colère ou en rire ? Nous ne comprenons pas le contexte social et n'avons pas été enfants en France. Pour ne pas prendre de risque, nous lui demandons d'arrêter de le dire.

201

Elle obéit par un compromis : elle continue de le dire en ajoutant tout de suite : « On dit pas *caca boudin*, c'est un gros mot. »

Le français bourgeonnant de Bean a ses avantages. Lorsque nous rentrons aux États-Unis pour Noël, les amies de ma mère lui demandent sans cesse de prononcer le nom de son coiffeur, Jean-Pierre, avec son accent parisien. (Jean-Pierre lui a fait une petite coupe au carré qui est « tellement française », gazouillent-elles.) Bean est ravie de chanter à la demande quelques-unes des douzaines de comptines françaises qu'elle a apprises à l'école. Je suis stupéfaite quand, ouvrant un cadeau, elle s'exclame spontanément « oh là là ! ».

Mais il est de plus en plus clair que devenir bilingue n'est pas qu'un truc pour épater la galerie ou une simple compétence sans conséquence. Au fur et à mesure que son français s'améliore, Bean commence à ramener à la maison, en plus d'expressions mystérieuses, des règles et des idées qui ne nous sont pas familières. Sa nouvelle langue est non seulement en train d'en faire une francophone, mais aussi une Française. Et je ne suis pas sûre d'être très à l'aise avec ça. D'ailleurs, je ne suis même pas sûre de savoir ce qu'est vraiment un Français ou une Française.

La France entre chez nous avant tout par le biais de l'école. Bean va maintenant à la maternelle. Toute la journée, quatre jours par semaine, à l'exception du mercredi. La maternelle n'est pas obligatoire et les enfants peuvent n'y aller qu'une partie de la journée, mais la plupart des enfants de trois ans y passent toute la journée et y vivent quasiment la même expérience sur tout le territoire. C'est ainsi que la France fait de ses enfants des Français à part entière.

La maternelle a des objectifs élevés. C'est un véritable projet national de transformer des petits de trois ans centrés sur eux-mêmes en personnes civilisées et capables d'empathie.

Une brochure conçue par le ministère de l'Éducation à l'attention des parents explique qu'à la maternelle, « les enfants découvrent les richesses et les contraintes du groupe auquel ils sont intégrés. Ils éprouvent le plaisir d'être accueillis et reconnus, ils participent progressivement à l'accueil de leurs camarades ».

Charlotte, qui est institutrice depuis trente ans (et qui, avec un charme désuet, se fait toujours appeler « maîtresse » par les enfants), m'explique que la première année, les enfants sont très égotistes. « Ils ne comprennent pas que la maîtresse est là pour tout le monde. » Inversement, il leur faut du temps pour comprendre que lorsque la maîtresse parle à tout le groupe, ce qu'elle dit s'adresse aussi individuellement à chacun d'entre eux.

Généralement, les enfants font les activités qu'ils ont choisies par groupe de trois ou quatre, à des tables séparées ou dans différents coins de la salle de classe.

À mes yeux, la maternelle est une sorte d'école des beaux-arts pour petites personnes. Au cours de la première année d'école de Bean, les dessins et peintures des élèves recouvrent vite tous les murs de la classe. Être capable de « percevoir, ressentir, imaginer et créer » sont également des objectifs de la maternelle. Les enfants apprennent à lever la main *à la française*, en pointant leur index vers le haut (alors que les Américains lèvent simplement la main).

Inscrire Bean à la maternelle m'inquiétait. La crèche était une grande salle de jeux pour bambins, mais avec la maternelle, on se rapproche de l'école. Il y a beaucoup d'enfants par classe. Et on m'a prévenu que les parents sont peu informés de ce qui se passe dans la journée. Une mère américaine me raconte qu'elle a arrêté de demander des informations sur sa fille à sa maîtresse après que cette dernière lui a dit : « Si je ne dis rien, c'est que tout va bien. » La maîtresse de Bean en première année de maternelle est une femme sinistre qui ne fera jamais qu'un seul et unique commentaire sur Bean : « Elle est très calme. » (Bean adore cette maîtresse et ses camarades de classe.)

Malgré toutes les activités de peinture et de dessin, on insiste beaucoup sur le fait d'apprendre à suivre des instructions. La première année, je découvre que toute la classe peint généralement la même chose, ce qui m'agace prodigieusement. Un matin, vingt-cinq dessins identiques de visages jaunes aux yeux verts sont accrochés aux murs de la classe. Étant moi-même une personne qui ne peut rien écrire sans une date de remise (ou deux), je reconnais le besoin d'avoir quelques contraintes. Mais voir tous ces dessins pratiquement tous semblables me dérange. (Les créations de Bean en deuxième année seront plus libres et personnelles.)

Il me faut un petit moment pour me rendre compte qu'il n'y a même pas un alphabet au milieu des dessins qui tapissent les murs de la classe de Bean. Lors d'une réunion de parents, personne ne mentionne le sujet de la lecture. L'assistance s'agite plus quand on aborde le sujet de la laitue pour nourrir les escargots de la classe (des petits escargots qui vivent dans un vivarium, pas ceux que l'on mange).

En fait, comme je le découvrirai plus tard, les enfants n'apprennent pas à lire à la maternelle (où ils vont jusqu'à leur sixième année). Ils n'y apprennent que les lettres, les sons et comment écrire leurs noms. On me raconte que certains enfants apprennent à lire tout seuls, mais je serais incapable de dire lesquels, vu que leurs parents n'en parlent pas. L'apprentissage de la lecture n'apparaît dans le programme scolaire français qu'en classe de CP (équivalent du *first grade* américain), l'année de leurs sept ans.

Cette attitude détendue s'oppose à ma croyance américaine la plus basique selon laquelle « plus tôt on commence, mieux c'est ». Mais même les parents des copines d'école de Bean qui semblent bénéficier de la plus forte ascension sociale ne sont pas pressés. « Je préfère qu'ils ne passent pas de temps à apprendre à lire maintenant », me dit Marion, elle aussi journaliste. Elle et son mari affirment qu'il est plus important pour les enfants de cet âge d'assimiler les règles de vie sociale, d'apprendre à organiser leurs pensées et à parler correctement.

Ils sont servis : si on n'apprend pas à lire à la maternelle, on y apprend définitivement à parler. L'objectif principal de la maternelle est précisément de permettre à tous les enfants, quelle que soit leur origine, d'acquérir une bonne maîtrise du français à l'oral. Une brochure du gouvernement français destinée aux parents explique que le français des enfants doit être « riche, organisé et compréhensible par tous » (c'est-à-dire bien meilleur que le mien). Charlotte, la maîtresse, me raconte que généralement quand les enfants d'immigrés entrent à la maternelle en septembre, ils parlent un français rudimentaire, voire quasi inexistant. En mars, ils le parlent d'habitude correctement, si ce n'est couramment.

Selon la logique française, si les enfants sont capables de s'exprimer clairement, ils peuvent aussi réfléchir clairement. La brochure du gouvernement notifie qu'un enfant apprend, en plus d'améliorer sa grammaire orale, à observer, poser des questions et à s'interroger de façon de plus en plus rationnelle. Il apprend à suivre un autre point de vue que le sien, et cette confrontation avec la pensée logique lui ouvre la voie du raisonnement. Il apprend à compter, classer, ranger et décrire... Tous ces philosophes et intellectuels que je vois pontifier le soir à la télévision française ont donc commencé à développer leur esprit d'analyse dès la petite section !

Je suis contente que Bean ait pu aller à la maternelle. Je n'ai pas oublié qu'aux États-Unis, mes amies – même si elles n'achètent pas de DVD de méthodes d'apprentissage de lecture pour les bébés – se démènent pour que leurs enfants puissent entrer dans des *preschools* privées qui peuvent leur coûter jusqu'à douze mille dollars par an (pour n'y passer que la demi-journée). Je fais justement la connaissance d'une mère du New Jersey qui fait cinquante minutes de route pour déposer ses jumelles à leur *preschool*. Quand elle rentre enfin chez elle, elle a à peine le temps de prendre une douche et de faire une lessive avant de devoir repartir les chercher. Les riches ne sont pas les seuls à être écrasés par les coûts de garde de leurs enfants. Une étude établissant le budget minimal nécessaire à la sécurité économique de base d'une famille de quatre personnes montre que le mode de garde des enfants est la première dépense du foyer.[1]

La maternelle française est loin d'être parfaite. Les enseignants sont titulaires de leur poste, qu'ils soient bons ou mauvais. Il y a des problèmes réguliers de budget et parfois un manque de place. La classe de Bean compte vingt-cinq enfants, ce qui semble être beaucoup, mais certaines sont encore plus chargées. (L'enseignant a une assistante qui lui donne un coup de main pour le matériel, les allers-retours aux toilettes et pour maintenir l'ordre en général.)

Le côté positif, c'est que je ne signe pas d'autre chèque que celui de la cantine (les tarifs sont calculés sur les revenus des parents et s'étalent de treize centimes à cinq euros par jour). L'école est à sept minutes de marche de chez nous. Et la maternelle permet aux mères de travailler. La journée commence à huit heures vingt et se termine à seize heures vingt, quatre jours par semaine. Pour un petit coût supplémentaire, un « centre de loisirs » est proposé dans les mêmes locaux où l'on s'occupe des enfants jusqu'à dix-huit heures et toute la journée du mercredi. Le centre de loisirs est également ouvert pendant les vacances scolaires et presque tout l'été ; les enfants font alors des sorties aux parcs et aux musées.

La maternelle joue un rôle très important dans la transformation de ma petite Américaine en petite Française.

D'ailleurs, l'école me rend moi-même plus française. Contrairement à la crèche, les autres parents s'intéressent immédiatement à Bean et donc à moi aussi. Ils semblent à présent voir notre famille comme une partie intégrante du groupe avec qui ils traverseront toute la scolarité de leur enfant (alors qu'après la crèche, tous les enfants se dispersent dans différentes écoles). Quelques mères de la classe de Bean ont des petits bébés et sont en congés maternité. Lorsque je viens la chercher à la fin de la journée et que je l'amène au parc de l'autre côté de la rue, je m'assois avec certaines d'entre elles pendant que nos enfants jouent. Petit à petit, nous sommes même invités pour des fêtes d'anniversaire, des goûters et des dîners.

En même temps que la maternelle nous immerge un peu plus tous les trois dans la vie française, elle nous fait aussi comprendre que les familles françaises respectent des codes sociaux qui nous étaient jusqu'alors inconnus. Alors que nous quittons mon amie Esther et son mari chez qui nous venons de dîner, cette dernière perd son calme parce que leur fille, qui a l'âge de Bean, refuse de sortir de sa chambre pour nous dire au revoir. À bout de patience, Esther entre dans sa chambre et la traîne dehors. « Au revoir », finit par dire docilement l'enfant de quatre ans. Esther est satisfaite.

Naturellement, je m'efforce de faire dire à Bean les « mots magiques » : « s'il vous plaît » et « merci ». Mais, en France, il y a en fait *quatre* mots magiques : *s'il vous plaît, merci, bonjour* et *au revoir. Merci* et *s'il vous plaît* sont incontournables, mais loin d'être suffisants. *Bonjour* et *au revoir* — et *bonjour* en particulier — sont incontournables. Je n'avais encore pas saisi qu'apprendre à dire bonjour était une composante principale de la francisation.

« Mon obsession, c'est que mes enfants sachent dire *merci* ; *bonjour* ; *bonjour madame* », me confie Audrey Goutard, une journaliste française, mère de trois enfants. « Dès qu'ils ont eu un an, tu peux pas imaginer, je leur ai répété au moins quinze fois par jour. »

Pour certains parents français, un simple bonjour ne suffit pas. « Ils doivent le dire avec assurance, ça marque le début d'une relation », me confie une autre maman. Virginie, la mère au foyer filiforme, exige un niveau supplémentaire de politesse de la part de ses enfants : ils doivent dire *bonjour monsieur* et *bonjour madame*.

Mon amie Esther insiste sur le *bonjour* en menaçant de punir sa fille. « Si elle ne dit pas *bonjour*, elle reste dans sa chambre, pas de dîner avec les invités, explique-t-elle. Du coup, elle le dit. Ce n'est pas le plus sincère des bonjours, mais à force, ça viendra, j'espère. »

Benoît, qui est professeur et père de deux enfants, me raconte qu'ils ont vécu une véritable crise de famille lorsque ses enfants ont passé quelques jours seuls chez leurs grands-parents. Sa fille de trois ans se réveillait de mauvaise humeur et refusait de dire bonjour à son grand-père avant d'avoir pris son petit déjeuner. Elle a quand même fini par accepter de lui dire « pas bonjour, papi » en allant se mettre à table. « Ça lui suffisait. C'était une façon de reconnaître sa présence », explique Benoît.

Les adultes sont évidemment eux aussi supposés se dire bonjour. Je pense que si les touristes sont souvent rudoyés dans les cafés et magasins parisiens, c'est en partie parce qu'ils ne commencent pas par dire *bonjour*, même s'ils passent ensuite à l'anglais. Il est crucial de dire bonjour en montant dans un taxi, lorsqu'une serveuse s'approche pour la première fois de votre table dans un restaurant, ou avant de demander à une vendeuse si elle a ce pantalon dans votre taille. Dire bonjour, c'est reconnaître l'humanité de l'autre. Cela signale que vous le considérez comme une personne à part entière et pas simplement comme un individu à votre service. Je suis impressionnée par l'effet qu'a un bonjour franc et amical : les gens semblent immédiatement à l'aise. Cela signifie que – même si j'ai un drôle d'accent – notre rencontre part sur une base civilisée.

Aux États-Unis, un enfant de quatre ans n'est pas obligé de me dire bonjour quand il arrive chez moi. Il peut se cacher derrière le salut de ses parents. Et dans un contexte américain, je dois m'en satisfaire. Je n'ai pas besoin que l'enfant reconnaisse ma présence, puisque je ne le considère pas vraiment comme une personne ; il est dans sa réalité d'enfant séparée de la mienne. On peut me raconter combien il est précoce et doué, mais de fait, il ne me parle jamais.

Lors d'un déjeuner de famille aux États-Unis, je constate avec étonnement que les cousins assis à table, qui ont de cinq à quatorze ans, ne me disent absolument rien à moins que je ne leur tire les vers du nez. Certains parviennent à peine à marmonner des réponses en un seul mot. Même les adolescents ne sont pas habitués à s'adresser avec assurance à un adulte qu'ils ne connaissent pas bien.

L'obsession française du bonjour révèle que les enfants français ne sont pas cantonnés à cette présence vague et confuse comme les Américains. L'enfant dit bonjour, donc il est. Tout comme n'importe quel adulte qui arrive chez moi est supposé me saluer, n'importe quel enfant qui entre dans ma maison doit aussi le faire. « Saluer quelqu'un est avant tout une façon de le reconnaître en tant que personne, constate Benoît, le professeur. Les gens sont offensés si les enfants ne les saluent pas d'un bonjour. »

Il ne s'agit pas que de conventions sociales, mais d'un projet national. Dans une réunion de parents à l'école de Bean, sa maîtresse explique que l'un des objectifs de l'école est que les élèves se rappellent des noms des adultes (Bean appelle ses maîtresses par leur prénom) et qu'ils s'entraînent à leur

dire *bonjour, au revoir* et *merci.* La brochure du gouvernement français explique que les enfants de maternelle sont
supposés montrer leur maîtrise des « règles communes de
civilité et de politesse, telles que le fait de saluer son maître
au début et à la fin de la journée, de répondre aux questions
posées, de remercier la personne qui apporte une aide ou de
ne pas couper la parole à celui qui s'exprime ».

Les enfants français ne disent pas tout le temps bonjour.
Un petit rituel permet souvent au parent d'inciter l'enfant à
le dire (« Allez, viens dire bonjour ! »). L'adulte salué attend
un instant, puis dit aux parents de façon amicale de ne pas
s'inquiéter, que ce n'est pas grave. Et visiblement, cela suffit
à honorer le contrat social.

Les adultes ne demandent pas aux enfants de dire bonjour
pour leur simple satisfaction ; en le faisant, les enfants
apprennent qu'ils ne sont pas les seuls à avoir des sentiments
et des besoins.

« Cela permet d'éviter l'égoïsme », commente Esther, qui
a traîné sa fille – une adorable fille unique à qui ils font très
attention – pour me dire au revoir. « Les enfants qui ignorent
les autres et ne disent pas bonjour ou au revoir restent dans
leur bulle. Leurs parents leur étant déjà entièrement dévoués,
quand comprendront-ils qu'ils sont là pour donner et pas
simplement pour recevoir ? »

Dire *s'il vous plaît* et *merci* place l'enfant dans une position
d'infériorité passive par rapport à l'adulte. Soit ce dernier a
fait quelque chose pour lui, soit c'est l'enfant qui lui
demande de faire quelque chose pour lui. Mais bonjour et au
revoir positionnent l'enfant et l'adulte sur un même pied
d'égalité, au moins l'espace de cet instant. Cela renforce
l'idée que les enfants sont des personnes à part entière.

Je ne peux pas m'empêcher de penser que laisser entrer
chez moi un petit Américain sans qu'il me dise bonjour
risque de déclencher une réaction en chaîne où il sautera sur

mon canapé, refusera de manger autre chose que des pâtes sans sauce et mordra mon pied pendant le dîner. S'il est dispensé de cette première règle de politesse, il aura vite fait de croire qu'il en est de même avec beaucoup d'autres règles, ou qu'il n'est carrément pas capable de les suivre. Dire bonjour signifie à l'enfant, et aux autres, qu'il est capable de bien se tenir. Cela donne le ton de la relation à venir entre l'enfant et l'adulte.

Les parents français reconnaissent que dire bonjour est d'une certaine façon un geste adulte. « Je ne crois pas que dire bonjour soit si facile », admet Emma, une spécialiste de l'éthique médicale qui a deux filles de sept et neuf ans. Mais selon elle, les enfants sont réconfortés par le fait de savoir que leur salut importe à l'adulte. « À mon avis, l'enfant qui ne dit pas bonjour ne peut pas vraiment se sentir sûr de lui », explique-t-elle.

Pas plus que ses parents d'ailleurs. C'est pourquoi dire bonjour est un marqueur fort de l'éducation. Les enfants qui ne disent pas le mot magique français risquent d'être étiquetés « mal élevés ». Emma raconte que sa fille cadette avait un jour invité un ami à la maison qui criait à tout va et s'amusait à appeler Emma *chérie*. « J'ai dit à mon mari que je ne l'inviterais plus. Je ne veux pas que ma fille joue avec des enfants mal élevés. »

Audrey Goutard, la journaliste, a écrit un ouvrage intitulé *Le Grand Livre de la famille*, dans lequel elle essaie de dépoussiérer certaines conventions d'éducation françaises. Mais même elle n'ose pas mettre l'importance du bonjour sur la sellette. « Honnêtement, en France, un enfant qui arrive quelque part et qui ne dit pas *bonjour monsieur ; bonjour madame* est un enfant que l'on rejette, me dit-elle. Un enfant de six ans qui ne lève pas le nez de la télé quand vous entrez chez un ami… je dis qu'il est "mal élevé", je ne trouve pas ça normal. »

« Notre société a beaucoup de codes. Et si vous ne respectez pas celui-ci, vous en êtes exclu. C'est aussi simple que cela. Vos enfants ont moins de chance de s'intégrer, de faire des rencontres. J'explique dans mon livre qu'il vaut mieux que les enfants connaissent ce code. »

Mince ! J'avais vaguement remarqué que les petits Français disaient bonjour, mais je n'en avais pas saisi toute la portée. C'est un indicateur du même ordre qu'avoir de belles dents aux États-Unis. Le fait de dire bonjour montre que quelqu'un s'est impliqué dans votre éducation et que vous allez respecter des règles sociales de base. Le groupe de copines de classe de Bean a déjà eu, à trois-quatre ans, plusieurs années d'entraînement au bonjour, mais ce n'est pas le cas de Bean. Avec seulement *s'il vous plaît* et *merci* à son arsenal, il lui manque la moitié du minimum exigé. Elle a peut-être déjà écopé de l'étiquette redoutée de « mal élevée ».

J'essaie de faire appel à la petite anthropologue en elle, en lui expliquant que dire bonjour est une habitude locale qu'elle doit respecter.

« Nous habitons en France et pour les Français, il est très important de dire bonjour. Alors nous aussi, nous devons le dire. » Je la prépare dans l'ascenseur avant que nous arrivions aux fêtes d'anniversaire et quand nous allons chez des amis français.

Je lui demande avec anxiété : « Qu'est-ce que tu vas dire quand on va entrer ?

— Caca boudin », me répond-elle.

La plupart du temps, elle ne dit rien du tout. J'applique alors le rituel français et lui demande à voix haute de dire bonjour. J'aurais au moins respecté la convention et avec un peu de chance, je suis peut-être même en train de lui inculquer l'habitude de saluer poliment.

Un matin, alors que nous allons à pied à l'école, Bean se tourne spontanément vers moi et déclare : « Même si je suis timide, je dois dire bonjour. » Elle l'a peut-être entendu dire à l'école, et tant mieux, c'est bien qu'elle le sache. Mais je ne peux pas m'empêcher de craindre qu'elle n'intériorise un peu trop les règles. C'est une chose de jouer à être française, ça en est une autre de vraiment en devenir une.

Malgré mon ambivalence sur le fait que Bean grandisse comme une petite Française, je suis ravie qu'elle devienne bilingue. Simon et moi ne lui parlons qu'en anglais et à l'école, elle ne parle que français. Je m'étonne parfois d'avoir donné naissance à une enfant qui peut naturellement prononcer « carottes râpées » et « confiture sur le beurre ».

J'avais toujours cru que les enfants « captaient » les langues sans faire aucun effort. En fait, il s'agit plutôt d'un long processus de tâtonnements. Quelques personnes me font remarquer que Bean parle encore français avec un léger accent américain. Bien qu'elle n'ait jamais vécu en dehors de Paris intra-muros, grâce à nous elle diffuse visiblement une sorte d'« américanité ». Un mercredi matin, je l'amène à son cours de musique (d'habitude c'est la baby-sitter qui s'en charge) et je découvre que sa prof lui parle un anglais de cuisine alors qu'elle s'adresse en français à tous les autres enfants. Plus tard, une prof de danse demande au groupe de petites filles de s'allonger à plat ventre « comme une crêpe ». Puis elle se tourne vers Bean et lui précise : « comme un pancake ».

Au début, même moi je suis capable de remarquer que Bean fait beaucoup d'erreurs en français et invente des constructions bizarres. Elle dit généralement « *for* » au lieu de « pour », et ne connaît que le vocabulaire qu'elle a appris en classe, ce qui ne l'aide pas beaucoup à parler de voitures ou de dîners. Un jour, elle me demande tout à coup : « *Avion*, c'est la même chose que *airplane* ? » Le bilinguisme se met en place.

Je ne suis d'ailleurs pas certaine de savoir quelles sont les erreurs dues au bilinguisme ou simplement à son âge. Soudain, dans le métro, Bean se penche vers moi et me dit « Tu sens le *vomela* » : c'est un mot qu'elle a personnellement créé en associant « vomis » et « Pamela ».

Une minute plus tard, elle se penche à nouveau vers moi et je lui demande :

« Qu'est-ce que je sens maintenant ?

— Comme le collège », répond-elle.

À la maison, quelques expressions françaises prennent le pas sur les anglaises. Nous commençons à dire *coucou* à la place de *peekaboo* et *guili-guili* au lieu de *coochi coochi coo* quand nous la chatouillons. Bean ne joue pas à *hide-and-seek*, mais à *cache-cache*. Nous jetons nos déchets *à la poubelle* (et pas *in the garbage*), elle a une *tétine* et pas un *pacifier*. Personne ne fait de *pets* à la maison, nous faisons des *prouts*.

Au printemps de la première année de maternelle de Bean, mes amies me font remarquer qu'elle a perdu son accent américain. Elle parle comme une vraie Parisienne. Elle est devenue tellement à l'aise en français que je l'entends plaisanter avec des copines, en français, en prenant un accent américain exagéré (sûrement le mien). Elle aime mélanger volontairement les deux accents et décide que le mot français pour *sprinkles* (les vermicelles de couleur pour la pâtisserie) doit être « chprinkel ».

Moi : « Comment est-ce que tu dis *d'accord* en anglais ? »

Bean : « Tu sais bien ! *Dah-kord* », me répond-elle avec un fort accent sorti tout droit de l'Alabama.

Mon père adore l'idée d'avoir une petite-fille « française ». Il demande à Bean de l'appeler *Grand-père*, ce qu'elle ne considère pas une seule seconde. Elle sait pertinemment qu'il n'est pas français et l'appelle simplement *Grandpa*.

Le soir, Bean et moi lisons des livres pour enfants. Elle est à la fois excitée et soulagée d'avoir la confirmation que, comme dans le cas d'« *airplane* », certains mots français et anglais désignent la même chose. Lorsque nous lisons la fameuse réplique dans les livres de Madeline, « *Something is not right !* », elle la traduit en français idiomatique : « Quelque chose ne va pas ! »

Même si Simon a un accent purement britannique, Bean parle anglais avec un accent plutôt américain. Je ne sais pas si c'est mon influence ou celle d'Elmo[2] ! Les autres enfants anglophones que nous connaissons à Paris ont tous un accent différent. La copine de Bean, dont le père est néo-zélandais et la mère à moitié irlandaise, parle comme une vraie petite Anglaise. Un garçonnet de mère parisienne et de père californien parle comme les chefs français des émissions culinaires américaines des années 1970. Et celui qui vit au bout de la rue, avec un père qui parle persan et une mère australienne, s'exprime comme une marionnette du Muppet Show.

Lorsqu'elle parle anglais, Bean souligne occasionnellement les mauvaises syllabes (la seconde syllabe de *salad* par exemple). Et elle compose parfois des phrases en anglais en suivant l'ordre grammatical français (« *Me, I'm not going to have an injection, me* ») ou traduit littéralement du français à l'anglais (elle dira par exemple « *Because it's like that !* » plutôt que « *Because that's the way it is !* » pour « parce que c'est comme ça ! »). Elle a aussi tendance à dire « *after* » lorsqu'elle veut dire « *later* » (deux mots qui se traduisent par « après » en français).

Il arrive aussi que Bean manque de références anglo-saxonnes quotidiennes. Par exemple, quand elle veut savoir si quelque chose lui va bien, elle s'approprie étrangement tous les DVD de princesses de Disney qu'elle a regardés et demande simplement : « Est-ce que je suis la plus belle ? » Mais ce ne sont que des détails, rien qui ne résisterait à deux mois en colonie de vacances aux États-Unis.

Bêtise est un autre mot français qui s'infiltre dans notre vocabulaire anglais. Lorsque Bean se lève à table, prend un bonbon interdit ou lance un petit pois par terre, nous disons qu'elle fait une bêtise. Une bêtise est une « faute » mineure. Ce n'est pas bien, mais ce n'est pas terrible non plus.

L'accumulation de bêtises peut conduire à une punition, mais en général une seule ne suffit pas (à moins que ce soit une « grosse » bêtise !).

Nous avons adopté le mot français, car notre langue n'a pas d'équivalent. En anglais, on ne dirait pas qu'un enfant a fait un « petit acte de désobéissance ». Nous avons plus tendance à qualifier l'enfant que son « délit », en lui disant qu'il est vilain, mal élevé ou tout bonnement « pas gentil ».

Ces expressions n'expriment pas vraiment la gravité de l'acte. Bien sûr, en anglais, je connais la différence entre taper sur la table et taper quelqu'un, mais avoir à ma disposition le mot *bêtise* pour nommer une simple incartade m'aide à avoir une réaction appropriée. Je n'ai pas à piquer de crise et à sévir chaque fois que Bean fait quelque chose de « mal » ou défie mon autorité. Il ne s'agit parfois que d'une bêtise. Ajouter ce mot à mon vocabulaire m'a apaisée.

Mon vocabulaire français ne s'enrichit pas uniquement grâce à Bean, mais aussi par le biais de tous les livres pour enfants que nous accumulons ; des livres offerts aux anniversaires de Bean, achetés dans les librairies ou dans les vide-greniers des voisins. Je veille toujours à ne pas lire en français à voix haute quand il y a un Français dans les parages. J'ai conscience d'avoir un accent et d'hésiter sur certains mots. D'habitude, je fais tellement d'efforts pour ne pas écorcher les mots que je ne comprends l'histoire qu'à la troisième lecture !

Je remarque vite qu'il n'y a pas que la langue qui diffère entre les livres et comptines pour enfants français et ceux pour les Américains : il y a aussi les histoires et les morales. Les livres américains mettent généralement en scène un problème, puis un combat pour le résoudre, et se concluent sur une joyeuse résolution. La cuillère rêve d'être une fourchette ou un couteau, mais finit par comprendre que c'est quand même génial d'être une cuillère. Le petit garçon qui ne voulait pas que les autres enfants jouent dans son carton se fait finalement lui-même exclure du carton et comprend que tous les enfants devraient pouvoir y jouer ensemble. Chacun apprend sa leçon et la vie est encore plus belle qu'avant.

Cela ne se limite pas aux livres. Je note l'espoir follement démesuré avec lequel je chante à Bean la comptine américaine *If You're Happy and You Know it Clap your Hands* (littéralement, « si tu es content et que tu le sais, frappe dans tes mains »), ou *The Sun'll Come out Tomorrow* (« le soleil se lèvera encore demain ») quand nous regardons la comédie musicale *Annie*. Dans le monde anglo-saxon, tous les problèmes semblent avoir une solution et la prospérité n'est jamais loin.

Les livres français que je lis à Bean suivent presque toujours la même structure : dans un premier temps, il y a un problème et les personnages doivent faire des efforts pour le dépasser. Mais leur succès est généralement de courte durée. Souvent, le livre se termine sur le personnage principal à nouveau confronté à la difficulté initiale. Il y a rarement un moment de transformation personnelle où tout le monde apprend quelque chose et se dépasse.

L'un des livres français préférés de Bean met en scène deux petites filles qui sont cousines et meilleures amies. Éliette (la rousse) mène toujours Alice (la petite brune) à la baguette. Un jour, Alice décide qu'elle ne peut plus supporter la situation et arrête de jouer avec Éliette. Les petites se tiennent à distance pendant une longue période, solitaires. Éliette finit par aller chez Alice, lui demande pardon et lui promet de changer. Alice accepte ses excuses. Une page plus tard, les filles jouent au docteur et Éliette essaie de donner un coup de seringue à Alice. Rien n'a changé. Fin.

Tous les livres pour enfants français ne se terminent pas ainsi, mais c'est souvent le cas. L'idée est que les fins n'ont pas à être « mignonnes » pour être heureuses. C'est un cliché que nous avons sur les Européens, mais c'est flagrant dans les livres français de Bean : la vie est ambiguë et compliquée. Les gentils ne sont pas d'un côté et les méchants de l'autre. Chacun d'entre nous est un peu des deux. Éliette est tyrannique, mais elle est aussi très amusante. Alice est la victime, mais elle cherche le bâton et en redemande.

Nous sommes supposés imaginer que la relation entre Éliette et Alice va se poursuivre sur ce mode légèrement dysfonctionnel, parce que c'est comme ça que se comportent les copines entre elles. J'aurais aimé le savoir quand j'avais quatre ans, plutôt qu'attendre la trentaine pour le comprendre. L'écrivaine Debra Ollivier souligne à ce propos que les fillettes américaines arrachent les pétales des marguerites en disant, « *He loves me, he loves me not* / il m'aime, il ne m'aime pas », alors que les petites Françaises se permettent plus de nuances affectives, avec : « Il m'aime un peu, beaucoup, passionnément, à la folie, pas du tout. »[3]

Dans les ouvrages pour enfants français, un personnage peut effectivement avoir des traits de caractère contradictoires. Dans l'un des livres de *Princesse Parfaite*, Zoé ouvre un cadeau et déclare qu'elle ne l'aime pas. Mais sur la page suivante, Zoé est une « princesse parfaite » qui saute de joie et remercie la personne qui lui a offert le cadeau.

S'il existait une version américaine de ce livre, Zoé contrôlerait ses mauvaises impulsions et se métamorphoserait complètement en Princesse Parfaite. Le livre français est plus proche de la vraie vie : Zoé continue à lutter avec les deux facettes de sa personnalité. Le livre essaie d'encourager les habitudes de princesse (il y a un petit diplôme de bonne conduite à la fin du livre), mais part du principe que les enfants sont naturellement enclins à faire des bêtises.

La nudité et l'amour sont également présents dans les livres français pour les petits de quatre ans. Bean a un livre sur un petit garçon qui par mégarde va tout nu à l'école. Elle en a un autre au sujet d'une amourette entre un garçon qui fait pipi dans sa culotte par accident et une petite fille qui lui prête son pantalon tout en transformant son bandana en jupe. Ces livres – et les parents français que je côtoie – considèrent les coups de cœur et les béguins entre petits de maternelle comme d'authentiques histoires d'amour.

J'ai fait la connaissance de quelques personnes dont les parents sont américains et qui ont grandi en France. Lorsque je leur demande s'ils se sentent français ou américains, ils sont quasi unanimes : cela dépend du contexte. Ils se sentent américains quand ils sont en France et français quand ils sont aux États-Unis.

Bean semble se diriger vers quelque chose de similaire. Je lui transmets sans beaucoup d'efforts quelques caractéristiques américaines, comme gémir et mal dormir. Mais d'autres exigent beaucoup plus d'investissement personnel. Je choisis certains jours fériés américains selon le niveau de cuisine requis : Halloween[4] est un grand gagnant (rien à préparer), Thanksgiving[5] est hors course (la *pumpkin pie* me décourage !) et le 4-Juillet[6] est suffisamment proche du 14-Juillet pour ne pas avoir à le fêter séparément. Je ne suis pas certaine de bien savoir ce qu'est la cuisine américaine traditionnelle, mais je suis catégorique : Bean doit aimer les *tuna melts* (du thon sur une tranche de pain de mie, le tout recouvert de fromage passé ensuite au gril).

Aider Bean à se sentir un peu américaine est déjà difficile, mais, en plus, j'aimerais qu'elle se sente juive. J'ai beau l'avoir inscrite sur la liste des enfants qui ne mangent pas de porc à la cantine, cela ne suffit pas à cimenter son identité religieuse. Elle essaie de comprendre ce que signifie cette étrange étiquette « anti-Père Noël » et comment s'en libérer.

« Je ne veux pas être juive, je veux être anglaise », annonce-t-elle début décembre.

Je n'ai pas envie de lui parler de Dieu. Je crains que lui expliquer qu'un être surpuissant est présent partout – y compris sûrement dans sa chambre – ne la terrifie. (Elle a déjà peur des sorcières et des loups.) Le printemps venu, je préfère préparer un élégant dîner pour Pessah, la Pâque juive. Au milieu de la première bénédiction, Bean se lève. Simon est assis au bout de la table, maussade, l'air de dire : « Je te l'avais bien dit. » Nous avalons notre soupe de boulettes de *matza*, puis regardons du football hollandais à la télévision.

Hanoukka rencontre un plus grand succès. Le fait que Bean ait six mois de plus y participe, tout comme les bougies et les cadeaux. Mais ce qu'elle adore plus que tout, c'est que nous dansions et chantions la *hora* dans le salon avant de nous écrouler par terre, complètement étourdis.

Après huit soirées de fête et huit cadeaux soigneusement choisis, elle reste pourtant sceptique.

« Hanoukka est terminé, nous ne sommes plus juifs », me dit-elle. Elle veut savoir si le Père Noël, dont elle a entendu parler à l'école, viendra aussi chez nous. La veille de Noël, Simon insiste pour que nous disposions des chaussures et des cadeaux devant notre cheminée. Il affirme que c'est une coutume populaire hollandaise, et pas une tradition religieuse (les Hollandais installent leurs chaussures le 5 décembre). Bean est aux anges le lendemain matin quand elle se réveille et découvre les chaussures, même s'il n'y a qu'un Yo-Yo bon marché et des ciseaux en plastique à l'intérieur.

« D'habitude, le Père Noël ne va pas dans les maisons des enfants juifs, mais il est venu chez nous cette année ! » gazouille-t-elle tout heureuse. Après les vacances de Noël, quand je vais la chercher à l'école, nos conversations suivent généralement ce schéma :

Moi : « Qu'est-ce que tu as fait à l'école aujourd'hui ? »

Bean : « J'ai mangé du cochon. »

Quitte à être étranger, être anglophone tombe plutôt bien. L'anglais est à la mode en France. La plupart des Parisiens de moins de quarante ans le parlent relativement bien. L'institutrice de Bean me demande, ainsi qu'à un père canadien, de venir en classe un matin afin d'y lire des livres en anglais aux enfants. Plusieurs des copines de Bean prennent des cours d'anglais. Leurs parents n'en finissent pas de s'extasier sur la chance qu'a Bean d'être bilingue.

Mais avoir des parents étrangers n'est pas sans inconvénient. Simon me rappelle toujours que lorsqu'il était enfant aux Pays-Bas, il mourait de honte quand son père ou sa mère parlait hollandais en public. J'en fais l'expérience à l'occasion du concert de fin d'année scolaire, quand les parents sont conviés à chanter avec leurs enfants. La plupart des adultes connaissent parfaitement les chansons, tandis que je fredonne en marmonnant des paroles, espérant que Bean ne remarque rien.

De toute évidence, je vais devoir faire des compromis entre l'identité américaine que je souhaite transmettre à Bean et la française qu'elle absorbe rapidement. Je m'habitue à l'entendre dire Cendrillon plutôt que *Cinderella* et Blanche-Neige plutôt que *Snow White*. J'éclate de rire quand elle me raconte qu'un garçon de sa classe aime Spiderman – prononcé à la française avec un « r » bien guttural – au lieu de dire « Spïderman » à l'anglaise. Mais ma tolérance transculturelle atteint ses limites lorsqu'elle affirme que les sept nains chantent « Hé ho », comme dans la version française. Certaines choses sont sacrées.

Heureusement, certains pans de la culture anglo-saxonne sont irrésistiblement accrocheurs.

Alors que j'accompagne Bean un matin à l'école, en marchant dans les rues médiévales de notre quartier, elle se met soudain à chanter, *The Sun'll Come out Tomorrow*. Nous chantons ensemble tout le chemin. La petite graine d'Américaine est bien présente en elle.

Je me résous finalement à interroger des adultes français au sujet de ce mot mystérieux, *caca boudin*. Ils sont amusés que je le prenne tant au sérieux. *Caca boudin* est bien un juron, mais il est réservé aux petits qui l'apprennent entre eux à la période où ils commencent à aller aux toilettes.

Dire *caca boudin* est un peu une *bêtise*. Mais les parents comprennent que c'est justement pour cela que c'est si amusant. C'est une façon pour eux de faire un pied de nez au monde des adultes et de faire l'expérience de la transgression. Les personnes auxquelles je m'adresse reconnaissent que les enfants ont déjà tellement de règles et de limites qu'ils ont aussi besoin d'un peu de liberté. Dire *caca boudin* leur donne de la puissance et de l'autonomie. Anne-Marie, l'ancienne maîtresse de Bean, sourit avec indulgence lorsque je l'interroge au sujet de *caca boudin*. « Ça fait partie de l'environnement, explique-t-elle. Nous l'avons dit nous aussi, quand nous étions petits. »

Cela ne signifie pas pour autant que les enfants peuvent dire *caca boudin* quand cela leur chante. Le guide *Votre enfant* recommande d'expliquer aux enfants qu'ils n'ont le droit de dire des gros mots qu'aux toilettes. Certains parents me confient qu'ils ont interdit ces mots à table. Ils n'interdisent pas aux enfants de dire *caca boudin*, ils leur apprennent à s'en servir à bon escient.

Lors d'une visite chez des amis en Bretagne, Bean et leur fille, Léonie, tirent la langue à sa grand-mère. Cette dernière les fait immédiatement asseoir pour leur expliquer quand on peut faire ce genre de choses et quand on ne peut pas.

« Quand vous êtes toutes seules dans votre chambre et dans les toilettes, vous pouvez le faire… Vous pouvez marcher pieds nus, tirer la langue, dire *caca boudin*. Vous pouvez faire tout ça, quand vous êtes toutes seules. Mais quand vous êtes à la maison, non. Quand vous êtes à table, non. Quand vous êtes avec Papa et Maman, non. Dans la rue, non. *C'est la vie*. Il faut apprendre à faire la différence. »

Une fois que Simon et moi sommes plus au fait sur *caca boudin*, nous décidons de lever le moratoire. Nous expliquons à Bean qu'elle a le droit de le dire, mais pas trop souvent. Nous apprécions la philosophie qui se cache derrière le mot et l'utilisons parfois aussi nous-mêmes. Un juron réservé aux enfants ? Que c'est original ! Que c'est français !

Mais je finis par croire que les nuances sociales de *caca boudin* sont trop subtiles pour que nous les maîtrisions. Lorsque le père d'une petite copine d'école de Bean vient chercher sa fille chez nous un dimanche, après un après-midi de jeux, il entend Bean hurler *caca boudin* en courant dans le couloir. Le père, un banquier, me regarde avec méfiance. Je parie qu'il en a parlé à sa femme ; sa fille n'est jamais revenue à la maison depuis.

CHAPITRE 10

DEUX POUR LE PRIX D' UN

J'ai enfin terminé d'écrire mon livre. Et un matin, pendant quinze glorieuses minutes avant mon petit déjeuner, je suis à cent grammes de mon objectif de poids. Je suis prête à retomber enceinte.

Et pourtant, je ne le suis toujours pas.

Tout mon entourage est dans les starting-blocks. Mes amies qui, comme moi, approchent de la quarantaine, semblent être portées par un dernier souffle de fertilité. Tomber enceinte de Bean avait été aussi simple que se faire livrer une pizza. Vous en voulez une ? Composez le numéro et vous serez servi ! Un seul appel avait suffi.

Mais cette fois-ci, la pizza n'arrive pas. Au fil des mois, je sens que l'écart d'âge entre Bean et sa sœur ou son frère potentiel ne cesse de se creuser. Et je n'ai pas l'impression d'avoir beaucoup de temps devant moi. Si le deuxième bébé n'arrive pas bientôt, le troisième deviendra physiologiquement impossible.

Mon médecin me déclare que mes cycles sont devenus trop longs. Les ovules ne devraient pas rester aussi longtemps avant de filer chercher un éventuel compagnon, m'explique-t-elle. Elle me prescrit du Clomid, qui doit augmenter ma production d'ovocytes et donc la probabilité que l'un d'entre eux demeure suffisamment en forme. Pendant ce temps, mes copines m'appellent pour m'annoncer la merveilleuse nouvelle : elles sont enceintes ! Je suis heureuse pour elles. Vraiment.

Au bout d'environ huit mois sans succès, on me recommande une acupunctrice spécialisée dans les problèmes de fertilité. Elle a de longs cheveux noirs et un cabinet dans un quartier commerçant sans prétention. (La plupart des villes ont un quartier chinois ; Paris en compte quatre ou cinq.) L'acupunctrice examine ma langue, me plante quelques aiguilles dans les bras et m'interroge sur la durée de mon cycle.

« C'est trop long », dit-elle en expliquant que l'ovule s'atrophie sur son étagère. Elle me prescrit une potion liquide au goût d'écorce que je prends consciencieusement, mais je ne tombe toujours pas enceinte.

Simon m'assure qu'il est très heureux avec un seul enfant. Par respect pour lui, je considère ce scénario pendant précisément quatre secondes, mais un instinct primaire m'anime. Darwin n'a rien à voir dans l'histoire, cela ressemble plutôt à une addiction aux glucides. Je veux tout simplement plus de pizza ! Je retourne chez mon médecin et lui déclare que je suis prête à tout essayer. Qu'est-ce qu'elle a d'autre à me proposer ?

Elle ne pense pas qu'il soit nécessaire d'aller jusqu'à une fécondation in vitro. (La Sécurité sociale française rembourse six essais de FIV pour les femmes de moins de quarante-trois ans.) Elle préfère m'apprendre à m'injecter un médicament dans la cuisse qui forcera mon corps à ovuler plus tôt dans mon cycle afin que l'ovocyte n'ait pas le temps de s'atrophier. Pour que cela fonctionne, je dois me faire l'injection le quatorzième jour et faire l'amour juste après, même si ce n'est pas très romantique.

Il s'avère que Simon a programmé un déplacement professionnel à Amsterdam précisément le prochain quatorzième jour ! Il est hors de question que j'attende un mois de plus. Je réserve une baby-sitter qui s'occupera de Bean et m'organise pour retrouver Simon à Bruxelles, à mi-chemin entre Paris et Amsterdam. Nous prévoyons de tranquillement dîner ensemble avant de nous retirer dans notre chambre d'hôtel. Dans le pire des cas, nous aurons profité d'une jolie escapade. Il retournera à Amsterdam dès le lendemain matin.

Le quatorzième jour, un énorme orage et une panne ferroviaire exceptionnelle s'abattent sur l'ouest de la Hollande. Quand j'arrive à la gare de Bruxelles, vers dix-huit heures, Simon m'appelle pour me dire que son train est bloqué à Rotterdam. Personne ne sait vraiment si les trains pourront repartir et encore moins lequel. Il ne pourra peut-être pas me rejoindre à Bruxelles ce soir. Il me rappellera quand il en saura plus. Il raccroche et avec une synchronisation parfaite, la pluie se met à tomber.

J'ai transporté la piqûre dans une petite glacière portable, avec un pack réfrigérant qui ne dure que quelques heures. Et si je me retrouvais coincée dans un train surchauffé ? Je me précipite dans une épicerie près de la gare, achète un sac de petits pois surgelés et le fourre à l'intérieur de la glacière.

Simon me rappelle et m'annonce qu'un train va quitter la gare de Rotterdam pour Anvers. Est-ce que je peux le retrouver là-bas ? Je lis sur un écran géant qu'un train partira de Bruxelles direction Anvers dans quelques minutes. Dans une scène à la croisée de *La Mémoire dans la peau*[1] et de *Sex and the City*, je cours comme une dératée vers le quai, avec ma seringue aux petits pois sous le bras.

Trempée jusqu'aux os, je suis à deux doigts de sauter dans le train pour Anvers quand mon téléphone sonne à nouveau. « Reste à Bruxelles ! » hurle Simon à l'autre bout. Il a réussi à trouver un train et il arrive.

Je prends un taxi qui me conduit à notre hôtel, confortable, bien chauffé et décoré d'un sapin géant pour les fêtes de Noël. Je devrais déjà m'estimer heureuse d'être là, mais la première chambre à laquelle me mène le groom ne présente pas vraiment le charme propice à la procréation. Il me montre une autre chambre, au dernier étage, sous les toits. Voilà un endroit où je peux m'imaginer remplir notre mission.

En attendant que Simon arrive, je prends un bain, passe un peignoir, puis me plante calmement la seringue dans la cuisse.

Quelques semaines plus tard, je suis à Londres pour le travail. J'achète un test de grossesse dans une pharmacie, puis un bagel chez un traiteur, uniquement afin de pouvoir descendre aux toilettes faire le test. (OK d'accord, j'ai aussi mangé le bagel.) À ma grande surprise, il est positif. Tout en marchant vers mon lieu de rendez-vous et en tirant ma valise, j'appelle Simon. Il se met immédiatement à inventer des surnoms. Puisque le bébé a été conçu à Bruxelles, nous pourrions peut-être l'appeler « Sprout » (jeux de mots entre *Brussels sprouts*, les choux de Bruxelles, et *sprout*, qui signifie la « pousse »).

Quelques semaines plus tard, Simon m'accompagne pour passer la première échographie. Je suis allongée sur la table, le regard rivé sur l'écran. Le bébé est magnifique : battements du cœur, tête, jambes, tout y est. Puis je remarque une tache noire sur le côté ; je demande au médecin :

« Qu'est-ce que c'est ? » Elle déplace légèrement la sonde sur le côté et soudain apparaît un autre petit corps, avec ses propres battements de cœur, sa tête et ses jambes.

« Des jumeaux », me répond-elle.

C'est un des plus beaux moments de ma vie. J'ai l'impression d'avoir reçu un cadeau monumental : deux pizzas d'un seul coup. Et quelle belle fécondité pour une femme qui approche la quarantaine.

Je me retourne vers Simon et comprends que le plus beau moment de ma vie pourrait être le pire de la sienne. Il semble sous le choc et pour une fois, je ne veux pas savoir à quoi il pense. L'idée d'avoir des jumeaux me donne le vertige. L'énormité de la nouvelle le met K.-O.

« Je ne pourrai plus jamais aller au café », soupire-t-il. Il aperçoit déjà la fin de sa liberté.

« Vous pourriez vous acheter une de ces machines à expresso », suggère le médecin.

Mes amis et voisins français nous félicitent pour la bonne nouvelle. Ils ne cherchent pas à savoir pourquoi j'attends des jumeaux. Les anglophones que je connais font généralement preuve de moins de discrétion.

« C'est une surprise ? » me demande une des mamans de notre *playgroup* quand j'annonce la nouvelle. Je réponds par un simple « oui ». Elle tente à nouveau sa chance : « Et ton médecin, il était surpris ? »

J'ai trop à faire pour m'en soucier. Simon et moi avons décidé qu'une nouvelle cafetière ne suffirait pas : il nous faut un appartement plus grand. (Celui que nous habitons alors n'a que deux petites chambres.) L'urgence monte d'un cran quand nous apprenons que les bébés sont tous les deux des garçons.

J'arpente Paris et visite plusieurs douzaines d'appartements, tous trop sombres ou trop chers ou avec de longs couloirs terrifiants qui mènent à une minuscule cuisine. (Apparemment, au XIXe siècle, il n'était pas de bon goût de sentir les effluves du repas préparé par le petit personnel.) Les agents immobiliers m'affirment toujours avec verve et assurance que l'appartement que je vais visiter est « très calme ». C'est une qualité visiblement autant prisée pour les appartements que pour les enfants.

Toute l'énergie passée à chercher un appartement m'empêche de trop m'inquiéter de ma grossesse. Je crois que j'ai aussi assimilé l'idée française qu'il n'y a pas de raison de traquer la formation de chaque sourcil fœtal. (Bien qu'il y ait pas mal de sourcils inquiétants là-dedans.) Je me laisse brièvement aller à une phase d'angoisse liée à la gémellité, comme le risque d'un accouchement prématuré. Mais c'est surtout le système de santé français qui se préoccupe de moi. Parce que j'attends des jumeaux, j'ai droit à des consultations médicales et des échographies supplémentaires. À chaque visite, le beau radiologue me montre le « Bébé A » et le « Bébé B » sur l'écran, puis enchaîne toujours avec la même mauvaise blague : vous n'êtes pas obligée de les appeler comme ça. J'esquisse alors mon meilleur « microsourire ».

Cette fois-ci, c'est Simon qui angoisse – sur son compte, pas sur celui des bébés. Il regarde chaque plateau de fromages comme si c'était le dernier, tandis que je me réjouis de toute l'attention que l'on me porte. Malgré la gratuité des FIV, avoir des jumeaux n'est pas encore chose courante à Paris. (J'ai appris que les médecins n'implantaient souvent qu'un ou deux embryons.) Au bout de quelques semaines, ma grossesse est bien visible. À six mois, je donne l'impression d'être sur le point d'accoucher. Certains vêtements de grossesse sont trop serrés et même de tout petits enfants se doutent qu'il doit y avoir plus d'un bébé dans mon ventre.

J'étudie par ailleurs toute la nomenclature au sujet des jumeaux. En français, on ne dit pas que les jumeaux sont *identiques* ou « *fraternels* » comme en anglais, on parle de *vrais* ou de *faux* jumeaux. Je prends l'habitude d'annoncer que j'attends deux faux jumeaux.

Je n'avais finalement aucune raison de craindre une arrivée prématurée de mes « faux » garçons. À neuf mois de grossesse, les deux bébés sont à terme, chacun pesant à peu près le poids de Bean à la naissance. Les gens me montrent du doigt dans les cafés et je ne peux plus monter les escaliers.

« Si tu veux trouver un appartement, va le chercher toi-même », dis-je à Simon. Moins d'une semaine plus tard, après en avoir visité un seul, il a réussi. L'appartement est ancien, même pour Paris. Il faut y faire beaucoup de travaux. Nous l'achetons. La veille de l'accouchement, j'ai rendez-vous avec un entrepreneur pour les organiser.

La clinique privée où j'avais accouché de Bean était petite et immaculée, avec une pouponnière ouverte vingt-quatre heures sur vingt-quatre, des serviettes propres à volonté, et steak et foie gras au menu de la chambre. J'avais à peine changé une couche.

On m'a prévenue que je vivrai une expérience beaucoup moins élitiste dans la maternité de l'hôpital public où je compte accoucher des jumeaux. Les soins médicaux prodigués dans les hôpitaux publics français sont excellents, mais le service est supposé être rudimentaire. Les mamans reçoivent une liste de choses à apporter pour l'accouchement, y compris des couches. On ne s'adapte pas aux désirs individuels avec projets de naissance, baignoires d'accouchement et péridurales déambulatoires et l'on n'y offre pas d'élégant petit bonnet au bébé. Le terme de « travail à la chaîne » est souvent employé pour décrire l'efficacité et la froideur de l'expérience.

J'ai choisi l'hôpital Armand-Trousseau parce qu'il est à dix minutes en taxi de chez nous et qu'il est équipé pour gérer les complications éventuelles liées aux accouchements de jumeaux. (J'apprendrai plus tard qu'il est relié à l'hôpital pour enfants où Françoise Dolto faisait ses visites hebdomadaires.) De toute façon, je ne veux pas accoucher dans une baignoire. Et je me dis que le moment venu, j'userai simplement de mon culot new-yorkais pour personnaliser l'affaire. Je fais remarquer à Simon que nous faisons déjà de grosses économies d'échelle : nous allons accoucher de deux bébés pour le prix d'un.

Lorsque j'entre en travail, la péridurale n'est pas vraiment optionnelle : le médecin m'installe d'office dans une salle d'opération stérile afin de pouvoir pratiquer une césarienne d'urgence si le besoin se présentait. Je suis allongée sur le dos, les jambes coincées dans des étriers rétro des années 1950, entourée d'inconnus coiffés de bonnets de douche en plastique et de masques chirurgicaux. Je demande plusieurs fois qu'on me place un coussin sous le dos pour que je puisse voir ce qui se passe. Personne ne me répond. Quelqu'un finit par me glisser sous le dos un drap plié en quatre qui ne fait qu'accentuer l'inconfort de ma position.

Dès que l'expulsion démarre, mon français part en fumée. Je ne comprends rien à ce que dit le médecin et ne peux plus parler qu'anglais. Cela a déjà dû leur arriver, car une sage-femme se met immédiatement à faire l'interprète entre le médecin et moi. Elle résume peut-être beaucoup, à moins que son vocabulaire anglais ne soit très limité, mais presque tout ce qu'elle dit se réduit à « poussez » et « ne poussez pas ».

Quand le premier bébé apparaît, la sage-femme me le tend. Je suis captivée. Voici enfin Bébé A ! Nous sommes à peine en train de faire connaissance que la sage-femme me tape sur l'épaule.

« Excusez-moi, mais il y en a encore un », dit-elle en emportant Bébé A dans un endroit secret. Je saisis à ce moment précis qu'avoir des jumeaux ne va pas être simple.

Neuf minutes plus tard, c'est au tour de Bébé B de voir le jour. Je n'ai même pas le temps de lui dire bonjour qu'ils l'emmènent déjà. En fait, tout le monde disparaît très vite – Simon, les bébés et presque tous les soignants de la gigantesque équipe médicale. Je suis toujours sur le dos, le bas du corps totalement paralysé et les jambes écartées dans les étriers. Sur une tablette en Inox se trouvent deux placentas tout rouges, chacun de la taille d'une tête humaine. Quelqu'un a décidé d'ouvrir les rideaux de séparation qui constituaient les murs de ma chambre et quiconque passe par là a une vue hors pair sur mon entrejambe post-partum.

Seule l'infirmière anesthésiste est encore avec moi et n'apprécie d'ailleurs pas beaucoup d'avoir été abandonnée par le reste de la troupe. Elle choisit de dissimuler son irritation en bavardant : « Vous venez d'où ? Vous aimez Paris ? »

« Où sont mes bébés ? Quand est-ce que je pourrai les voir ? » (Mon français a refait surface.) Elle n'en a aucune idée et n'a pas le droit de me laisser en savoir plus.

Vingt minutes passent. Personne ne vient nous voir ; c'est peut-être grâce aux hormones, mais rien de tout cela ne m'agace. Je n'en suis pas moins reconnaissante lorsque l'infirmière place enfin un petit voile protecteur entre mes genoux avec du scotch chirurgical. Puis elle marmonne « Je déteste mon boulot », et n'ouvre plus la bouche.

Quelqu'un finit par me rouler dans une salle de repos, où je retrouve Simon et les bébés. Nous prenons des photos et pour la première et dernière fois, j'essaie d'allaiter les deux garçons en même temps.

Un infirmier m'amène dans la chambre où je resterai avec les jumeaux pour les quelques jours à venir. Cela n'a rien d'un hôtel de charme, plutôt un Formule1. Le personnel est réduit au strict minimum et la pouponnière n'est ouverte que d'une heure à quatre heures du matin. Parce que j'ai déjà un enfant, je suis supposée savoir ce que je fais et l'équipe me laisse pratiquement toute seule. À l'heure des repas, on me sert une parodie de nourriture d'hôpital sur un plateau en plastique : des frites molles, des nuggets de poulet et un chocolat au lait. Il me faut quelques jours pour me rendre compte qu'aucune des autres mères autour de moi n'y touche ; elles stockent toutes des provisions dans un réfrigérateur commun mis à disposition dans le couloir.

Simon est à la maison et s'occupe de Bean ; la plupart du temps, je suis donc seule avec les garçons qui braillent non-stop. J'en installe généralement un entre mes jambes, comme si je le serrais dans mes bras, pendant que j'essaie de nourrir l'autre. Dans un flou constant de bruits, de petits bras, petites jambes et petites têtes, j'ai même l'impression qu'ils sont plus que deux. Quand je parviens enfin à les endormir, après des heures de braillements et de tétées, Simon arrive. « C'est tellement calme ici », dit-il. Je tente de ne pas penser à mon ventre qui ressemble à un énorme flan à la vanille.

Au cœur de cette effervescence, il nous faut aussi donner des noms aux garçons. (La ville de Paris vous laisse trois jours pour déclarer la naissance de nouveau-nés à la mairie. Dès le deuxième jour, un fonctionnaire acariâtre entre dans votre chambre d'hôpital avec un bloc-notes.) Simon demande simplement que « Nelson » figure quelque part, en hommage à son héros Nelson Mandela. Il cherche surtout à trouver des surnoms parfaits. Il souhaite que l'un des garçons s'appelle Gonzo et l'autre Chairman. Quant à moi, j'ai un faible pour les voyelles contiguës et pense un moment les appeler tous les deux Raoul.

Nous nous décidons pour Joel – que nous n'appellerons jamais que Joey – et Léo (qui résiste à tous les surnoms). Je n'ai jamais vu jumeaux plus différents. Joey me ressemble, si ce n'est pour ses cheveux blond platine, alors que Léo est un petit bonhomme au type méditerranéen. S'ils ne mesuraient pas exactement la même taille et n'étaient pas constamment ensemble, il serait impossible de savoir qu'ils sont de la même famille. Je découvrirai plus tard un bon moyen de repérer les personnes qui ne s'intéressent pas du tout aux bébés : elles me demandent généralement si ce sont de vrais jumeaux.

Après quatre longues journées, nous sommes autorisés à quitter l'hôpital. Être à la maison avec les garçons n'est guère plus facile. En début de soirée, ils hurlent pendant des heures. Ils se réveillent tous les deux plusieurs fois par nuit. Avant d'aller nous coucher, Simon et moi décidons de quel bébé nous serons responsables au cours de la nuit. Chacun essaie de choisir le « meilleur » bébé, mais cela change constamment ! De toute façon, nous n'avons pas encore emménagé dans le nouvel appartement et dormons tous les quatre dans la même chambre : quand un bébé se réveille, tout le monde en profite.

J'ai toujours l'impression qu'il y en a plus que deux. Jamais je n'avais pensé que j'habillerais des jumeaux de la même façon, me voilà pourtant soudain tentée de le faire pour instaurer un peu d'ordre, au moins visuel (comme des écoles sévères forcent les enfants à porter l'uniforme).

Le plus étonnant, c'est que je me débrouille pour trouver le temps de psychoter. Je suis obsédée par l'idée que nous nous sommes trompés dans les prénoms et que nous devrions retourner à la mairie pour les échanger. Je passe mes quelques minutes de temps libre à ruminer cette question.

Puis vient le « détail » de la circoncision. La plupart des bébés français ne sont pas circoncis, à l'exception des juifs et des musulmans. Parce que nous sommes au mois d'août à Paris, même les *mohels* qui s'occupent de faire les circoncisions sont en vacances. Nous en attendons un qui nous a été recommandé (un homme qui est à la fois *mohel* et pédiatre, ce qui me rassure).

Contrairement à l'accouchement, nous ne payons pas le prix d'une circoncision pour deux. Il n'y a même pas de prix de gros. Avant la petite cérémonie, je confesse au *mohel* que je crains de m'être trompée dans les prénoms et qu'il faille peut-être les échanger. Il ne me donne aucun conseil spirituel, il m'explique simplement que les démarches administratives seraient assommantes (il est français). Je ne sais comment, mais cette information couplée à la consécration des circoncisions efface tous mes doutes. La cérémonie terminée, leurs prénoms ne me tracasseront plus jamais.

Heureusement, ma mère est venue à Paris nous aider. Simon, elle et moi passons le plus clair de notre temps dans le salon, les garçons dans les bras. Un jour, une femme sonne à la porte. Elle se présente comme l'une des psychologues de la PMI du quartier. Elle m'explique qu'elle rend visite à toutes les mamans de jumeaux, ce qui à mon avis est une façon pleine de tact de dire qu'elle vient vérifier que je ne pète pas les plombs. Quelques jours plus tard, une sage-femme de la PMI se présente à son tour à la maison et reste avec moi pendant que je change la couche de Joey. Ses selles sont « excellentes » déclare-t-elle. Je prends cela pour l'opinion officielle de l'État français.

Nous parvenons à mettre en pratique un peu de ce que nous avons appris de l'éducation à la française. Nous amenons progressivement les garçons vers les horaires de repas consacrés avec quatre tétées par jour. Dès qu'ils ont quelques mois, je ne leur donne plus rien à « grignoter », si ce n'est pour le goûter.

Malheureusement, nous ne mettons pas la Pause en application. Avec des jumeaux qui n'ont pas de chambre séparée et une autre enfant qui dort à quelques mètres, l'exercice est difficile.

Et une fois de plus, nous souffrons. Au bout d'un mois pratiquement sans sommeil, Simon et moi sommes de vrais zombies. Nous rappelons notre nounou philippine et son réseau de cousines et amies. Nous finissons par avoir quatre femmes à notre service qui se relaient presque vingt-quatre heures sur vingt-quatre. Cela nous coûte les yeux de la tête, mais au moins nous dormons un peu. Je commence à considérer que les mères d'enfants multiples sont une minorité persécutée comme les Tibétains.

Les garçons ont tous les deux du mal à téter. Je passe donc le plus clair de ma journée à l'étage, dans ma chambre, à faire copine avec le tire-lait électrique. Bean finit par comprendre que si elle veut être un peu seule avec sa maman, il vaut mieux qu'elle s'asseye à côté de moi pendant que je pompe. Elle apprend à assembler les biberons comme si elle montait un fusil et imite à merveille le *wapa wapa* de l'appareil.

La plupart du temps, j'ai l'air d'un animal sonné. Je descends seulement pour déposer mes bouteilles de lait ou demander à Bean de le faire pour moi et retourne me coucher. Il y a tellement de nounous à la maison que j'ai le sentiment de faire partie des seconds rôles. Je suis persuadée que les garçons ne savent pas qui est leur mère au milieu de toutes ces femmes. Je dois donner l'impression d'être détachée ; un jour, une amie va même jusqu'à me prendre doucement par l'épaule et me demande si je vais bien en me regardant dans les yeux (pas facile vu que j'ai deux têtes de plus qu'elle).

« Ça va, mais je n'aurai bientôt plus un sou. » De plus, je passe tellement de temps à chanter *Silent Night* aux garçons – plus sur le ton de l'ordre que de la berceuse – que l'une des nounous me demande si je suis devenue catholique.

Pendant ce temps, les travaux avancent dans le nouvel appartement. Entre deux séances de tire-lait, je fonce inspecter le chantier. Je rencontre le président du conseil syndical, un professeur d'université d'une soixantaine d'années, afin de voir avec lui si nous pouvons laisser notre double poussette dans le hall d'entrée. Il ne se prononce pas.

« Les propriétaires précédents étaient d'excellents voisins, glisse-t-il.

— Excellents comment ?

— Ils étaient très discrets », me répond-il.

L'appartement est une pagaille hallucinante. J'avais approuvé les plans un soir entre les hurlements des garçons, en pleine crise de coliques. De toute évidence, je n'avais rien compris à ce que je lisais. Des portes et des murs de deux cents ans, qui me convenaient tout à fait, ont disparu pour être remplacés par de nouvelles portes et parois d'une minceur inquiétante. Ce n'est que lorsque nous emménageons, une fois les travaux terminés, que je me rends compte que j'ai transformé notre appartement parisien du XIXe siècle en un modèle d'appartement moderne digne d'une tour de Miami (avec les souris en prime). Je n'avais pas vraiment saisi la beauté de Paris – ses lourdes portes, ses moulures intriquées – jusqu'à ce que j'en détruise une petite partie, pour un coût exorbitant.

Cette idée m'obsède. « Tu sais, quand Édith Piaf chantait *Je ne regrette rien* ? Eh bien moi, *je regrette tout* », dis-je à Simon.

Notre rythme de vie nous épuise, saigne à blanc nos comptes en banque et devient parfois carrément surréaliste. Un soir, alors que les garçons ont un peu grandi, une de mes amies célibataires passe à la maison avant l'heure du coucher. Elle les regarde dans leurs grenouillères grimper en silence sur les meubles, exécutant une sorte de danse dadaïste. Puis ils arpentent l'appartement, toujours sans faire un seul bruit, brandissant leurs brosses à dents comme des talismans. Simon les observe et commente la scène comme dans un documentaire : « Dans la culture de ces garçons, les brosses à dents sont de curieux symboles de statut social. »

Notre nouvelle vie regorge d'émotions intenses. Épuisé et désespéré, Simon traîne la patte en se morfondant et m'envoie des piques passives-agressives. « Dans dix-huit ans, je pourrai peut-être sortir prendre un café », gémit-il. Il décrit l'effroi qui s'empare de lui quand il approche de l'appartement et entend les pleurs des garçons. Trois enfants de moins de trois ans, ça fait beaucoup, même dans notre groupe d'amis très fertiles.

Au milieu des pleurs et des plaintes, il y a encore des moments d'espoir. Un après-midi, Léo est calme et content pendant cinq minutes ; cela suffit à me rendre d'humeur légère. La première nuit où il dort sept heures d'affilée, Simon bondit dans tout l'appartement en chantant *Titties and Beer* de Frank Zappa.

J'ai pourtant toujours l'impression d'en être au même point qu'à la naissance des garçons : mon attention est désespérément dispersée. Je demande à mon amie Hélène – qui a aussi des jumelles et un troisième enfant – si elle pense avoir un autre enfant. « Je ne crois pas : j'ai atteint mes limites », me répond-elle. Je vois exactement ce qu'elle veut dire. J'ai simplement peur d'avoir déjà dépassé les miennes. Même ma mère, qui a passé des années à me supplier de lui donner des petits-enfants, me recommande de m'arrêter là.

Comme pour entériner mon statut, Bean revient un jour de l'école et me lance que je suis une *maman crotte de nez*. Je tape immédiatement l'expression dans Google Translate, qui m'annonce la triste réalité : je suis une « *mommy booger* ». Compte tenu des circonstances, la description est pertinente.

CHAPITRE 11

J' ADORE CETTE BAGUETTE

Le taux de divorce chez les parents de jumeaux serait plus élevé que chez les autres ; c'est en tout cas ce que me disent des amis. Je ne suis pas certaine que ce soit une vérité statistique, mais je vois très bien comment on a pu créer la rumeur.

Au cours des mois qui suivent la naissance des jumeaux, Simon et moi nous chamaillons constamment. Lors d'une dispute, il me lance que je suis « rebutante ». Je m'empresse de vérifier le sens de ce mot dans le dictionnaire... « Peu séduisant et désagréable : un bâtiment moderne rebutant. » Je retourne d'un pas sec vers Simon et lui demande : « Peu séduisante ? » Même dans la situation actuelle, c'est un coup bas. « D'accord, tu es juste désagréable », corrige-t-il.

Pour me rappeler d'être polie, je colle des Post-it dans tout l'appartement sur lesquels on peut lire : « Sois sympa avec Simon. » Il y en a un sur le miroir de la salle de bains, bien visible pour les nounous. Simon et moi sommes trop fatigués pour nous rendre compte que nous nous disputons justement à cause de la fatigue. Savoir à quoi il pense ne m'intéresse plus du tout ; d'ailleurs, c'est sûrement au football hollandais.

Durant les rares moments de temps libre, Simon aime se réfugier au lit avec un magazine. Si j'ai l'audace de l'interrompre, il me réplique : « Tu ne me diras rien qui soit plus intéressant que cet article du *New Yorker*. » Un jour, j'ai une révélation et je lui dis : « Finalement, je crois que nous sommes faits pour nous entendre. Tu es irritable et je suis irritante. »

Nous créons visiblement une atmosphère effrayante. Après avoir passé quatre jours chez nous, un couple d'amis de Chicago – sans enfant – conclut qu'ils n'en auront pas. À la fin d'un week-end en famille, Bean décide elle aussi qu'elle ne veut pas d'enfant. « Ils sont trop difficiles », explique-t-elle.

Point positif pour notre relation, nous obtenons deux places en crèche pour les garçons (même ma mère est soulagée). Les jumeaux sont encore suffisamment rares en France pour que notre demande soit classée prioritaire. Les membres de la commission ont eu tellement pitié de nous qu'ils nous ont attribué deux places dans une petite crèche à deux pas du nouvel appartement (même si l'on m'avait dit qu'elle était déjà au complet).

La crèche nous promet un avenir meilleur. Mais notre famille doit encore survivre, sans parler de notre couple, jusqu'à ce que nous passions le relais aux puéricultrices dans quelques mois. (Nous avons décidé que les jumeaux n'iraient à la crèche qu'à partir d'un an.)

Notre couple résistera-t-il d'ici là ? Ce n'est pas évident tous les jours. Ce n'est d'ailleurs sûrement pas une coïncidence si, en même temps que l'éducation concertée est devenue le style de parentalité *de facto* de la classe moyenne américaine, diverses études montrent que la satisfaction maritale est en chute[1], et que les mères prennent plus de plaisir à s'occuper de leur maison que de leurs enfants[2]. Il est aujourd'hui acquis aux yeux des chercheurs en sciences sociales que les parents contemporains sont moins heureux que les personnes sans enfant. Des études ont notamment prouvé que les parents ont un taux de dépression supérieur aux « non-parents » et que leur malaise augmente avec l'arrivée de chaque nouvel enfant[3] (ou, comme dans le cas de Simon, dès l'échographie).

Une petite soirée en amoureux nous ferait peut-être du bien ? Depuis que je vis en France, ces escapades sont devenues la nouvelle pénicilline des couples américains avec enfants. Votre époux / épouse vous horripile ? Passez une soirée en amoureux ! Vous avez envie d'étrangler vos enfants ? Allez au restaurant ! Le couple Obama passe lui aussi des soirées en tête à tête. C'est même un sujet de recherche en sciences sociales. Une étude[4] menée sur des couples canadiens de classe moyenne a montré qu'avoir du temps libre à deux « aide énormément les couples, les rajeunit et les remotive en tant que parents ». Mais les parents étudiés pour cette recherche ont rarement eu le loisir de se retrouver seuls. « De nombreux participants étaient sensibles à la pression culturelle qui veut que les besoins des enfants passent systématiquement avant ceux du couple », a conclu l'auteur. Un mari a témoigné que lorsqu'il parlait à sa femme, « [ils étaient] interrompus en moyenne toutes les minutes par les enfants ».

Il s'agit clairement d'une autre des conséquences de l'éducation concertée, qui fait du projet de développement de l'enfant la priorité familiale absolue et pousse la famille à lui consacrer tout son temps. Je ne cesse de constater le phénomène autour de moi lorsque je me rends aux États-Unis ou en Angleterre. Une de mes cousines – infirmière, avec quatre enfants – a des parents près de chez elle qui seraient prêts à garder ses enfants quand elle en a besoin. Mais après avoir passé une semaine à amener tout ce petit monde à l'école, aux cours de gymnastique, aux différents matchs et entraînements sportifs et à l'église, ni elle, ni son mari – qui travaille de nuit en tant que policier – n'ont envie de sortir. Ils sont trop fatigués. Une institutrice de Manchester, en Angleterre, me raconte que son petit garçon va les accompagner en lune de miel, même si sa mère lui a proposé de s'en occuper. « Je me sens trop mal de le laisser », m'explique-t-elle.

Toutes les mères anglo-saxonnes que je côtoie connaissent une mère dans leur cercle social qui refuse de laisser son enfant avec qui que ce soit. Ces femmes ne sont pas des mythes urbains, j'en rencontre fréquemment. À un mariage, je suis assise à côté d'une mère au foyer du Colorado qui me dit qu'elle a une nounou à plein-temps, mais qu'elle ne la laisse jamais seule avec ses trois enfants. (Son mari n'est justement pas venu au mariage parce qu'il s'occupe d'eux.)

Une artiste du Michigan me relate qu'elle n'a pas pu se résoudre à faire appel à une baby-sitter durant toute la première année de son fils. « Il semblait si petit, c'était mon premier enfant. Je suis vraiment parano. L'idée de le confier à quelqu'un… »

Certains des parents américains que je rencontre ont adopté des régimes et des techniques de discipline si spécifiques qu'il est difficile pour quiconque – y compris les grands-parents – de prendre le relais en suivant leurs règles. Un grand-père de l'État de Virginie raconte que sa fille est devenue livide lorsqu'il a poussé la poussette du bébé sur une bosse de la « mauvaise » façon. Elle avait lu qu'il y avait moins de risques de lésion cérébrale si l'on prenait les bosses en marche arrière.

De toute évidence, Simon et moi n'avons rien contre les baby-sitters. Nous employons en ce moment la moitié de la population des Philippines. Mais depuis la naissance des garçons, je ne suis pas sortie plus de quelques heures de la maison. Globalement, je fais la même chose que cette mère du Colorado : j'utilise la baby-sitter comme une assistante qui change les couches et fait la lessive, mais je suis généralement dans les locaux.

Ce système a le double avantage de simultanément vider nos comptes en banque et détruire notre relation de couple.

La plupart du temps, je me sens « rebutante ». Je prends conscience que je commence à perdre la tête lorsque, un quart d'heure avant l'arrivée de l'une des baby-sitters, mon téléphone indique que j'ai reçu un SMS. Je panique, craignant que la baby-sitter ne soit en retard. Ce n'est en fait qu'un message d'un service d'infos qui annonce qu'un tremblement de terre meurtrier vient d'avoir lieu en Amérique du Sud. L'espace d'un instant, je suis soulagée.

Il va sans dire que les relations conjugales vont mieux quand le bébé fait ses nuits dès trois mois, quand les enfants jouent tout seuls, et quand on ne passe pas son temps à les conduire d'une activité à une autre. Les couples français n'ont pas non plus à supporter l'énorme stress financier lié aux coûts faramineux des modes de garde, des soins médicaux, puis de l'université comme aux États-Unis.

Mais sur le court terme, ce qui semble le plus aider les couples français, c'est leur vision de la vie amoureuse, radicalement différente de la nôtre – même quand ils ont de jeunes enfants. Ma gynécologue me met la puce à l'oreille, lorsqu'elle me prescrit dix séances de rééducation périnéale (ce qu'elle avait déjà fait après la naissance de Bean).

Avant ma première rééducation, je n'avais que très vaguement conscience d'avoir un périnée et je ne savais pas exactement ce que c'était. Il s'agit du plancher pelvien, un muscle en forme de hamac, qui s'étire souvent au cours de la grossesse et de l'accouchement. Le passage du bébé élargit le canal pelvien et si le périnée n'est pas tonifié et assoupli, cela peut entraîner de petites pertes d'urine quand la maman tousse ou éternue.

Aux États-Unis, les médecins suggèrent parfois que les femmes musclent leur périnée en faisant quelques exercices de Kegel[5]. Mais la plupart du temps, ils ne recommandent rien du tout. Être ramollo du bas-ventre et avoir des fuites est l'une des facettes rarement évoquées de la vie d'une mère américaine.

En France, de pareils effets secondaires ne sont tout bonnement *pas acceptables*. Des amies me racontent que leur gynécologue évalue si des séances de rééducation sont nécessaires ou pas en leur demandant simplement : « Est-ce que monsieur est content ? »

Je crois que « mon » monsieur serait content d'avoir tout simplement accès à mon périnée. La région n'a pas été laissée en jachère après la naissance des garçons, mais je n'irais pas jusqu'à dire qu'il y a risque de surexploitation des sols. Pendant toute une période, dès que Simon s'approchait de ma poitrine, mes seins déclenchaient l'alarme incendie et du lait en giclait. De toute façon, notre priorité actuelle est de dormir. Même si aujourd'hui les trois enfants font techniquement leurs nuits, je ne dors jamais plus de six ou sept heures d'affilée.

La rééducation du périnée m'intrigue suffisamment pour que je m'y essaie. Monica, ma première rééducatrice, une Espagnole filiforme, travaille dans un cabinet situé dans le quartier du Marais. Notre première séance débute par une interview de quarante-cinq minutes au cours de laquelle elle me pose des douzaines de questions sur mes habitudes de toilette et ma vie sexuelle.

Puis je me déshabille, en gardant juste le haut, et m'allonge sur une table d'examen rembourrée recouverte d'un papier gaufré. Monica passe des gants chirurgicaux et me donne des instructions pour faire ce que je pourrais appeler des abdos de l'entrejambe (« on serre et on relâche »). C'est un peu comme un cours de Pilates sous la ceinture.

Puis Monica me montre une fine sonde blanche qu'elle introduira à la prochaine séance. Cela ressemble à un de ces appareils que l'on peut voir en vente dans certains magasins réservés aux adultes. La sonde ajoutera une stimulation électrique à mes mini-abdominaux. À la dixième séance, nous sommes prêtes à essayer une sorte de jeu vidéo avec des capteurs placés sur mes plis de l'aine qui mesurent si je contracte suffisamment les muscles pour rester au-dessus de la ligne orange sur l'écran de l'ordinateur.

La rééducation du périnée est à la fois extrêmement intime et étrangement clinique. Tout au long des séances, Monica et moi nous vouvoyons, mais elle me demande de fermer les yeux afin que je puisse mieux me concentrer sur les muscles qu'elle m'indique.

Mon médecin me prescrit également une rééducation abdominale. Elle a remarqué que plus d'un an après la naissance des jumeaux, j'ai encore une sorte de bourrelet autour de la taille composé en partie de graisse, de vergetures et d'une substance inconnue. Honnêtement, je ne sais pas trop ce qu'il y a là-dedans. Je décide qu'il est temps d'agir le jour où dans le métro parisien, une très vieille dame me propose sa place croyant que je suis enceinte.

Toutes les Françaises ne suivent pas des séances de rééducation du périnée après leur accouchement, mais de nombreuses s'y appliquent. Pourquoi s'en priveraient-elles quand la Sécurité sociale couvre pratiquement tous les coûts, y compris celui de la sonde blanche ? L'État subventionne même les réductions abdominales, généralement lorsque le ventre de la mère pendouille sous son pubis ou lorsqu'il gêne sa vie sexuelle.

On comprend qu'avec toutes ces séances de rééducation, les mères retrouvent rapidement leur tonus. Que font les Françaises une fois que leur ventre et leur plancher pelvien sont en pleine forme ?

Certaines se consacrent exclusivement à leurs enfants. Mais contrairement aux États-Unis ou à la Grande-Bretagne, la culture française ne les y encourage pas, pas plus qu'elle ne les en récompense. Sacrifier sa vie sexuelle sur l'autel de la maternité n'est pas du tout un signe de bonne santé, ni d'équilibre. Les Français savent pertinemment qu'avoir un enfant entraîne des changements, surtout au début ; ils s'attendent à ce qu'il y ait une période d'abstinence après la naissance, lorsque le bébé accapare toutes les attentions. Mais, petit à petit, le père et la mère sont supposés retrouver leur équilibre de couple.

« Le postulat de base en France est que tous les êtres humains éprouvent du désir. Il ne disparaît jamais très longtemps. Sinon c'est un signe de dépression et il faut se faire soigner », explique Marie-Anne Suizzo, une sociologue de l'université du Texas qui étudie les comportements des mères françaises et américaines.

Les mères françaises que je connais ne parlent pas du tout de leur couple dans les mêmes termes que les Américaines. « Pour moi, le couple passe avant les enfants », affirme Virginie, la mère au foyer qui m'a dit de « faire attention » à ce que je mange.

Virginie est une femme de principes, intelligente, et une mère dévouée. Elle est la seule jeune Parisienne de mes connaissances qui soit catholique pratiquante. Mais elle n'a aucune intention de laisser sa vie amoureuse dépérir parce qu'elle a trois enfants.

« Le couple passe avant tout. C'est la seule chose que tu choisisses dans ta vie. Tes enfants, tu ne les as pas choisis. Mais ton mari, oui. Et c'est avec lui que tu vas passer ta vie. Alors, il vaut mieux que ça marche bien. Surtout quand les enfants s'en vont. Pour moi, c'est *prioritaire*. »

Tous les parents français ne seraient pas d'accord avec les priorités de Virginie. Mais en général ils ne se demandent pas si, oui ou non, ils renoueront avec leur vie amoureuse, mais simplement *quand* cela aura lieu. « Aucune idéologie ne saurait prescrire le moment où les deux parents se sentiront vraiment prêts à se retrouver, dit le psychosociologue français

Jean Epstein. [...] Lorsque les conditions le permettront et qu'ils se sentiront prêts, les parents donneront au bébé sa juste place, en dehors de leur couple. »

Les experts américains mentionnent parfois que les parents devraient s'accorder du temps personnel. Deux paragraphes, intitulés « Sacrifice personnel inutile » et « Préoccupation excessive », abordent le sujet dans le *Baby and Child Care* du Dr Spock (que mon amie Dietlind me donne avant de quitter Paris). Il y explique que les jeunes parents d'aujourd'hui ont tendance à « abandonner toute leur liberté et leurs anciennes formes de plaisir, non pas pour des raisons pratiques, mais pour des raisons de principe ». Même lorsque ces parents parviennent à « s'échapper » pour être ensemble, « ils se sentent coupables d'avoir du plaisir ». Le livre encourage les parents à passer des moments de qualité ensemble, mais seulement quand ils auront fait « tout le sacrifice de temps et d'énergie nécessaire pour leurs enfants ».

Les experts français sont inflexibles et très clairs sur le sujet : les moments réservés au couple ne sont pas des fioritures de la vie familiale. Et c'est sans détour qu'ils parlent des dégâts que les bébés peuvent occasionner sur le couple. « Ce n'est pas un hasard si un bon nombre de couples divorcent au cours des premières années ou des premiers mois qui suivent l'arrivée d'un enfant. Tout change », dit un article.

Dans les ouvrages français consacrés à la parentalité que je consulte, le couple n'est pas mentionné à la hâte, mais traité comme un sujet essentiel. Certains sites internet français sur la famille et les bébés proposent parfois autant d'articles sur le couple que sur la grossesse. « L'enfant ne peut pas envahir tout l'univers des parents. [...] Pour l'équilibre de la famille, les parents ont besoin d'avoir un espace personnel », écrit la pédiatre Hélène De Leersnyder. « L'enfant comprend sans heurt, et souvent très jeune, que ses parents ont besoin d'un moment qui ne soit pas le travail, la maison, les courses, les enfants. »

Quand les parents français émergent enfin de la période initiale de cocooning, ils prennent très au sérieux le retour à leur vie de couple. Il y a même un moment dans la journée appelé l'« heure des adultes » ou l'« heure des parents », précisément quand les enfants vont se coucher. Une fois qu'on a lu les contes de fées et chanté les berceuses, les parents ne transigent pas ; ils ne considèrent pas l'heure des parents comme un privilège occasionnel chèrement acquis, mais comme un besoin humain de base. Judith, une historienne de l'art qui a trois jeunes enfants, explique qu'ils vont au lit entre vingt heures et vingt heures trente, parce que « j'ai besoin d'avoir mon espace personnel ».

Non seulement les parents français considèrent que ces séparations sont bénéfiques aux enfants, mais ils croient aussi sincèrement qu'elles sont cruciales pour qu'ils comprennent que les parents ont leurs propres plaisirs. « L'enfant comprend ainsi qu'il n'est pas le centre du monde, ce qui est essentiel à son développement », explique le manuel de parentalité *Votre enfant*.

Les parents français ne se réservent pas que leurs nuits. Une fois que Bean entre à la maternelle, nous sommes confrontés à un chapelet de vacances scolaires (deux semaines au milieu de chaque trimestre). Impossible d'inviter d'autres enfants à jouer au cours de ces périodes : la plupart des copines de Bean sont chez leurs grands-parents à la campagne ou en banlieue. Les parents profitent de ce temps sans enfant pour travailler, voyager, faire l'amour ou tout simplement être seuls.

Virginie explique que tous les ans, elle prend dix jours de vacances seule avec son mari. C'est non négociable. Ses enfants, de quatre à quatorze ans, restent chez ses parents dans un petit village à environ deux heures de train de Paris.

Elle assure n'avoir aucune culpabilité à prendre ces vacances. « Tout ce que tu construis avec ton mari pendant ces dix jours profite aux enfants. Et puis les enfants ont parfois aussi besoin de s'éloigner de leurs parents, ajoute-t-elle. Et toute la famille se retrouve avec bonheur après le voyage. »

Les parents français que je croise ne manquent effectivement pas une occasion d'être seuls en couple. Caroline, la kinésithérapeute, me dit sans une once de culpabilité que certains vendredis soir, sa mère va chercher son fils de trois ans à la maternelle et le garde jusqu'au dimanche. Quand ils ont leur week-end de libre, elle fait la grasse matinée avec son mari, puis ils vont au cinéma.

Les parents français se réservent du temps personnel, même quand leurs enfants sont à la maison. Florence, quarante-deux ans et trois enfants de trois à six ans, me raconte que le week-end, « les enfants n'ont pas le droit d'entrer dans notre chambre tant que nous n'avons pas ouvert la porte ». En attendant, comme par miracle, ils jouent. (Inspirée par son témoignage, Simon et moi tentons le coup. Et à notre grande surprise, la plupart du temps ça marche ! Même si nous devons réexpliquer la règle aux enfants toutes les deux semaines.)

J'ai du mal à expliquer l'idée de *date night*[6] à mes collègues françaises. En premier lieu, le concept de *date* n'existe pas en France. Ici, quand vous commencez à sortir avec quelqu'un, on suppose immédiatement que c'est exclusif. Pour mes amies françaises, l'idée de *date* est un peu trop timorée et proche de l'entretien d'embauche pour être romantique. C'est la même chose une fois qu'un couple vit ensemble. Les *date night*, avec le passage obligatoire du survêtement aux talons aiguilles, ne sont pas assez spontanés aux yeux de mes amies françaises. Elles refusent l'idée que la « vraie vie » soit épuisante et antisexy et qu'il faille prendre rendez-vous pour vivre leur vie amoureuse comme pour aller chez le dentiste.

Lorsque le film américain *Date Night* sort en France, son titre devient *Crazy Night*. Les couples du film sont supposés être des Américains typiques de grande banlieue avec enfants. Un critique de l'Associated Press décrit le couple comme « fatigué, ordinaire, et raisonnablement satisfait ». Dans la scène d'ouverture, ils sont réveillés au petit matin par leurs chérubins qui sautent sur leur lit. Les critiques français sont horrifiés par ce genre de scènes. Celui du *Figaro* qualifiera ces enfants d'« insupportables ».

Les Françaises ont beau avoir des enfants qui ne leur sautent pas dessus le matin, elles ont pourtant plus de raisons de se plaindre que les Américaines. Les chiffres français de la parité hommes-femmes, comme le pourcentage de femmes présentes dans le corps législatif et à la tête des grandes entreprises, sont nettement inférieurs aux chiffres américains. Et l'écart de rémunération hommes-femmes est beaucoup plus élevé qu'aux États-Unis.[7]

L'inégalité entre les sexes est particulièrement prononcée dans les foyers français. Les Françaises passent 89 % de temps de plus que les hommes à s'occuper des tâches ménagères et des enfants.[8] Alors que les Américaines passent 31 % de temps de plus que les hommes sur les tâches ménagères et 25 % de temps de plus à s'occuper des enfants.[9]

Malgré cela, mes amies américaines (et britanniques) qui ont des enfants semblent être plus agressives envers leurs maris et partenaires que mes amies françaises.

« Je suis furieuse ! Il ne fait pas le moindre effort pour faire tout un tas de choses que je lui demande », m'écrit mon amie Anya dans un e-mail au sujet de son mari. « Il a fait de moi une mégère acariâtre et quand je m'énerve, j'ai du mal à me calmer. »[10]

Souvent, mes amies américaines – ou même de simples connaissances – me prennent à part dans les dîners et ronchonnent sur la « dernière » de leur mari. Des déjeuners entiers y sont consacrés. La situation les indigne : sans elles, il n'y aurait pas une seule serviette propre à la maison, les plantes seraient mortes de soif et toutes les chaussettes dépareillées !

Simon gagne beaucoup de points : il fait énormément d'efforts. Un samedi, il traverse courageusement la ville avec Bean afin de lui faire faire des photos d'identité pour les passeports américains. À son retour, avec sa moue habituelle, il me tend des photos où elle a l'air d'une psychopathe de cinq ans avec les cheveux en bataille.

Depuis la naissance des garçons, les défauts de Simon ont perdu de leur charme. Je ne trouve plus adorablement original qu'il casse la trotteuse de toutes ses montres ou qu'il lise sous la douche nos magazines anglais payés à prix d'or. Certains matins, notre mariage semble même menacé par le simple fait qu'il ne secoue pas le jus d'orange avant de le servir.

Pour une raison inconnue, l'alimentation est notre principal sujet de dispute. (J'ai mis un Post-it « Sois sympa avec Simon » dans la cuisine.) Il laisse ses fromages adorés sans les emballer dans le réfrigérateur, où ils finissent desséchés. Quand les garçons sont un peu plus grands, Simon reçoit un coup de fil alors qu'il est en train de les aider à se brosser les dents. Je prends le relais et m'aperçois que Léo a encore tout un abricot sec dans la bouche. Je râle et Simon réplique que mes « règles compliquées » le déresponsabilisent.

Lorsque je retrouve mes amies anglophones, nous prenons à peine le temps de nous asseoir que le bal des récriminations est lancé. À l'occasion d'un dîner à Paris, trois des six femmes à table découvrent – dans un ricochet de « c'est dingue, moi aussi ! » – que leurs maris se retirent tous pour un long moment dans les toilettes quand vient l'heure de coucher les enfants. Leurs griefs sont si intenses que je dois me rappeler que leur mariage est solide et qu'elles ne sont pas au bord du divorce.

Lorsque je retrouve des Françaises du même milieu social, je n'assiste pas à ce genre de séances communes de doléances. Quand je leur pose la question, les Françaises reconnaissent qu'il leur arrive de devoir un peu pousser leur mari pour qu'il soit plus actif à la maison. La plupart avouent être de mauvaise humeur quand elles ont l'impression de porter toute la maisonnée alors que leur mari est tranquillement allongé sur le canapé.

Mais curieusement, ce déséquilibre ne conduit pas ici à ce que l'auteur du best-seller américain *The Bitch in the House* appelle le « processus terrible et silencieux qui consiste à compter, enregistrer et surveiller tout ce qu'il a fait et tout ce qu'il n'a pas fait pour donner un coup de main ». Les Françaises sont sans nul doute fatiguées de jouer simultanément à la mère, à l'épouse et à la femme qui travaille. Mais elles n'en rejettent pas pour autant la faute sur leurs maris, du moins pas avec l'acidité que l'on entend souvent chez les Américaines.

Les Françaises sont peut-être plus discrètes. Mais même les mères que je finis par bien connaître ne me donnent pas l'impression de secrètement bouillir en cachette parce qu'elles n'ont pas la vie qu'elles méritent. Leur insatisfaction semble être tout simplement normale. J'ai beau creuser, je ne trouve aucune rage.

Ceci s'explique en partie par le fait que les Françaises n'appréhendent pas la relation homme-femme en des termes de stricte égalité. Elles considèrent les hommes comme une espèce différente qui par nature n'est pas douée pour réserver les baby-sitters, acheter des nappes ou se souvenir de prendre un rendez-vous chez le pédiatre. « Je crois que les Françaises acceptent mieux les différences entre les sexes », dit Debra Ollivier, l'auteure de *What French Women Know*. « Elles n'attendent pas avec la même urgence et précision que les hommes passent à l'action. »

Lorsque les Françaises que je connais mentionnent les insuffisances de leurs partenaires, c'est pour gentiment se moquer de ces hommes si adorablement incompétents. « Ils sont juste incapables, nous sommes supérieures ! » plaisante Virginie tandis que ses copines pouffent de rire. Une autre mère éclate de rire en décrivant comment son mari sèche les cheveux de leur fille sans les avoir démêlés et la laisse aller à l'école coiffée en pétard.

Cette posture crée un cercle vertueux. En général, les Françaises ne rebattent pas les oreilles de leur mari avec leurs défauts et leurs erreurs. Les hommes ne sont donc pas démoralisés. Ils se sentent plus généreux envers leur femme dont ils vantent les prouesses en termes de micromanagement et de maîtrise des détails de la vie familiale. Ces louanges – plutôt que la tension et le ressentiment qui s'accumulent dans les foyers anglo-saxons – semblent aider les femmes à mieux supporter l'inégalité. « Mon mari dit toujours "Je ne pourrais pas faire ce que tu fais" », déclare fièrement Camille, une autre mère parisienne. Rien de tout cela ne suit le dogme féministe américain. Cependant, tout se passe apparemment avec plus d'harmonie.

L'égalité parfaite n'est tout bonnement pas l'idéal des Parisiennes que je connais. Cela changera peut-être un jour. Mais pour le moment, les mères que je rencontre cherchent plutôt à trouver un équilibre durable. Le mari de Laurence, une consultante en management avec trois enfants, a de longues journées de travail. (Elle est passée à temps partiel.) Le couple se disputait tous les week-ends pour savoir qui devait faire quoi. Mais depuis peu, Laurence encourage son mari à aller à son cours d'aïkido du samedi matin, parce qu'elle a remarqué qu'il en revenait détendu. Elle préfère s'occuper un peu plus des enfants et en échange avoir un mari calme et joyeux.

Visiblement, les mères françaises sont également plus aptes à lâcher du contrôle et à revoir leurs exigences à la baisse si elles y gagnent du temps libre et un moindre stress. Alors que je m'inquiète de partir une semaine aux États-Unis avec Bean, en laissant Simon à Paris avec les garçons, Virginie me conseille : « Il suffit de te dire, OK je vais rentrer à la maison et il y aura une semaine de linge sale à laver. »[11]

Des raisons structurelles expliquent pourquoi les Françaises paraissent plus calmes que les Américaines. Elles prennent environ vingt et un jours de vacances de plus par an.[12] Par ailleurs, le discours féministe est peut-être moins présent en France, mais il y a beaucoup plus d'institutions pour aider les femmes à travailler. Il y a bien sûr le congé maternité, couvert par la Sécurité sociale (il n'y en a pas aux États-Unis), les nounous et les crèches subventionnées, la maternelle gratuite pour tous dès trois ans ainsi qu'une myriade de réductions d'impôt et d'allocations pour le simple fait d'avoir des enfants. Tout ceci ne garantit pas l'égalité entre les hommes et les femmes, mais permet aux femmes d'avoir une carrière tout en ayant des enfants.

Une fois que l'on a abandonné le fol espoir de l'égalité absolue, on se réjouit plus facilement de constater que quelques maris français citadins participent activement à l'éducation des enfants, à la cuisine et à la vaisselle. Une étude française menée en 2006[13] a établi que seulement 15 % des pères de nourrissons participaient à égalité aux soins des bébés et 11 % en prenaient l'entière responsabilité. Mais 44 % tenaient un second rôle très actif. Ce sont les pères que l'on voit le samedi matin au square – ils sont craquants avec leurs cheveux en bataille – poussant la poussette du bébé avant qu'ils ne retournent à la maison, les bras chargés de courses.

Cette catégorie de pères se concentre la plupart du temps sur les tâches ménagères et la cuisine. Les mères françaises que je rencontre déclarent souvent que leurs maris s'occupent de domaines bien précis, comme surveiller les devoirs ou nettoyer après le dîner. Le secret réside peut-être dans cette division claire du travail. À moins que les couples français ne se fassent moins d'illusions à propos du mariage.

« L'un des grands sentiments du couple et du mariage est la gratitude envers la personne qui n'est pas partie », dit Pascal Bruckner, le philosophe français, provocateur professionnel à l'air canaille. Il s'adresse à Laurence Ferrari, présentatrice des informations télévisées les plus regardées de France. La journaliste est une belle blonde de quarante ans, alors enceinte de six mois de son deuxième mari. Ils discutent ensemble autour du sujet « L'amour et le mariage : sont-ils compatibles ? » pour un magazine français.

Laurence Ferrari et Pascal Bruckner font partie de l'élite française – un cercle exclusif de journalistes, politiciens, universitaires et dirigeants de grandes entreprises qui fréquentent les mêmes cercles sociaux et se marient entre eux. Leurs opinions sont en quelque sorte l'expression exagérée, peut-être fantasmée, de ce que pensent les Français ordinaires.

« Aujourd'hui, le mariage n'a plus de connotation bourgeoise. Au contraire, pour moi c'est un acte de bravoure », affirme Laurence Ferrari.

Le mariage est une « aventure révolutionnaire, réplique Pascal Bruckner. L'amour est un sentiment indomptable. Le tragique de l'amour, c'est sa versatilité et nous n'avons pas la maîtrise de cette versatilité. »

Laurence Ferrari surenchérit : « C'est pour cela que je persiste et signe : le mariage d'amour est un risque magnifique. »

Signe de notre intégration sociale, Simon et moi sommes invités à passer un week-end – avec les enfants – dans la maison de campagne de mon amie Hélène et de son mari William. Eux aussi ont trois enfants, dont deux jumelles.

Hélène, une grande blonde au visage en forme de cœur et sublimes yeux bleus, a grandi à Reims, grande ville historique de Champagne-Ardenne. La maison de vacances de sa famille se situe dans les Ardennes, près de la frontière belge.

De nombreuses batailles de la Première Guerre mondiale se sont déroulées dans les Ardennes. Quatre ans durant, les soldats français et allemands ont creusé des tranchées de chaque côté d'une bande étroite de territoire appelée le *no man's land* et se sont tirés dessus avec force bombardements et pilonnages d'artillerie. Les deux camps vivaient dans une telle proximité qu'ils connaissaient les heures de relève et les habitudes de l'ennemi comme on connaît son voisin. Il leur arrivait même de brandir des pancartes avec des messages écrits à l'attention du camp opposé.

Dans la petite ville où se trouve la maison de famille d'Hélène, les bombardements semblent ne s'être arrêtés qu'il y a peu de temps. Ici, on ne parle pas de la « Première Guerre mondiale », mais de « 14-18 ». De nombreux bâtiments et maisons détruits au cours de la guerre ne furent jamais reconstruits, laissant la place à des champs.

Toute la journée, Hélène et William sont des parents ultra-dévoués. Mais je remarque que chaque soir, dès que les enfants sont couchés, ils sortent les cigarettes et le vin, allument la radio et passent un bon moment entre adultes. Ils souhaitent *profiter* de notre compagnie et de la douceur des nuits d'été. (Alors que nous sommes dans la voiture avec les enfants, Hélène veut tellement *profiter* de l'après-midi qu'elle s'arrête dans un champ, sort une couverture du coffre de la voiture et un gâteau pour le goûter. Un vrai décor de carte postale, j'ai presque du mal à vivre un plaisir si intense.)

Le week-end, William se lève tôt avec les enfants. Un matin, il part – alors que Simon s'occupe des petits – pour aller chercher quelques pains au chocolat et une baguette croustillante. Hélène descend plus tard d'un pas nonchalant, toujours en pyjama, les cheveux délicieusement ébouriffés et s'affale à la table du petit déjeuner.

« J'adore cette baguette ! » lance-t-elle à William dès qu'elle voit le pain qu'il a acheté.

C'est simple, direct, gentil. Et j'ai du mal à m'imaginer dire la même chose à Simon. J'ai plus l'habitude de lui faire remarquer qu'il a acheté la mauvaise baguette, ou qu'il n'a pas nettoyé derrière lui et que je vais encore devoir le faire. Au réveil, je ne suis généralement pas d'humeur généreuse avec lui. Il ne me fait pas rayonner de bonheur, du moins pas au saut du lit. C'est triste à dire, mais ce plaisir simple et candide exprimé dans *j'adore cette baguette* n'existe plus entre nous.

Sur le chemin du retour des Ardennes, longeant des champs de fleurs jaunes et quelques monuments aux morts, je raconte l'histoire de la baguette à Simon. « Oui, il nous faut plus de *J'adore cette baguette* dans notre vie », me répond-il. Il a raison, nous en avons grand besoin.

CHAPITRE 12

« TU GOÛTES JUSTE UN PEU »

Ce qui intrigue le plus les gens au sujet des jumeaux, à l'exception de leur conception, c'est de voir à quel point ils sont différents l'un de l'autre. Certaines mères ont tout prévu : « Il y a celle qui donne et celle qui prend », se réjouit la maman de jumelles de deux ans que je rencontre dans un parc à Miami. « Elles s'entendent à merveille ! »

Ce n'est pas aussi simple avec Léo et Joey. Ils ont tout du vieux couple marié – inséparables, mais toujours en bisbille. (Ils tiennent peut-être ça de leurs parents.) Leurs différences sont encore plus flagrantes quand ils commencent à parler. Léo, le Méditerranéen, ne dit rien d'autre, pendant plusieurs mois, que des mots isolés, sans logique. Puis soudain, un soir au dîner, il se tourne vers moi et me dit avec une voix de robot : « *I am eating* / Je suis en train de manger. »

Pas étonnant qu'il maîtrise ce que nous appelons en anglais le « présent progressif » : il *vit* littéralement au présent progressif. Il est toujours en train de bouger à toute allure. Il ne marche jamais, il court. Le bruit des pas me suffit pour savoir qui approche.

La forme grammaticale préférée de Joey est le possessif : *mon* lapin, *ma* maman. Il se déplace lentement, comme un vieil homme, parce qu'il trimballe tout le temps ses affaires chéries avec lui. Il en change souvent, mais il en a toujours beaucoup. (À un moment, il dort avec un petit fouet à pâtisserie.) Il finit par tout enfourner dans deux valises, qu'il traîne de pièce en pièce. Léo adore les attraper au vol avant de déguerpir à toute vitesse. Si je devais résumer les garçons en une seule phrase, je dirais qu'il y en a un qui prend et l'autre qui fait des provisions.

Quant à Bean, l'impératif reste sa forme grammaticale favorite. Nous ne pouvons plus rejeter la faute sur les maîtresses : de toute évidence, elle aime donner des ordres. Elle est toujours en train de défendre une cause, généralement la sienne. Simon l'appelle la « déléguée syndicale », ce qui donne par exemple : « La déléguée syndicale aimerait des spaghettis pour le dîner. »

Essayer d'inculquer à Bean les habitudes françaises n'était déjà pas mince affaire quand elle était encore fille unique. À présent que la maisonnée compte trois bambins – et seulement deux parents –, instaurer un *cadre* français s'est corsé. Et pourtant, il y a urgence. Si nous ne contrôlons pas les enfants, ce seront bientôt eux les chefs de famille.

Il y a tout de même un domaine où nous avons de bons résultats : la cuisine. Bien entendu, le sujet est source de fierté nationale et les Français adorent en parler. Mes collègues français passent la majeure partie de leur déjeuner à discuter de ce qu'ils ont mangé la veille. Quand Simon sort boire un verre avec son équipe de foot française après un match, il me raconte qu'ils parlent de cuisine, pas de filles.

Lorsque nous nous rendons aux États-Unis, il est flagrant que nos enfants ont pris des habitudes alimentaires très françaises. Ma mère est surexcitée à l'idée de faire découvrir à Bean un grand classique américain, les macaroni and cheese (des macaronis à la sauce fromage déshydratée). Bean refuse d'en manger plus de quelques bouchées. « C'est pas du fromage », dit-elle (je crois percevoir son premier sarcasme).

En vacances aux États-Unis, nous mangeons souvent au restaurant. Le côté positif, c'est que les restaurants américains sont beaucoup plus accueillants pour les enfants que les restaurants français. Il y a tout ce qu'il faut : des chaises hautes, des crayons et des tables à langer dans les toilettes. (On peut parfois avoir la chance de trouver l'un de ces éléments dans un restaurant parisien, quasiment jamais les trois à la fois.)

Mais je redoute de plus en plus les « menus pour enfants » omniprésents dans les restaurants américains. Quelle que soit la cuisine servie – poissons, italienne, cubaine –, les menus pour enfants proposent généralement tous la même chose : hamburgers, blancs de poulet frits (aujourd'hui appelés par euphémisme *chicken tenders*, c'est-à-dire des aiguillettes de poulet), pizza et parfois spaghettis. Il n'y a pratiquement jamais de légumes, à moins de prendre en compte les frites et les chips. De temps en temps, un fruit fait intrusion dans le menu. On ne demande même pas aux enfants à quelle cuisson ils désirent manger leurs hamburgers qui – peut-être pour des raisons légales – sortent tous des cuisines avec des nuances grisonnantes peu ragoûtantes.

Les restaurants ne sont pas les seuls à considérer que les enfants ont des papilles gustatives atrophiées. Lors d'un séjour aux États-Unis, j'inscris Bean à un stage de tennis de quelques jours. Le « déjeuner » pour dix enfants consiste en un sac de pain de mie et deux sachets de tranches de fromage sous plastique. Même Bean, qui serait capable de manger des pâtes et des hamburgers à tous les repas si je la laissais faire, est dégoûtée. « Demain, pizza ! » gazouille l'un des entraîneurs.

Manifestement, l'opinion dominante américaine est que les enfants ont des palais limités et capricieux, et que les adultes qui s'aventurent à leur servir autre chose que des sandwichs au fromage grillé le font à leurs risques et périls.

Bien sûr, il suffit d'y croire pour que cela devienne une réalité : la plupart des petits Américains que je rencontre ont effectivement un palais limité et capricieux. Il n'est pas rare qu'ils ne mangent qu'un seul type d'aliments pendant plusieurs années. Une amie d'Atlanta, en Géorgie, a un fils qui ne mange que des aliments blancs, comme le riz et les pâtes. Son autre fils ne mange que de la viande. Le neveu d'un autre ami, à Boston, était supposé commencer à passer du lait à la nourriture solide vers Noël. Lorsque le bébé a refusé de manger quoi que ce soit d'autre que des Pères Noël en chocolat, ses parents en ont fait des provisions, de peur d'en manquer après les fêtes.

Satisfaire les désirs alimentaires d'enfants difficiles demande beaucoup d'énergie. Je connais une mère à Long Island qui prépare un petit déjeuner différent pour chacun de ses quatre enfants et un cinquième pour son mari. Un Américain en visite à Paris avec sa famille me prévient très poliment que son fils de sept ans est très difficile sur les « textures ». Il explique que le petit garçon aime le fromage et les tortillas séparément, mais refuse de les manger quand ils sont cuits ensemble parce que la tortilla devient – il murmure tout cela en jetant des coups d'œil à son fils – « trop craquante ».

Au lieu de résister à la dictature des goûts de leurs enfants, les parents américains capitulent. On peut lire par exemple dans l'ouvrage *What to Expect : The Toddler Years* qu'« il n'y a rien de complaisant ou d'inacceptable à laisser un jeune enfant ne manger, des mois durant, que des céréales, du lait et des pâtes ou du pain et du fromage (en supposant que l'on introduise aussi quelques fruits et/ou légumes bien choisis pour maintenir un bon équilibre). Ceci est même tout à fait respectable. En effet, il est particulièrement injuste d'insister pour que les enfants mangent à tout prix ce que les adultes leur mettent sous le nez, alors qu'eux-mêmes sont parfaitement libres de choisir ce qu'ils mangent. »

Et puis il y a les *snacks*. Lorsque je suis avec des amis et leurs enfants aux États-Unis, les petits sachets de bretzels et de Cheerios apparaissent constamment entre les repas. Dominique, une mère française qui vit à New York, raconte qu'elle a d'abord été choquée quand elle a appris que la *pre-school* de sa fille proposait à manger aux enfants toutes les heures. Elle s'étonnait de voir les parents donner des friandises à leurs enfants tout au long de la journée, y compris à l'aire de jeux. « Si un petit pique une crise, ils lui donnent immédiatement quelque chose à manger pour qu'il se calme. Ils se servent de la nourriture pour distraire toutes les tensions », explique-t-elle.

La situation est radicalement différente en France. À Paris, je fais pratiquement toutes mes courses dans le supermarché du quartier. Suivre les habitudes alimentaires de la classe moyenne a suffi pour que les enfants ne mangent jamais de sirop de glucose-fructose, ni de pain de mie longue conservation. Au lieu de manger des Fruit Roll-Ups[1], ils mangent des fruits. Ils sont tellement habitués à consommer des produits frais qu'ils trouvent que les produits industriels ont un goût bizarre.

Comme je l'ai déjà mentionné, les petits Français ne mangent généralement qu'à l'heure des repas et au goûter. Je n'ai jamais vu un enfant français grignoter des bretzels (ou quoi que ce soit d'autre) au parc, à dix heures du matin. On trouve des menus pour enfants dans les restaurants français – le plus souvent aux bistrots du coin ou dans les pizzerias. Eux non plus ne proposent pas de la haute cuisine aux enfants ; c'est souvent un steak-frites. (« À la maison, je ne fais jamais de frites ; mes enfants savent que c'est leur seule chance d'en manger », me dit mon amie Christine.)

Mais dans la plupart des restaurants, les enfants choisissent dans le même menu que leurs parents. Un jour, dans un joli restaurant italien, alors que je demande des spaghettis avec de la sauce tomate pour Bean, la serveuse française me suggère très poliment de tenter quelque chose de plus aventureux, le plat de pâtes aux aubergines par exemple.

McDonald's connaît un succès florissant en France et l'on peut trouver tous les produits alimentaires industriels dans les supermarchés. Mais une campagne publicitaire commanditée par l'État rappelant qu'il faut manger « cinq fruits et légumes par jour » est pratiquement devenue un slogan national. (Un restaurant parisien à côté de mon bureau s'appelle même Cinq Fruits et Légumes chaque Jour.)

Même si les enfants français mangent parfois des hamburgers et des frites, je n'ai jamais rencontré d'enfant qui ne mangeait qu'un seul type de nourriture, ni d'ailleurs un parent qui le permettrait. Les petits Français ne réclament pas à cor et à cri des légumes. Bien sûr, ils préfèrent certains aliments à d'autres, et il y a quantité de petits de trois ans aux goûts difficiles. Mais généralement, on ne les laisse pas exclure des catégories entières de textures, couleurs et nutriments parce qu'ils en ont simplement envie. Les goûts extrêmement sélectifs des enfants tels qu'on les accepte aux États-Unis et en Grande-Bretagne sont considérés ici comme un dangereux déséquilibre alimentaire ou, au mieux, comme une très mauvaise habitude.

Ces différences ont des conséquences de taille. Seulement 3,1 % des enfants français entre cinq et six ans souffrent d'obésité[2], alors que cela concerne 10,4 % des petits Américains entre deux et cinq ans.[3] L'écart se creuse encore plus en grandissant. Même dans les quartiers de l'Amérique prospère, je vois tout le temps des enfants trop gros, tandis qu'en cinq ans de pratique assidue des jardins français, je n'ai croisé qu'une seule petite fille qui aurait pu être qualifiée d'obèse (et encore, je suis sûre qu'elle n'était pas française).

Le sujet de l'alimentation m'interroge tout particulièrement et je ne peux m'empêcher de me poser la même question que sur tant d'autres aspects de l'éducation à la française : comment les parents français s'y prennent-ils ? Comment transforment-ils leurs enfants en petits gourmets ? Et pourquoi les enfants français ne deviennent-ils pas gros ? Comment ce prodige, dont je vois les résultats tous les jours autour de moi, est-il possible ?

Je suspecte que l'apprentissage commence dès qu'ils sont bébés. Lorsque Bean a presque six mois et que je me sens prête à passer à la nourriture solide, je remarque que les supermarchés français ne vendent pas la farine de riz qui, à en croire ma mère et toutes mes amies anglo-saxonnes, devrait être le premier aliment solide de bébé. Je dois aller jusque dans les magasins de produits naturels pour y trouver la version bio importée à prix d'or d'Allemagne, bien cachée derrière les couches recyclables.

Je découvre alors que les parents français ne commencent pas à faire manger leurs bébés en leur donnant des céréales insipides et incolores. Dès la première bouchée, ils leur servent de petits légumes savoureux : des purées de légumes cuits à la vapeur, haricots verts, épinards, carottes, courgettes ou blancs de poireau.

Évidemment, les bébés américains mangent eux aussi des légumes, parfois même dès le début de la diversification alimentaire. Mais nous avons tendance à les considérer comme de simples distributeurs de vitamines et les agglomérons tous sous la catégorie sans intérêt de « légumes ». Même si nous voulons à tout prix que nos enfants en mangent, nous n'y croyons pas vraiment. Des livres de cuisine best-sellers montrent aux parents comment les incorporer dans les boulettes de viande, les bâtonnets de poisson et les macaronis au fromage sans que les enfants ne se doutent de rien. J'ai vu un jour des amis qui, profitant de l'inattention de leurs enfants absorbés par la télévision, leur enfournaient à la va-vite des cuillerées de légumes bien cachés sous une épaisse couche de yaourt. « Qui sait combien de temps cela pourra encore durer ? » a soupiré la mère.

Les parents français ne considèrent pas du tout les légumes de la même façon. Ils décrivent le goût de chaque légume et parlent de la première fois où leur enfant a goûté du céleri ou des poireaux comme du début d'une longue histoire qui durera toute leur vie. « Je voulais qu'elle connaisse le goût de la carotte. Puis celui de la courgette », s'émerveille Samia, la mère qui m'a montré ses photos d'elle enceinte sans soutien-gorge. Comme d'autres parents français, Samia pense que les légumes – et les fruits – sont les bases de l'éducation culinaire naissante de sa fille et une façon de l'initier à la richesse des goûts.

Mon livre américain sur les bébés reconnaît que certains aliments sont plus difficiles que d'autres et qu'il faut apprendre à les aimer. Il y est écrit que si un bébé rejette un aliment, les parents doivent attendre quelques jours, puis lui en reproposer. Mes amies anglophones et moi suivons cette méthode. Mais si plusieurs essais se montrent infructueux, nous concluons que notre enfant n'aime pas l'avocat, les patates douces ou les épinards.

En France, continuer à proposer aux enfants des aliments qu'ils ont refusés n'est pas un simple conseil, c'est une mission à part entière. Les parents partent du principe que même si les enfants préfèrent certains goûts à d'autres, cela n'enlève rien à la richesse et à l'intérêt de chaque légume. Ils considèrent qu'il relève de leur devoir de les aider à tous les apprécier. Tout comme ils doivent leur apprendre à dormir, à attendre et à dire bonjour, ils doivent aussi leur apprendre à manger.

Personne ne prétend qu'introduire tous ces aliments soit facile. Le guide sur l'alimentation des enfants diffusé gratuitement par le gouvernement français explique que tous les bébés sont différents : « Certains sont contents de découvrir de nouvelles saveurs, d'autres sont moins ravis et la diversification alimentaire peut prendre un peu plus de temps. » Mais il encourage les parents à ne pas lâcher et à ne jamais abandonner, même si l'enfant a refusé un aliment à plusieurs reprises.

Les parents français avancent lentement, mais sûrement. « Demandez à votre enfant de goûter une bouchée, puis passez au prochain plat », suggère le guide. Les auteurs ajoutent que les parents ne doivent jamais proposer un autre aliment pour remplacer celui qui a été rejeté et doivent rester neutres si l'enfant ne veut rien manger. « Il refuse un aliment ? N'insistez pas et proposez-le lui à nouveau quelques jours plus tard. [...] Vous pouvez continuer à lui donner du lait pour assurer ses apports alimentaires. Il n'est pas à quelques jours près ! »

Cette vision à long terme de l'éducation du goût d'un enfant fait écho au livre légendaire de Laurence Pernoud, *J'élève mon enfant.* Son chapitre sur la diversification alimentaire des bébés est intitulé « Comment petit à petit, l'enfant apprend à manger de tout ».

« Il refuse de manger des artichauts ? Là aussi, il vous faut attendre. Lorsque, quelques jours plus tard, vous lui en proposez à nouveau, essayez d'incorporer un tout petit peu d'artichaut dans beaucoup de purée », écrit-elle.

Le guide sur l'alimentation publié par le gouvernement recommande aux parents de proposer aux enfants les mêmes ingrédients en les préparant de différentes façons. « Essayez les cuissons à la vapeur, en papillote, au gril, nature, ou les préparations en sauce ou même épicées. » Les auteurs de la brochure ajoutent : « Votre enfant découvrira différentes couleurs, différentes textures ou différents parfums. »

Le guide suggère également, à la Françoise Dolto, de mettre des mots sur les aliments : « C'est important de rassurer l'enfant et de lui parler de ces nouveaux aliments. » La conversation sur la nourriture devrait aller au-delà du « J'aime » ou « Je n'aime pas. » Les auteurs conseillent de montrer un légume aux enfants et de leur demander : « Est-ce que tu crois que c'est croquant et que ça va faire un bruit quand tu mordras dedans ? À quoi te fait penser ce goût ? Qu'est-ce que tu sens dans ta bouche ? » Ils recommandent de jouer avec les saveurs : proposer par exemple différents types de pommes à l'enfant qui doit ensuite dire laquelle est la plus sucrée et laquelle est la plus acide. Dans un autre jeu, l'adulte doit lui bander les yeux et lui faire goûter des aliments qu'il connaît déjà, afin de les lui faire reconnaître.

Tous les livres français sur les bébés que je lis encouragent les parents à rester calmes et joyeux au moment des repas et surtout à ne pas céder, même si leur enfant n'avale pas une seule bouchée. « Ne le forcez pas, mais ne renoncez pas à lui proposer cet aliment, explique le guide ministériel. Petit à petit, il se familiarisera avec lui, le goûtera... et finira sans doute par l'apprécier. »

Pour approfondir ma compréhension du miracle alimentaire des petits Français, je participe à une réunion de la « commission des menus » de mon arrondissement. C'est ici que la publication des menus sophistiqués affichés tous les lundis matin à la crèche est officiellement décidée. L'objectif de la commission est de discuter du menu des déjeuners que serviront les crèches de la ville de Paris au cours des deux prochains mois.

Je suis probablement la première étrangère qui participe à cette réunion. Elle se tient dans une salle de réunion sans fenêtre d'un bâtiment de la mairie, sur les quais de la Seine. Sandra Merle, diététicienne responsable auprès de la Direction des familles et de la petite enfance, anime la réunion. Ses adjoints sont également présents, ainsi que six cuisinières qui travaillent dans différentes crèches.

La commission des menus est un concentré des idées françaises sur les enfants et l'alimentation. Première leçon : les « aliments pour enfants » n'existent pas. La diététicienne lit à haute voix les menus proposés pour chaque repas, avec chacun des quatre plats, comme s'il s'agissait d'une déclaration officielle. Il n'y est pas question de frites, nuggets de poulet, pizza, ni même de ketchup. Un menu type est constitué d'une salade de choux rouge et fromage blanc, suivie de colin en sauce à l'aneth accompagné de patates bio à l'eau. Pour le fromage, un morceau de coulommiers, et au dessert, une pomme bio au four. Chaque plat est présenté en petits morceaux ou en purée selon l'âge des enfants.

Deuxième leçon de la commission : l'importance de la variété. On décide de supprimer la soupe de poireaux d'un menu lorsque quelqu'un fait remarquer que les enfants auront déjà mangé des poireaux la semaine précédente. Sandra Merle enlève une salade de tomates qu'elle avait prévue pour la fin décembre – une autre répétition – et la remplace par une salade de betteraves cuites.

La diététicienne souligne également l'importance de la variété des couleurs et des textures. Elle raconte que les jours où les aliments sont tous de la même couleur, elle reçoit inévitablement des plaintes de la part des directrices de crèche. Elle rappelle aux cuisinières que si les enfants les plus âgés (c'est-à-dire ceux entre deux et trois ans) ont une purée de légumes en accompagnement, on doit leur servir un fruit entier en dessert et pas une compote, afin qu'ils n'aient pas l'impression de manger « comme des bébés ».

Certaines cuisinières se vantent de leurs derniers succès. « Je leur ai servi une mousse de sardines mélangée avec un peu de crème », raconte une cuisinière aux cheveux bruns bouclés. « Les enfants ont adoré. Ils l'ont tartinée sur du pain. »

La soupe est très valorisée. « Ils adorent la soupe, quels que soient les légumes », commente une autre cuisinière. « Ils ont beaucoup aimé la soupe aux poireaux et à la noix de coco », ajoute une troisième cuisinière.

Lorsque quelqu'un mentionne les *fagots de haricots verts*, tout le monde rit. Il s'agit d'un plat traditionnel de Noël que toutes les crèches devaient préparer l'année précédente. Il faut faire bouillir les haricots verts, puis les rassembler en de petits fagots que l'on entoure de fines tranches de lard fumé, avant de les faire revenir à la poêle. Apparemment cela allait trop loin, même pour des cuisinières obsédées par l'esthétique de leur plat (elles ne rechignent pas à couper les kiwis en forme de fleurs).

Un autre principe fondamental de la commission des menus est de continuer à tout faire goûter aux enfants, même si, dans un premier temps, ils n'aiment pas certains aliments. Sandra Merle rappelle aux cuisinières d'introduire graduellement les nouveaux aliments et de les préparer de différentes façons. Elle suggère de proposer d'abord les fraises en purée, puisque cette texture est déjà familière aux enfants. Ils pourront ensuite les servir coupées en morceaux.

Une cuisinière demande comment servir les pample-mousses. Sandra Merle lui conseille de commencer par une fine tranche saupoudrée de sucre avant que les petits soient capables de le manger normalement. Même question pour les épinards. « Nos enfants n'aiment pas du tout les épinards. Tout passe à la poubelle », ronchonne une cuisinière. La diététicienne lui recommande de les mélanger avec du riz afin que cela soit plus appétissant. Elle ajoute qu'elle leur enverra une « fiche technique » pour rappeler à tout le monde comment le préparer. « Continuez à proposer différentes préparations d'épinards pendant toute l'année, ils finiront par aimer ça », leur promet-elle. Elle explique qu'une fois qu'un enfant se met à manger des épinards, les autres l'imitent. « C'est le principe de l'éducation nutritionnelle. »

Le groupe a quantité de choses à dire sur les légumes. L'une des cuisinières raconte que les enfants de sa crèche refusent de manger des haricots verts à moins qu'ils ne soient noyés sous la crème fraîche ou la béchamel. « Il faut trouver un équilibre ; servez-les parfois avec de la sauce, d'autres fois sans », leur conseille Sandra Merle. Puis c'est au tour de la rhubarbe d'être le sujet d'une longue conversation.

Au bout de deux heures sous les néons, je commence à fatiguer. J'aimerais rentrer chez moi pour dîner. Mais nous n'avons pas encore abordé le menu du prochain repas de Noël.

« Foie gras, non ? » suggère une cuisinière pour l'entrée. Une autre réplique en proposant de la mousse de canard. Dans un premier temps, je me dis qu'ils plaisantent, mais personne ne rit. Puis le groupe commence à débattre du choix du plat principal : thon ou saumon ? (Leur premier choix allait à la lotte, mais Sandra Merle leur dit que c'est trop cher.)

Et en fromage ? La diététicienne met son veto au fromage de chèvre aux herbes, les enfants ont déjà eu du chèvre lors du pique-nique d'automne. Le groupe finit par s'entendre sur un menu composé d'un poisson, d'une mousse de brocolis et de deux types de desserts au lait de vache. Le dessert est un gâteau pomme-cannelle ou un gâteau au yaourt à la carotte, et une bûche traditionnelle de Noël à la poire et au chocolat. (« On ne peut pas trop s'éloigner de la tradition. Les parents vont vouloir une bûche », souligne un des membres de la réunion.) Pour le goûter de cette même journée, Sandra Merle s'inquiète qu'une mousse au chocolat industrielle ne soit pas assez festive. Ils optent pour un *chocolat liégeois*, plus sophistiqué.

Personne ne se demande au cours de la réunion si une saveur est trop intense ou complexe pour le palais des enfants. Aucun des aliments proposés n'est démesurément fort – il y a beaucoup d'herbes, mais pas de moutarde, ni de cornichon, ni d'olive. Par contre, il y a des champignons, du céleri et quantité d'autres légumes. L'idée n'est pas que les enfants mangent et aiment de tout. Mais qu'ils goûtent et découvrent de tout.

Peu de temps après la réunion de la commission des menus, une amie me prête un livre intitulé *The Man Who Ate Everything* de l'auteur culinaire américain, Jeffrey Steingarten.

Jeffrey Steingarten écrit que lorsqu'il est devenu critique culinaire pour *Vogue*, il a pris conscience que ses préférences alimentaires personnelles entachaient son impartialité. « Je craignais d'être aussi peu objectif qu'un critique d'art qui déteste le jaune. » Il s'est alors lancé le défi d'apprendre à aimer les aliments qu'il détestait.

Quand il commence son expérience, Jeffrey Steingarten ne supporte pas le *kimchi* (le plat national coréen à base de chou fermenté), l'espadon, les anchois, l'aneth, les palourdes, le lard et les desserts servis dans les restaurants indiens – qu'il décrit comme ayant « le goût et la texture des crèmes de beauté ». Il potasse les recherches scientifiques réalisées dans le domaine du goût et en vient à la conclusion que le problème principal des nouveaux aliments est avant tout dû à leur nouveauté ! Le simple fait de s'habituer à leur présence devrait atténuer notre résistance naturelle.

Courageusement, Jeffrey Steingarten décide de manger un aliment qu'il déteste par jour. Il choisit des préparations de grande qualité : des anchois hachés avec une sauce à l'ail en Italie du Nord ; un plat parfaitement préparé de capellinis à la sauce blanche de palourdes dans un restaurant de Long Island. Il passe tout un après-midi à cuisiner du lard maison et mange dix fois du *kimchi*, dans dix restaurants coréens différents.

Au bout de six mois, Jeffrey Steingarten n'aime toujours pas les desserts indiens. (« Ils n'ont pas tous la texture et le goût d'une crème de beauté. Loin de là. Certains ont la texture et le goût de balles de tennis. ») Mais il finit par apprécier, et même être accro de presque tous les aliments qu'il détestait avant son expérience. La dixième fois qu'il a goûté du *kimchi*, « c'est devenu mon *pickle*[4] préféré ! » écrit-il avant de conclure qu'« aucune odeur, ni goût n'est par nature répulsif et l'on peut oublier une première impression ».

L'expérience de Jeffrey Steingarten résume parfaitement l'approche française de l'alimentation des enfants : c'est en continuant de goûter des aliments que l'on finit par en aimer la plupart. Jeffrey Steingarten l'a découvert en étudiant les recherches au sujet du goût, mais les parents de la classe moyenne française semblent le savoir intuitivement et l'appliquer d'instinct. En France, l'introduction d'une large variété de légumes et d'aliments n'est pas une idée parmi tant d'autres, c'est le principe même de l'alimentation des enfants. Les parents ordinaires que je rencontre parlent avec enthousiasme de la richesse des saveurs que leurs enfants doivent apprendre à apprécier.

Il ne s'agit pas d'un simple idéal théorique qui n'existerait que dans l'environnement contrôlé de la crèche. Il a effectivement lieu dans les cuisines et les salles à manger des familles françaises normales. Je le vois de mes propres yeux lorsque je vais chez Fanny, l'éditrice qui vit dans un appartement aux plafonds vertigineux de l'Est parisien, avec Vincent son mari et leurs deux enfants (Lucie, quatre ans et Antoine, trois mois).

Fanny a un visage doux et délicat et un regard bienveillant. Elle rentre généralement du travail vers six heures et fait manger Lucie à six heures et demie, pendant qu'Antoine boit son biberon dans son transat. En semaine, Fanny et Vincent dînent ensemble, une fois que les enfants sont couchés.

Fanny me dit qu'elle ne prépare jamais rien d'aussi élaboré que les endives et bettes braisées que Lucie mangeait à la crèche. Pourtant, elle considère que chaque dîner est l'occasion de parfaire l'éducation culinaire de sa fille. Elle ne se préoccupe pas trop de la quantité de ce qu'elle mange, mais elle insiste pour qu'elle goûte au moins une bouchée de tout ce qu'il y a dans son assiette.

« Elle doit tout goûter », précise Fanny, se faisant l'écho de presque toutes les mères françaises avec qui je parle d'alimentation.

Une des répercussions de ce principe est qu'en France, tout le monde partage le même repas. Il n'y a pas de choix ou de substitution. « Je ne lui demande jamais "Qu'est-ce que tu veux manger ?" mais lui dis "Voilà, ce que je vais te servir", me précise Fanny. Si elle ne termine pas son assiette, ce n'est pas un problème. Mais nous mangeons tous la même chose. »

Les parents américains pourraient y voir un abus de pouvoir sur des enfants sans défense. Fanny considère au contraire que cela aide Lucie à grandir. « Elle se sent plus grande quand nous mangeons tous la même chose. » Fanny raconte que les Américains sont toujours époustouflés de voir comment se tient Lucie à table : « Comment votre fille connaît-elle déjà la différence entre le camembert, le gruyère et le chèvre ? » s'étonnent-ils.

Fanny essaie aussi de rendre les repas amusants. Lucie sait déjà faire les gâteaux, puisqu'elles en font un ensemble presque

tous les week-ends. Elle implique également sa fille dans l'éla-
boration du dîner, en lui demandant de préparer quelque chose
ou de mettre la table. « Nous l'aidons, mais nous en faisons un
jeu. Et c'est comme ça tous les jours », dit-elle.

Lorsqu'il est l'heure de passer à table, Fanny n'agite pas
d'un air sévère son doigt vers Lucie en lui ordonnant de goûter ce qu'il y a dans son assiette. Non, elles parlent de ce
qu'elle mange. Souvent, elles discutent du goût de chaque
fromage. Et comme elle a participé à la préparation du repas,
Lucie est curieuse d'en voir le résultat. Il y a de la complicité.
Si un plat fait un flop, « nous en rions ensemble », commente Fanny.

Pour que le repas se passe dans la bonne humeur, il ne
doit pas durer trop longtemps. Fanny explique qu'une fois
que Lucie a tout goûté, elle a le droit de sortir de table.
Selon le livre *Votre enfant*, un repas avec de jeunes enfants ne
devrait pas dépasser les trente minutes. En grandissant, les
petits Français apprennent à participer à de plus longs repas.
Au fil du temps, ils se couchent plus tard et dînent plus souvent avec leurs parents.

Prévoir le menu du dîner est une leçon d'équilibre. Les
mères françaises comme Fanny m'impressionnent : elles
semblent avoir en tête l'équilibre nutritionnel de tous les
menus de la journée. Elles partent du principe que leurs
enfants ont eu leur portion de protéines au déjeuner. Pour
dîner, elles cuisinent surtout des féculents, comme des pâtes,
accompagnés de légumes.

Même si Fanny est rentrée en courant du bureau, elle sert
calmement les différents plats du dîner, comme pour le
déjeuner à la crèche. En entrée, elle donne à sa fille un
légume en salade, des carottes râpées en vinaigrette par
exemple. Puis vient le plat principal, la plupart du temps des
pâtes ou du riz avec des légumes. Il lui arrive parfois de préparer du poisson ou de la viande, mais généralement elle

table sur le fait que la petite a eu sa dose de protéines à midi. « J'essaie d'éviter les protéines le soir, parce que l'on m'a élevée comme ça. On dit qu'il en faut une fois par jour. J'essaie de me concentrer sur les légumes. »

Certains parents m'expliquent qu'en hiver, ils servent souvent de la soupe avec un morceau de pain et peut-être un peu de pâtes. C'est un repas consistant avec tout ce qu'il faut de céréales et de légumes. Beaucoup de parents passent leurs soupes au mixeur. Et c'est tout le dîner. Les enfants boivent parfois du jus au petit déjeuner ou au goûter. Mais au déjeuner et au dîner, ils se contentent d'eau, généralement à température ambiante ou légèrement rafraîchie au réfrigérateur (pas question de mettre des glaçons dans son verre quelle que soit la saison, comme aux États-Unis).

Les week-ends sont consacrés aux repas de famille. Presque tous les Français que je connais prennent un grand repas en famille le samedi et le dimanche. Les enfants sont pratiquement toujours impliqués dans la préparation du repas et de la table. Le week-end, « on fait des gâteaux, on cuisine, j'ai des livres de cuisine pour les enfants, ils ont leurs propres recettes », dit Emma, la spécialiste de l'éthique médicale, mère de deux fillettes.

Après toutes ces préparations, ils s'assoient pour partager leur repas. En France, manger est une activité qui se pratique assis à table, de préférence avec d'autres personnes. Les sociologues français Claude Fischler et Estelle Masson, auteurs de l'ouvrage *Manger*, écrivent que le Français qui mange sur le pouce ne considère pas qu'il « a vraiment mangé ». Pour les Français, « manger signifie s'asseoir à table avec d'autres personnes, en prenant le temps, sans faire autre chose en même temps ». Alors que pour les Américains, « on mange avant tout pour se maintenir en bonne santé ».[5]

Lors de l'anniversaire des cinq ans de Bean, j'annonce que c'est l'heure du gâteau. Soudain, les enfants, qui jouaient bruyamment, filent dans la salle à manger et s'installent calmement à table. D'un seul coup, ils sont tous sages. Bean s'assoit au bout de la table et distribue assiettes, cuillères et serviettes. Je n'ai plus qu'à m'occuper d'allumer les bougies et d'apporter le gâteau. À cinq ans, s'asseoir tranquillement à table, quelle que soit l'occasion, est un réflexe chez les enfants français. Il n'est pas question de manger sur le canapé, devant la télévision ou devant un écran d'ordinateur.

Bien sûr, l'avantage d'avoir un cadre, c'est de pouvoir en sortir sans craindre qu'il ne s'effondre. Emma me raconte qu'une fois par semaine, elle laisse ses deux filles, de sept et neuf ans, dîner devant la télévision.

En week-end et durant les vacances scolaires, les parents français sont plus souples sur les horaires de repas et de coucher de leurs enfants. Ils font confiance au cadre pour réapparaître quand il le faudra. Les magazines proposent des articles qui expliquent comment aider les enfants à reprendre leur rythme scolaire après les vacances. Lors d'un week-end chez Hélène et William, je commence à paniquer quand je vois qu'il est treize heures trente et que William n'est toujours pas rentré avec les courses pour le déjeuner.

De son côté, Hélène se dit que les enfants s'adapteront. Ce sont des humains comme nous après tout, ils sont capables de gérer un peu de frustration. Elle ouvre un sac de chips et les six enfants se rassemblent autour de la table pour les manger. Puis la troupe ressort jouer dehors jusqu'à ce que le repas soit prêt. Rien de grave. Tout le monde survit. Un peu plus tard, nous prenons tous un long et délicieux repas sous l'arbre où nous avons installé la table.

Si l'*overparenting*, ce modèle de parentalité surinvestie et hypercontrôlante, était une compagnie aérienne, sa plaque tournante serait Park Slope, le quartier chic de Brooklyn. Toutes les nouvelles tendances sur la parentalité et les produits associés semblent y naître et s'y développer. C'est à Park Slope qu'a ouvert la « première boutique new-yorkaise consacrée aux écharpes de portage et à l'allaitement » ainsi qu'une *preschool* à quinze mille dollars l'année où les enseignants « découragent et empêchent les enfants de jouer aux super héros ». Si vous vivez à Park Slope, l'entreprise Baby Bodygards s'assurera que votre duplex ne présente aucun danger pour vos enfants ; il vous en coûtera six cents dollars. (La créatrice de l'entreprise raconte : « Quand j'ai accouché de mon fils et qu'il a fait partie du monde extérieur, ma peur et mon angoisse se sont emballées. »)

J'ai beau connaître la réputation des parents de Park Slope, je ne suis pas préparée à voir la scène qui se déroule sous mes yeux au parc, un dimanche matin ensoleillé. Dans un premier temps, je repère un garçonnet et son papa qui semble se livrer à une version très dynamique du « je commente tout ce que fait mon enfant ». Le garçon doit avoir six ans. Le père – jeans de marque et barbe de trois jours soigneusement taillée – l'a suivi jusqu'au sommet du portique de jeux. Il commente non-stop tout ce que fait le petit en version bilingue anglais / allemand (avec un fort accent américain).

Le fils semble avoir l'habitude que son père le suive sur le toboggan. Lorsqu'ils passent aux balançoires, le père poursuit son soliloque bilingue tout en poussant son fils. Pour le moment, rien de nouveau sous le soleil new-yorkais. Mais c'était sans compter l'arrivée de la mère, une brune à la mode anorexique, elle aussi dans ses jeans de marque, son sac de légumes du marché à la main.

« Mon chéri, voilà du persil à grignoter ! Tu veux ton persil ? » lance-t-elle au petit garçon en lui tendant un brin de persil.

Du persil ? À grignoter ? Je crois que je comprends l'intention : ces parents ne veulent pas que leur enfant devienne obèse. Ils souhaitent qu'il puisse apprécier des goûts variés.

Ils se prennent pour des esprits libres aptes à proposer des expériences insolites à leur enfant, l'allemand et le persil n'étant sûrement qu'un échantillon de ce dont ils sont capables. Et c'est vrai, le persil ne risque pas de gâcher l'appétit de leur fils – ni de personne d'autre.

Mais si le persil n'est jamais devenu le casse-croûte favori des enfants, c'est qu'il y a une bonne raison : c'est une herbe aromatique. Ce n'est bon qu'en accompagnement. J'ai l'impression que ces parents tentent de couper leur enfant de la sagesse instinctive de notre espèce et de notre capacité basique à reconnaître ce qui a bon goût. J'ai du mal à imaginer l'énergie que cela doit leur demander. Que va-t-il se passer le jour où il découvrira l'existence des cookies ?

Les parents américains ne sont pas surpris quand je leur relate l'incident du « persil ». Ils admettent que le persil n'est pas quelque chose que l'on grignote, mais ils admirent l'effort de ces parents. Pourquoi ne pas essayer à cet âge si impressionnable ? Dans l'ambiance compétitive de Park Slope, certains parents sont allés au-delà de la « Question américaine » qu'avait soulignée Jean Piaget, « Comment accélérer les étapes de développement ? ». Ils demandent maintenant comment outrepasser les expériences sensorielles de base.

Je me rends compte que je suis moi aussi coupable des mêmes excès le jour où j'amène Bean à sa première fête d'Halloween, à l'âge de deux ans. Les Français ne célèbrent pas vraiment cette fête. (Je ne suis allée qu'à une seule fête d'Halloween pour adultes à Paris ; toutes les femmes y étaient déguisées en sorcières sexy et la plupart des hommes en Dracula.) Chaque année, un groupe de mères anglophones envahit donc le premier étage du café Starbucks près de la Bastille et s'installe dans toute la pièce pour que les enfants puissent jouer au traditionnel « *trick or treat* / une friandise ou une farce » et collecter des bonbons.

Dès que Bean a compris l'idée, à savoir que tous ces adultes sont là pour lui donner des bonbons, elle se met à les manger. Elle ne se contente pas d'en avaler quelques-uns, mais essaie d'engloutir tout ce qu'il y a dans son sac. Elle s'assoit dans un coin de la pièce et enfourne des masses gluantes roses, jaunes et vertes. Je dois intervenir pour la ralentir.

Je m'aperçois tout d'un coup que j'ai pris la mauvaise approche en ce qui concerne les bonbons. Avant cette fête d'Halloween, Bean n'avait pratiquement jamais mangé de produits à base de sucre raffiné. À ma connaissance, elle n'avait encore jamais goûté un seul nounours en gélatine. Comme les parents au persil, j'essayais de faire comme si ces choses n'existaient pas.

J'ai observé d'autres parents anglophones se ronger les sangs à propos du sucre. Un après-midi, une mère anglaise me dit que sa fille n'a pas le droit d'avoir un cookie, même si tous les enfants sont en train d'en manger : « Elle n'a pas besoin de savoir que ça existe. » Une autre mère de mes connaissances – une psychologue – semble être tourmentée : doit-elle refuser que son enfant de dix-huit mois suce une glace à l'eau, même si c'est la fin d'une chaude journée d'été où tous les enfants jouent dehors ? (Elle finit par céder.) Je vois un couple bardé de diplômes tenir un conciliabule tendu pour décider si leur enfant de quatre ans peut avoir une sucette ou pas.

Le sucre existe, c'est une réalité. Et les parents français le savent. Ils n'essaient pas d'éliminer toutes les sucreries de l'alimentation de leurs enfants. Ils préfèrent les intégrer au cadre. Les bonbons ont une place dans la vie des petits Français. Ils sont suffisamment présents pour qu'ils ne s'en empiffrent pas comme des goinfres dès qu'ils mettent la main dessus. Ils en mangent surtout pour les anniversaires, les fêtes d'école et lors d'occasions exceptionnelles. Dans ces cas-là, ils ont généralement le droit d'en manger autant qu'ils veulent. Quand j'essaie de limiter la dose de chocolat et de bonbons ingérée par les garçons à l'occasion de la fête de Noël à la crèche, l'une des puéricultrices intervient. Elle me dit que je devrais les laisser profiter de la fête et être libres. Je pense à mon amie Virginie, toute mince, qui fait très attention à ce qu'elle mange en semaine et se donne la liberté de manger ce qu'elle veut le week-end. Les enfants aussi ont besoin de moments où les règles habituelles ne s'appliquent plus.

Mais ce sont les parents qui décident de ces moments. Lorsque je dépose Bean à l'anniversaire de Salima, une petite fille de notre immeuble, elle est la première invitée arrivée. (Nous n'avons toujours pas compris que nous ne sommes pas supposés être à l'heure pour les anniversaires d'enfants.) La mère de Salima vient juste de disposer des assiettes de cookies et de bonbons sur la table. Salima lui demande si elle peut prendre des bonbons. Sa mère lui répond « non » et explique que ce n'est pas encore l'heure. La petite fille dévore les sucreries des yeux, puis – c'est pour moi de l'ordre du miracle – file avec Bean jouer dans une autre pièce.

Les petits Français mangent plus régulièrement du chocolat que les Américains. Les parents français de la classe moyenne en parlent comme s'il s'agissait d'un autre groupe alimentaire, bien qu'il faille en consommer avec modération. Lorsque Fanny décrit ce que mange Lucie dans une journée type, le menu inclut quelques biscuits ou un morceau de gâteau. « Et c'est sûr, à un moment ou un autre, elle va vouloir un morceau de chocolat. »

Hélène donne du chocolat chaud à ses enfants quand il fait froid dehors. Elle en sert au petit déjeuner avec un gros morceau de baguette ou au goûter avec des biscuits. Mes enfants adorent lire *T'choupi, le pingouin* : quand il est malade, sa maman le garde à la maison et lui prépare du chocolat chaud. Un jour, j'accompagne mes enfants dans un théâtre du quartier afin d'y voir une représentation de *Boucle d'or et les trois ours*. Les ours n'y mangent pas de la bouillie d'avoine comme dans la version anglaise, mais de la bouillie au chocolat.

« C'est pour compenser le fait d'aller à l'école et j'imagine que ça leur donne de l'énergie », explique Emma, la spécialiste en éthique médicale. Elle évite McDonald's et cuisine un repas maison pour ses filles tous les soirs. Mais tous les matins, elle leur donne une barre de chocolat pour le petit déjeuner avec du pain et un fruit.

Les petits Français ne mangent pas des tonnes de chocolat ; juste quelques carrés ou une boisson chocolatée ou une fine barre dans un pain au chocolat par jour. Ils sont contents et ne s'attendent pas à en avoir une deuxième fois. Le chocolat est plus considéré comme un élément nutritionnel qu'une gourmandise interdite. Bean revient un jour du centre de loisirs avec un « sandwich au chocolat » : un morceau de baguette avec une barre de chocolat à l'intérieur. Je suis si surprise que j'en prends une photo. (J'apprendrai plus tard que le sandwich au chocolat – d'habitude avec du chocolat noir – est un classique du goûter.)

Le cadre est tout aussi fondamental en ce qui concerne les sucreries. Les parents français que je rencontre n'ont pas peur des produits sucrés. En général, ils servent du gâteau ou des biscuits au déjeuner ou au goûter. Mais au dîner, ils ne donnent pas de chocolat ou de desserts trop riches aux enfants. « Tu gardes pendant des années tout ce que tu manges au dîner », m'explique Fanny.

Typiquement, elle leur servira un fruit frais ou une compote de fruits – ces petits pots de compote de pommes que l'on voit partout, parfois mélangée avec d'autres fruits. (On en trouve aussi sans sucre ajouté.) Il y a carrément un rayon compotes dans les supermarchés français. Fanny me dit qu'elle achète aussi toutes sortes de yaourts nature et laisse Lucie y ajouter de la confiture.

Comme dans la plupart des domaines, les parents français tiennent aussi à fixer des limites – et à donner une certaine liberté dans le respect de ces limites – en ce qui concerne les repas. « Ce sont des choses simples, comme rester assis à table ou goûter de tout, m'explique Fanny. Je ne la force pas à finir, elle doit juste tout goûter et rester à table avec nous. »

Je ne sais plus exactement depuis quand je sers des repas composés de plusieurs plats à mes enfants. Mais c'est devenu une habitude systématique. C'est un coup de génie français. Cela commence dès le petit déjeuner. Quand les enfants s'assoient, je leur sers des bols de fruits coupés en morceaux. Ils les grignotent pendant que je leur prépare des céréales ou des tartines. Ils peuvent boire du jus, mais ils savent que nous buvons de l'eau au déjeuner et au dîner. Même la déléguée syndicale ne se plaint pas. Nous parlons des vertus de l'eau qui nous fait nous sentir si propres.

Au déjeuner et au dîner, je sers d'abord les légumes, quand les enfants ont encore très faim. Nous ne passons au plat suivant que lorsqu'ils ont au moins goûté leur entrée. La plupart du temps, ils la terminent. À l'exception des cas où je propose un plat totalement nouveau, je dois rarement avoir recours à la règle du « il faut au moins goûter ». Si Léo ne mange pas un nouveau plat la première fois que je le lui présente, il accepte de le sentir et d'habitude il en prend rapidement une petite bouchée.

Rusée, Bean profite parfois de la règle et ne mange qu'une bouchée de courgettes en affirmant qu'elle a rempli ses obligations. Elle a récemment déclaré qu'elle goûterait n'importe quoi « sauf de la salade », mais la plupart du temps, elle se régale de toutes les entrées que je lui prépare, y compris les avocats, les tomates en vinaigrette ou les brocolis à la vapeur avec un peu de sauce soja et de parmesan. Nous pouffons de rire quand je sers des carottes râpées et que j'essaie de le prononcer correctement.

Quand mes enfants se mettent à table, ils ont faim, car ils n'ont pas grignoté dans la journée (à l'exception du goûter). Le fait que les autres enfants autour d'eux se conduisent de la même façon facilite grandement la chose. Malgré tout, arriver à ce résultat a exigé une volonté d'acier. Je ne cède tout simplement jamais quand ils me demandent un morceau de pain ou une banane entre les repas. Et en grandissant, ils ont fini par arrêter de demander. S'ils essaient quand même, je leur dis « non, on mange dans une demi-heure ». À moins qu'ils soient très fatigués, ils ne rechignent pas. Je ressens une bouffée de satisfaction lorsqu'un jour où je suis au supermarché avec Léo, il me montre une boîte de biscuits en disant « goûter ».

Je fais de mon mieux pour ne pas être trop fanatique sur le sujet (ou comme dirait Simon, « plus française que les Françaises »). Quand je cuisine, il m'arrive de donner un avant-goût aux enfants – un morceau de tomate ou quelques pois chiches. Si j'introduis un nouvel ingrédient, comme des pignons de pin, je leur en fais goûter un peu pendant que je prépare pour leur donner envie. Et pourquoi pas une feuille de persil (même si je n'appelle pas ça un *snack*) ? Bien entendu, ils boivent de l'eau quand bon leur semble.

Faire respecter le cadre aux enfants demande parfois beaucoup d'énergie. Surtout quand Simon travaille, je suis tentée de passer l'entrée pour apporter directement un plat de pâtes et hop, le dîner est servi. Les quelques fois où je me le permets, les enfants les engloutissent joyeusement. Personne ne réclame sa salade et ses légumes.

Mais les enfants n'ont pas le choix. Comme une maman française, je considère que c'est mon devoir de leur apprendre à apprécier une variété de goûts et de manger des plats équilibrés. Et comme une maman française, j'essaie d'avoir en tête l'équilibre des menus de la journée. Pour l'essentiel, nous suivons la formule française : un déjeuner avec une large portion de protéines et un dîner plus léger avec des féculents toujours accompagnés de légumes. Les enfants mangent effectivement beaucoup de pâtes, mais je m'efforce de faire varier les formes et les sauces. Dès que j'ai le temps, je prépare une grosse marmite de soupe (même si je ne me résous pas à la passer ensuite au mixeur) et je la sers avec du riz ou du pain.

Évidemment, les enfants trouvent les plats plus appétissants quand ils sont cuisinés avec des ingrédients frais et qu'ils ont belle allure. Je fais attention à l'équilibre des couleurs dans leur assiette et glisse parfois des tranches de tomate ou d'avocat si le dîner n'est pas assez coloré. Nous avons une collection d'assiettes multicolores en mélamine. Mais pour le dîner, j'utilise les blanches afin que les couleurs des aliments ressortent bien et que les enfants comprennent qu'il s'agit d'un vrai repas.

J'essaie autant que possible de les laisser se servir tout seuls. Les garçons étaient encore très jeunes quand j'ai commencé à faire passer un bol de parmesan râpé les soirs où je servais des pâtes pour qu'ils en saupoudrent eux-mêmes sur leur assiette. Ils ont le droit de mettre une cuillerée de sucre dans leur chocolat chaud et parfois dans leur yaourt. Bean demande souvent un morceau de camembert ou de n'importe quel autre fromage à la fin du repas. À l'exception de certaines occasions, nous ne mangeons pas de gâteaux ou de glaces le soir. Et je n'arrive toujours pas à leur donner des « sandwichs au chocolat ».

Assimiler tout cela comme une seconde nature a pris du temps. Heureusement, les garçons aiment manger. L'une des puéricultrices de la crèche les qualifie de « gourmands », une façon polie de dire qu'ils mangent beaucoup. Elle raconte que leur mot préféré est « encore ». Ils ont développé l'habitude agaçante, sûrement apprise à la crèche, de lever leur assiette à la fin du repas pour montrer qu'ils ont terminé. Tout ce qui reste de sauce ou de liquide se répand irrémédiablement sur la table. (À la crèche, ils ont sûrement déjà bien nettoyé leur assiette avec des morceaux de pain.)

Les bonbons ne sont plus *persona non grata* à la maison. Maintenant que nous en proposons avec modération, Bean ne se rue plus sur le moindre morceau de gélatine colorée comme si c'était le dernier de sa vie. Lorsqu'il fait très froid, je prépare un chocolat chaud aux enfants pour leur petit déjeuner. Je le sers avec la baguette de la veille, légèrement passée au four à micro-ondes, et des tranches de pomme que les enfants trempent dans leurs boissons. Un vrai petit déjeuner français !

LA RECETTE DU CHOCOLAT CHAUD D'HÉLÈNE (POUR 6 PORTIONS)

1 à 2 cuillerées à café de cacao en poudre
1 litre de lait écrémé
Sucre à votre convenance

Dans une casserole, mélangez une ou deux cuillerées bien pleines de cacao en poudre non sucré dans un peu de lait à température ambiante. Mélangez bien, vous devez obtenir une consistance épaisse. Ajoutez le reste du lait et continuez à mélanger (tout le chocolat doit se diluer dans le lait). Faites réchauffer à feu moyen jusqu'à ébullition du mélange. Laissez refroidir le chocolat chaud, enlevez la peau qui a pu se former, puis servez dans des bols avec des cuillères. Laissez les enfants sucrer leur chocolat.

Version rapide pour le petit déjeuner
Dans un grand bol, mélangez une cuillerée à café de cacao en poudre et un peu de lait jusqu'à obtenir une pâte épaisse. Remplissez le bol de lait et mélangez bien. Réchauffez le bol au micro-ondes pendant deux minutes jusqu'à ce qu'il soit très chaud. Ajoutez-y une cuillerée de sucre. Versez un peu de ce concentré de cacao chaud dans plusieurs bols. Ajoutez du lait chaud ou à température ambiante dans chaque bol. Servez avec du pain frais ou grillé.

CHAPITRE 13

C'EST MOI QUI DECIDE

L éo, le jumeau basané, fait tout très vite. Il n'est pas précoce : il se déplace littéralement deux fois plus vite qu'un humain ordinaire. À deux ans, il s'est déjà forgé un physique de coureur à force de foncer d'une pièce à l'autre. Et son débit de paroles est tout aussi rapide. Alors que l'anniversaire de Bean approche, il se met à chanter de sa petite voix haut perchée « Joyeuxanniversaire ! Joyeuxanniversaire », et la chanson est terminée en quelques secondes.

Il est très difficile de tenir cette mini-tornade. Il court déjà presque plus vite que moi. Lorsque je vais au parc avec lui, je suis toujours en mouvement. Les barrières autour de l'aire de jeux ne sont pour lui qu'une invitation à en sortir.

L'une des facettes les plus impressionnantes de l'éducation à la française – et peut-être la plus délicate à maîtriser – est celle de l'autorité. Beaucoup de parents français que je rencontre exercent calmement et facilement leur autorité sur leurs enfants ; je les envie. Leurs enfants les écoutent. Les petits Français ne sont pas tout le temps en train de s'échapper à toute vitesse, de répondre du tac au tac ou de négocier âprement. Mais comment les parents français s'y prennent-ils pour réussir ce miracle ? Et comment puis-je moi aussi acquérir ce prodigieux pouvoir ?

Un dimanche matin, alors que nous allons au parc avec Frédérique, ma voisine, elle me voit essayer de « gérer » Léo. Frédérique vient de Bourgogne et travaille en tant qu'agent de voyages. Elle a une quarantaine d'années, une voix râpeuse de fumeuse et un solide bon sens. Après des années de paperasses, elle a réussi à adopter Tina, une magnifique petite rousse de trois ans, venue d'un orphelinat russe. Elle n'est maman que depuis trois mois, mais elle peut déjà m'en apprendre sur l'éducation.

Simplement parce qu'elle est française, sa conception de ce qui est possible et de ce qui ne l'est pas est radicalement différente de la mienne. C'est dans le bac à sable du parc que la vérité éclate. Nous sommes toutes les deux assises sur un muret à la périphérie du bac et essayons de discuter. Mais Léo n'arrête pas de s'échapper hors des petites barrières qui entourent le bac à sable. Chaque fois, je me lève, le rattrape, le gronde et le traîne dans le sable tandis qu'il hurle. Je suis épuisée et à bout de nerfs.

Au début, Frédérique regarde notre petit rituel sans rien dire. Puis, sans aucune condescendance, elle déclare que si je continue à courir comme ça après Léo nous ne pourrons jamais papoter.

« C'est vrai, mais qu'est-ce que je peux faire ? »

Frédérique me conseille d'être plus sévère avec lui afin qu'il comprenne clairement qu'il n'a pas le droit de quitter le bac. « Si tu cours derrière lui tout le temps, ça ne marchera jamais. » Dans mon esprit, passer l'après-midi à pourchasser Léo est inévitable, alors que pour Frédérique, ce n'est simplement *pas possible*.

Honnêtement, j'ai du mal à croire à sa stratégie. Je lui souligne que cela fait déjà vingt minutes que je répète à Léo de ne pas sortir du bac à sable. Frédérique sourit. Elle m'explique que mon « non » doit être plus ferme, que je dois vraiment y croire.

Dès que Léo essaie à nouveau de s'enfuir, je lance un « non » beaucoup plus dur que d'habitude. Il file quand même. Je le suis et le ramène.

« Tu vois ? dis-je à Frédérique. Ce n'est pas possible. »

Frédérique sourit à nouveau et précise que je dois mettre plus de conviction dans mon « non ». À son avis, je ne suis moi-même pas assez convaincue qu'il va m'écouter. Elle me suggère de ne pas crier, mais de parler avec plus d'assurance.

J'ai peur d'effrayer mon fils.

« Ne t'inquiète pas », me rassure Frédérique en m'encourageant.

Léo ne m'écoute pas non plus la fois suivante. Mais petit à petit, je sens que mes « non » deviennent plus convaincants. Ils ne sont pas plus forts, mais plus fermes. J'ai l'impression d'imiter un autre genre de mère.

Au quatrième essai, je suis à un niveau de conviction maximale ; Léo s'approche de la barrière, mais – comme par miracle – ne l'ouvre pas. Il se tourne et me regarde d'un air méfiant. Je fais les gros yeux et prends une expression désapprobatrice.

Au bout de dix minutes, il ne tente même plus de sortir. Il semble avoir oublié l'existence du portillon et joue avec Tina, Joey et Bean dans le sable. Frédérique et moi papotons, en étirant nos jambes.

Je n'en reviens pas : je suis soudain devenue une incarnation de l'autorité pour mon fils.

« Tu vois, dit Frédérique sans prétention, tout est dans le ton de la voix. » Elle fait remarquer que Léo ne paraît pas traumatisé pour autant. Pour le moment – et sûrement pour la première fois de sa vie –, il a l'air d'un enfant français. J'ai d'un seul coup trois enfants sages et mes épaules se relâchent. C'est une expérience que je n'avais encore jamais faite dans le parc. C'est peut-être ça, être une mère française ?

Je me sens détendue, mais aussi un peu ridicule. Si c'est si simple que cela, pourquoi est-ce que je ne l'ai pas fait plus tôt ? Dire non n'est pas exactement une technique d'éducation révolutionnaire. La nouveauté, c'est que Frédérique m'a encouragée à abandonner mon ambivalence et à ne plus douter de ma propre autorité. Ce qu'elle m'a conseillé est le fruit de sa propre éducation et de ses convictions personnelles. Du bon sens, tout simplement.

Frédérique croit également que ce qui est plaisant pour les parents – pouvoir tranquillement papoter entre copines tandis que les enfants s'amusent, par exemple – l'est aussi pour les enfants. Et les faits semblent le confirmer : je remarque au fil de notre discussion que Léo est moins tendu qu'une demi-heure plus tôt. Au lieu d'enchaîner les fuites et les emprisonnements, il joue joyeusement avec les autres enfants.

Je suis prête à conceptualiser ma nouvelle technique – le « non » convaincu – et à répandre la bonne nouvelle. Mais Frédérique me prévient qu'il n'y a pas de potion magique pour que les enfants respectent l'autorité. C'est un travail constant. « Il n'y a pas de règles fixes, dit-elle. Il faut continuellement s'adapter. »

Dommage ! Quel autre élément permet donc d'expliquer comment les parents français comme Frédérique exercent une telle autorité sur leurs enfants ? Comment la maintiennent-ils, jour après jour, repas après repas ? Et comment puis-je en avoir un peu plus ?

Une de mes collègues françaises me dit que si la question de l'autorité m'intéresse, je dois absolument parler avec sa cousine Dominique, une chanteuse française de quarante-trois ans qui vit à New York avec ses trois enfants, véritable experte – non officielle – des différences entre parents français et américains.

Dominique ressemble à l'héroïne d'un film de la nouvelle vague. Cheveux foncés, traits délicats et intense regard de gazelle. Une Parisienne qui élève ses enfants à New York : si j'étais plus mince, plus jolie et si je savais chanter, j'aurais l'impression de voir ma vie dans un miroir. Depuis que je vis en France, je suis plus calme et moins névrosée. Tandis que Dominique, malgré sa belle allure sensuelle, a pris l'habitude de constamment s'autoanalyser comme tous les New-Yorkais. Elle parle avec enthousiasme un anglais à l'accent français, relevé de quelques « *Oh my god* / Oh mon dieu ! »

Dominique est arrivée à New York à vingt-deux ans, alors qu'elle était étudiante. Elle pensait y étudier l'anglais pendant six mois puis rentrer en France. Mais New York est vite devenue sa nouvelle patrie. « Je me sentais bien, motivée et j'avais une super énergie, quelque chose que je n'avais pas ressenti depuis très longtemps à Paris », dit-elle. Puis elle s'est mariée avec un musicien américain.

Dès sa première grossesse, Dominique a adoré l'éducation à l'américaine. « Il y a un vrai sens de la communauté, on n'a pas vraiment ça en France… si tu aimes le yoga et que tu es enceinte, boum ! Tu fais tout de suite partie d'un groupe de femmes enceintes qui font du yoga. »

Elle a aussi commencé à prêter attention à la façon dont les Américains considèrent les enfants. À l'occasion d'un dîner de Thanksgiving dans la famille de son mari, une petite fille est arrivée en cours de repas et Dominique a été étonnée de voir que les vingt adultes présents à table se sont alors tous arrêtés de parler pour se concentrer sur l'enfant.

« Je me suis dit que cette culture était incroyable. C'est comme si l'enfant était un dieu, c'est complètement dingue. Pas étonnant que les Américains soient si heureux, sûrs d'eux et les Français, si déprimés. C'est sûr, avec une attention pareille. »

Mais au fil du temps, Dominique a commencé à voir cette attention sous un autre jour. Elle a remarqué que cette fillette grandissait avec un sens démesuré de ce qui lui était dû.

« Là, je me suis dit, c'est bon, cette petite m'énerve. Elle débarque et elle croit que parce qu'elle est là, tout le monde doit s'arrêter pour faire attention à elle. »

Dominique, dont les enfants ont onze, huit et deux ans, me raconte que ses doutes se sont renforcés le jour où elle a entendu des enfants, à la *preschool*, qui répondaient aux instructions de la maîtresse en disant : « C'est pas toi ma chef. » (« Jamais on n'entendrait un truc pareil en France, ce n'est pas possible », commente-t-elle.) Quand son mari et elle étaient invités à dîner chez des amis américains parents de jeunes enfants, il n'était pas rare qu'elle finisse par préparer le dîner, parce que leurs hôtes étaient trop occupés à essayer de coucher leurs petits.

« Il suffirait d'être ferme et de dire simplement : "Ça suffit, je ne fais plus attention à toi, c'est l'heure de te coucher. Là c'est l'heure des adultes, c'est mon moment à moi avec mes amis, tu t'es bien amusé et maintenant c'est à nous. Tu vas au lit et c'est comme ça !" Eh bien non, ils ne le font pas. Je ne sais pas pourquoi, mais ils ne le font pas. Ils n'y arrivent pas. Ils continuent à être au service de leurs enfants. Ça me sidère de voir ça. »

Dominique adore toujours autant New York et préfère largement les écoles américaines aux françaises. Mais en ce qui concerne l'éducation, elle est revenue aux habitudes françaises, avec leurs règles et leurs limites claires.

« Les Français sont parfois un peu trop sévères. Ils pourraient être un peu plus doux et gentils avec les enfants, je crois, dit-elle. Mais à mon avis, les Américains vont vraiment trop loin en élevant leurs enfants comme s'ils étaient les rois du monde. »

Je ne peux qu'être d'accord avec mon sosie en puissance. J'imagine très bien les dîners dont elle parle. Les parents américains – moi y compris – manquent souvent de clarté quant à leurs responsabilités parentales. En théorie, nous pensons que les enfants ont besoin de limites, c'est un truisme de l'éducation à l'américaine. Mais en pratique, nous ne savons pas toujours où se trouvent ces limites et ne sommes pas très à l'aise pour les faire respecter.

« Quand je m'énerve, je ressens plus mon sentiment de culpabilité que ma colère » : c'est en ces termes qu'un copain de fac de Simon justifie la mauvaise conduite de sa fille de trois ans. Une de mes amies me raconte que son fils de trois ans l'a mordue. Mais elle n'a pas eu le courage de le gronder, parce qu'il allait sûrement pleurer. Alors, elle l'a laissé faire.

Les parents anglophones craignent qu'être trop strict n'étouffe la créativité de leurs enfants. Une maman américaine de passage à Paris a été choquée de découvrir un parc pour bébés dans notre appartement. Visiblement, aux États-Unis, même les parcs sont considérés comme trop enfermants. (On ne savait pas. À Paris, c'est la norme.)

Une autre maman, de Long Island, me parle de son neveu qui, enfant, était très mal élevé et dont les parents étaient, selon elle, d'une permissivité alarmante. Mais son neveu a grandi et il est devenu le chef du service oncologie d'un important centre médical américain et se vante d'avoir été un gamin insupportable. « Je crois que les enfants très intelligents et indisciplinés sont difficiles. Mais à mon sens, ils sont plus créatifs quand ils sont plus âgés », dit-elle.

Savoir où poser les bonnes limites n'est pas une mince affaire. En forçant Léo à rester dans son parc, ou dans le bac à sable, est-ce que je l'empêche de devenir un jour un grand professeur de médecine ? Où est la limite entre sa liberté d'expression et une mauvaise conduite sans aucun intérêt ? Lorsque je laisse mes enfants s'arrêter pour observer chaque bouche d'égout qui se présente sur le trottoir, sont-ils merveilleusement inspirés ou des petits capricieux ?

Je connais beaucoup de parents anglophones qui se retrouvent dans une zone intermédiaire inconfortable où ils essaient de jouer à la fois le rôle de dictateurs et de muses pour leurs enfants. Ils finissent inévitablement par être en constante négociation avec eux. J'en fais l'expérience pour la première fois alors que Bean approche de ses trois ans. Selon la nouvelle règle de la maison, elle a le droit de regarder quarante-cinq minutes de télévision par jour. Un après-midi, elle me demande si elle peut en regarder un peu plus.

« Non. Tu as déjà eu tes quarante-cinq minutes aujourd'hui.

— Mais quand j'étais bébé, je ne regardais pas la télé du tout », me répond-elle.

Comme nous, la plupart des parents anglophones que je connais fixent au moins quelques limites. Mais avec tous les modèles d'éducation environnants, certains parents s'opposent catégoriquement au concept même d'autorité. Je rencontre l'une de ces mères lors d'une visite aux États-Unis.

Liz, une graphiste d'une trentaine d'années, est maman d'une fillette de cinq ans prénommée Ruby. Elle énumère aisément ses principales références éducatives : le pédiatre William Sears, l'auteur Alfie Kohn et B. F. Skinner, fondateur du béhaviorisme radical.

Quand Ruby fait des bêtises, Liz et son mari tentent de convaincre la petite que sa conduite n'est pas correcte. « Nous voulons éliminer les conduites inacceptables sans avoir recours à des jeux de pouvoir, me dit Liz. J'essaie de ne pas profiter du fait d'être plus grande et plus forte qu'elle en la contrôlant physiquement. Comme j'essaie de ne pas me servir du pouvoir que me donne l'argent et ne lui dis jamais : "C'est moi qui décide si tu peux avoir ça ou non." »

Je suis touchée par les efforts contraignants que Liz s'impose pour appliquer sa conception de l'éducation. Elle n'a pas simplement adopté les règles de quelqu'un d'autre ; elle a attentivement assimilé le travail de plusieurs penseurs et en a tiré sa propre réflexion. Le modèle d'éducation qu'elle a créé est, selon elle, en rupture totale avec la façon dont elle a été éduquée.

Mais cela ne se fait pas sans peine. Liz explique que ce style éclectique et son désir de rester à l'abri des jugements l'ont isolée de nombreux voisins et amis et même de ses parents. Ces derniers sont déroutés par l'éducation qu'elle donne à Ruby, qu'ils désapprouvent ouvertement ; le sujet est d'ailleurs devenu tabou entre eux. Les visites sont tendues, surtout quand la petite fait des bêtises.

Quoi qu'il en soit, Liz et son mari demeurent déterminés à ne pas exercer leur autorité sur leur fille. Depuis peu, elle s'est mise à les frapper tous les deux. Chaque fois, ils la font asseoir et lui expliquent pourquoi il n'est pas bien de frapper. Ce raisonnement bourré de bonnes intentions ne change rien. « Elle continue de nous frapper », admet Liz.

J'ai l'impression que la France est une autre planète. Même les parents les plus bohèmes se vantent d'être stricts et sont catégoriques sur leur place dans la hiérarchie familiale : c'est eux qui sont au sommet, pas l'enfant. Dans un pays qui vénère la révolution et les barricades, il n'y a apparemment aucun anarchiste à la table familiale.

« C'est paradoxal », concède Judith, l'historienne de l'art et mère de trois enfants qui vit en Bretagne. Elle prétend être « anti-autorité » sur le plan politique, mais quand il s'agit de l'éducation des enfants, c'est elle qui commande, un point c'est tout. « Il y a les parents, puis les enfants », dit-elle en classant les membres de la famille par ordre hiérarchique. En France, explique-t-elle, « le partage du pouvoir avec l'enfant n'existe pas ».

Les médias et la génération plus âgée parlent du syndrome envahissant de l'enfant roi. Mais lorsque je discute avec des parents parisiens, je n'entends que « C'est moi qui décide », ou une autre version un peu plus militaire : « C'est moi qui commande. » Les parents utilisent ces expressions pour rappeler à leurs enfants – et à eux-mêmes – qui est le chef.

Aux yeux des Américains, cette hiérarchie peut sembler tyrannique. Robynne est une Américaine qui vit en proche banlieue parisienne avec son mari français et leurs deux enfants, Adrien et Léa. À l'occasion d'un dîner chez eux, elle me raconte un incident survenu un jour où elle amenait Adrien chez le pédiatre. Il commençait juste à marcher. Au cours de la consultation, le petit garçon s'est mis à pleurer et a refusé de monter sur la balance ; Robynne s'est alors agenouillée pour l'en convaincre.

Le médecin l'a interrompu : « Ne lui expliquez pas pourquoi. Dites-lui simplement "Parce que c'est comme ça. Tu vas monter sur la balance, parce que c'est comme ça et que ça ne se discute pas." » Robynne était sous le choc. Elle a fini par changer de pédiatre, elle trouvait celui-ci trop sévère.

Marc, son mari, l'a écoutée me raconter cette histoire. « Non, non, non, ce n'est pas ce qu'il a dit ! » intervient-il. Marc est joueur de golf professionnel et a grandi à Paris. Il fait partie de ces parents français qui semblent savoir être autoritaires sans aucun effort. J'ai remarqué que ses enfants l'écoutent attentivement quand il leur parle et lui obéissent immédiatement.

Selon Marc, le médecin ne jouait pas bêtement au gendarme. Au contraire, il essayait de donner des conseils sur l'éducation d'Adrien. Il a un souvenir très différent de l'incident : « Il a dit que tu devais être sûre de toi, que tu devais prendre ton enfant et le poser sur la balance... Si tu lui laisses trop de choix, il n'est pas rassuré. Il faut lui montrer une façon de faire... lui montrer que c'est comme ça que ça se passe et que ce n'est ni bien, ni mal, c'est juste comme ça. »

Puis Marc ajoute : « C'est un petit geste, mais ça conditionne tout le reste. Il y a des choses qui n'ont pas besoin d'être expliquées. Il faut peser le petit, alors tu le prends et tu le poses sur la balance. C'est tout. Point final ! »

Selon lui, le fait qu'Adrien n'ait pas aimé l'expérience fait partie de la leçon. « Parfois dans la vie, il y a des choses que l'on n'apprécie pas beaucoup. On ne fait pas toujours ce que l'on aime et ce que l'on veut. »

Lorsque je demande à Marc d'où il tient son autorité, je découvre qu'elle ne lui est pas venue du jour au lendemain. Il a mis beaucoup d'énergie pour instaurer cette relation avec ses enfants. Il réfléchit énormément au fait d'avoir de l'autorité et considère que c'est une priorité. Il s'investit autant parce qu'il est convaincu qu'il est rassurant pour les enfants d'avoir des parents sûrs d'eux.

« À mon avis, il vaut mieux avoir un chef, quelqu'un qui montre comment faire, dit-il. Un enfant doit sentir que sa mère ou son père maîtrise la situation. »

« Comme quand on est à cheval », intervient Adrien qui a maintenant neuf ans.

« Bonne comparaison ! » s'exclame Robynne.

Marc ajoute : « J'ai l'habitude de dire : "Il est plus facile de dévisser que de visser". Ce qui veut dire qu'il faut être très ferme. Si tu es trop sévère, tu as juste à dévisser un peu. Mais si tu es trop indulgent... revisser derrière ? C'est impossible. »

Marc ne fait que me décrire le fameux cadre que les parents français mettent en place au cours des premières années de leur enfant. Ils l'établissent aussi en instaurant leur droit de dire de temps en temps : « Tu montes sur la balance, un point c'est tout. »

Les parents américains, comme moi, s'attendent simplement à devoir courir tout l'après-midi après leurs enfants dans le parc ou à passer la moitié d'un dîner à essayer de les mettre au lit. C'est énervant, mais c'est devenu la norme.

Aux yeux des parents français, vivre avec un enfant roi semble follement déséquilibré et nocif pour toute la famille. Ils y voient le risque d'y épuiser une grande partie des plaisirs de la vie quotidienne. Ils savent qu'instaurer ce cadre demande un gros effort, mais sont convaincus que l'alternative est inacceptable. Pour eux, il est évident que c'est grâce au cadre qu'ils ne passent pas deux heures tous les soirs à coucher leurs enfants.

« Aux États-Unis, il est acquis que lorsque vous avez des enfants, votre temps ne vous appartient plus, me dit Marc. Mais les enfants ont besoin de comprendre qu'ils ne sont pas le centre du monde. »

Alors comment les parents s'y prennent-ils pour construire ce cadre ? La mise en place peut parfois sembler sévère. Mais il ne s'agit pas simplement de dire non et d'instaurer la règle du « C'est moi qui décide ». Les parents et éducateurs français construisent aussi le cadre en en parlant beaucoup. Ils passent en effet énormément de temps à expliquer à leurs enfants ce qui est autorisé et ce qui ne l'est pas. Toutes ces discussions semblent faire apparaître le cadre. Il se matérialise presque, un peu comme un mime arrive à nous faire « voir » un mur.

Cette conversation incessante au sujet du cadre est souvent très polie. Les parents disent fréquemment « s'il te plaît », même à leurs bébés. (Il faut manifestement être poli avec eux, puisqu'ils comprennent tout ce qu'on leur dit.) En posant des limites à leurs enfants, les parents français expriment par là même leurs droits. Plutôt que « Ne frappe pas Jules », ils diront : « Tu n'as pas le droit de frapper Jules. » La différence dépasse la sémantique, elle est de l'ordre de la sensation. La formulation française suggère qu'il existe un système fixe et cohérent de droits auquel enfants et adultes peuvent se référer. Et elle établit clairement que les enfants ont le droit de faire d'autres choses.

Les enfants s'approprient cette expression et se la rappellent entre eux. « Oh là là, on n'a pas le droit de faire ça » est un refrain que l'on entend souvent dans les cours d'école.

Autre expression que les adultes utilisent beaucoup avec les enfants : « Je ne suis pas d'accord. » Ce qui donne par exemple : « Je ne suis pas d'accord pour que tu lances tes petits pois par terre. » Les parents le disent avec sérieux, tout en regardant leurs enfants dans les yeux. « Je ne suis pas d'accord » a beaucoup plus de sens qu'un simple « non ». La formule positionne l'adulte en tant qu'esprit indépendant qui doit être considéré par l'enfant. Elle implique également que l'enfant peut avoir sa propre vision des petits pois, même si ce n'est pas celle qui l'emporte. Et s'il a rationnellement décidé d'en jeter par terre, il peut donc aussi décider d'agir autrement.

Ceci explique en partie pourquoi les repas sont si calmes. Au lieu d'attendre la fin d'une grosse crise en ayant recours à des punitions dramatiques, les parents et les personnes qui s'occupent des enfants se concentrent sur des ajustements préventifs légers et polis, basés sur des règles bien établies.

Je le constate à la crèche quand je prends place à la table des petits de dix-huit mois pour à nouveau partager l'un de leurs fabuleux déjeuners. Six bambins, bavoirs en éponge rose au cou, sont installés autour d'une table rectangulaire sous la supervision d'Anne-Marie. L'atmosphère est extrêmement paisible. Anne-Marie décrit les plats les uns à la suite des autres et annonce le suivant. Je remarque qu'elle fait très attention à tout ce qu'ils font et qu'elle reprend, sans lever la voix, leurs petites bêtises.

« *Doucement*, on ne fait pas ça avec une cuillère », dit-elle à un garçonnet qui tape sur la table avec son couvert. « Non, non, non, on ne touche pas le fromage, c'est pour tout à l'heure. » Quand elle s'adresse à un enfant, elle le regarde toujours dans les yeux.

Les parents français et les personnes qui s'occupent de leurs enfants ne pratiquent pas tout le temps ce niveau de micromanagement. J'ai noté qu'ils y ont plutôt recours aux moments des repas où il y a plus de petits gestes et de règles ainsi que de risques de chaos si les choses dérapent. Anne-Marie alterne ainsi entre conversation et corrections au fil des trente-cinq minutes du repas. À la fin, les visages des enfants sont couverts de nourriture, mais il n'y a qu'une miette ou deux par terre.

Comme Marc et Anne-Marie, les parents, nounous, puéricultrices et enseignants français que je rencontre exercent leur autorité sans passer pour des dictateurs. Ils n'ont pas l'intention d'élever des robots obéissants. Au contraire, ils écoutent leurs enfants et leur parlent tout le temps. En fait, les adultes qui ont le plus d'autorité sur les enfants sont ceux qui s'adressent à eux non pas comme un maître à son sujet, mais d'égal à égal. « Il faut toujours expliquer pourquoi quelque chose est interdit », me dit Anne-Marie.

Quand je demande aux parents français quel est leur vœu le plus cher pour leurs enfants, leurs réponses relèvent du registre du « bien se sentir dans sa peau » et « trouver sa voie ». Ils souhaitent que leurs enfants puissent développer leurs propres goûts et opinions et craignent qu'ils ne soient trop dociles. Ils veulent qu'ils aient du caractère.

Mais ils pensent qu'ils n'y parviendront que s'ils respectent les limites fixées et savent se contrôler. Le caractère ne vient donc pas sans le cadre.

Ce n'est pas facile de n'être entourée que d'enfants polis et de parents aux attentes aussi élevées. Jour après jour, je suis terriblement gênée lorsque mes fils se mettent à hurler ou à gémir quand nous traversons la cour entre notre ascenseur et le hall d'entrée de notre immeuble. C'est comme si on annonçait avec force trompettes à toutes les personnes dont l'appartement donne sur la cour : « Les Américains arrivent ! »

Un jour, pendant les vacances de Noël, Bean et moi sommes invitées à prendre le goûter chez une de ses copines d'école. Les enfants mangent des gâteaux et boivent du chocolat chaud (je prends du thé). Une fois que tout le monde est installé autour de la table, Bean décide que c'est le moment de faire des bêtises. Elle avale une gorgée de chocolat chaud et la recrache dans sa tasse.

Je meurs de honte. Je lui donnerais bien un coup de pied sous la table si j'étais sûre de ne pas frapper un autre enfant. Je lui souffle d'arrêter, mais je ne veux pas gâcher le goûter en faisant un drame. Pendant ce temps, les trois filles de notre hôte sont sagement assises autour de la table et grignotent leurs gâteaux.

Je vois bien comment les parents français construisent le cadre. Ce que je ne comprends pas, c'est comment ils arrivent à calmement y maintenir leurs enfants. Je ne peux m'empêcher de penser à ce vieil adage américain : « Si vous voulez maintenir quelqu'un dans le trou, il faut aller dans le trou avec lui. » C'est un peu comme ça chez nous. Si j'envoie Bean dans sa chambre, je dois rester avec elle, sinon elle en ressortira.

Forte de mon expérience avec Léo dans le bac à sable, j'essaie tout le temps d'être stricte. Pas toujours avec succès. J'ai du mal à savoir quand je dois serrer ou desserrer la vis.

Je déjeune un jour avec Madeleine, une nounou française qui a travaillé pour Robynne et Marc, afin de lui demander conseil. Elle vit dans un petit village breton, mais s'occupe en ce moment d'un nouveau bébé à Paris ; elle prend le relais d'une autre nounou pour la nuit (le petit « n'a pas encore trouvé son rythme », dit-elle).

Madeleine a soixante-trois ans, trois fils, les cheveux châtains grisonnants et un sourire chaleureux. Elle respire cette même assurance que je constate chez Frédérique et d'autres parents français. Comme eux, elle est sereinement convaincue de ses méthodes.

« Plus un enfant est gâté, plus il est malheureux », dit-elle pratiquement dès que nous nous asseyons.

Alors comment maintient-elle l'ordre ?

« Je fais les gros yeux », me répond-elle. Madeleine m'en fait immédiatement la démonstration. La dame aux apparences de grand-mère en pull rose et foulard assorti prend soudain l'allure d'une chouette effrayante. Même en simple démonstration, elle est très convaincante.

Moi aussi, je veux apprendre à faire les « gros yeux ». Nous nous entraînons tout en déjeunant. J'ai d'abord du mal à faire la chouette sans éclater de rire. Mais comme avec Frédérique dans le parc, quand j'arrive enfin au point de conviction, je sens la différence et n'ai plus du tout envie de rire.

Madeleine explique qu'elle n'essaie pas simplement de soumettre l'enfant en lui faisant peur. Selon elle, les « gros yeux » sont surtout efficaces quand il y a une relation forte avec l'enfant et un respect mutuel. Ce qu'il y a de plus satisfaisant dans son travail, dit-elle, c'est justement de tisser cette « complicité » avec l'enfant, comme s'ils voyaient le monde un peu de la même manière ou qu'elle soit presque capable de prévoir ce qu'il va faire. Y parvenir exige d'observer attentivement l'enfant, de lui parler et de lui faire confiance en lui accordant certaines libertés. Cela signifie aussi le considérer comme une personne.

Madeleine explique que si l'on veut construire avec un enfant une relation où les gros yeux soient efficaces, il faut savoir allier sévérité et souplesse et pouvoir donner de l'autonomie et la liberté de choisir. « Je crois qu'il faut leur laisser un peu de liberté, laisser s'exprimer leur personnalité. »

Elle ne voit aucune contradiction à avoir une relation profonde tout en étant très ferme. Son autorité semble venir de son lien avec l'enfant et pas d'une instance supérieure ; elle n'exclut pas la complicité, au contraire. « Il faut écouter l'enfant, mais c'est à nous de fixer les limites. »

Les « gros yeux » sont bien connus en France. Bean les craignait à la crèche. Beaucoup d'adultes français se souviennent des « gros yeux » de leur enfance et d'autres expressions du même genre.

« Elle avait cet air », dit Clotilde Dusoulier, l'auteure culinaire parisienne, en parlant de sa mère. Puis elle enchaîne à propos de ses deux parents : « Il y avait ce ton de voix qu'ils prenaient quand ils considéraient que l'on avait franchi la ligne. Sur leurs visages s'affichait une expression sévère, fâchée et pas contente du tout. Ils disaient " Non, on ne dit pas ça " ; on se sentait puni et un peu humilié. Et puis ça passait. »

Ce que je trouve intéressant, c'est que Clotilde se souvient avec tendresse des « gros yeux » et du cadre qu'ils renforçaient. « Elle était toujours très claire sur ce que l'on avait le droit de faire ou de ne pas faire », poursuit-elle au sujet de sa mère. « Elle arrivait à être affectueuse tout en ayant de l'autorité, sans jamais lever la voix. »

Parlons donc de lever la voix… Le moins que l'on puisse dire, c'est que je ne m'en prive pas. En criant, j'arrive parfois à pousser les enfants à se brosser les dents ou à se laver les mains. Mais cela me prend beaucoup d'énergie et crée une ambiance exécrable. Plus je m'énerve, plus je m'en veux et plus je suis fatiguée.

Les parents français savent s'adresser avec sévérité à leurs enfants. Mais en général, ils préfèrent les frappes chirurgicales aux bombardements intensifs. Ils se réservent le droit de hausser le ton pour les moments critiques, lorsqu'ils veulent absolument être écoutés. Quand je crie après mes enfants au parc ou à la maison en présence d'amis français, ces derniers prennent un air inquiet, croyant que quelque chose de grave vient de se passer.

Les parents américains comme moi considèrent souvent qu'une autorité respectée signifie discipline et punition. Ce ne sont pas des termes que j'entends fréquemment dans les propos des parents français. Ils préfèrent parler de l'*éducation* des enfants. Comme le suggère le mot, il s'agit de leur apprendre graduellement ce qui est acceptable et ce qui ne l'est pas.

En France, l'idée que les parents sont là pour « éduquer » et pas pour « faire la police » adoucit nettement le ton. Lorsque Léo refuse de se servir de ses couverts à table, je m'efforce d'imaginer que je lui apprends à utiliser une fourchette, un peu comme je lui apprendrais une lettre de l'alphabet. Cela m'aide à rester calme et patiente. Je n'ai plus l'impression qu'il me manque de respect et je ne me mets plus en colère s'il ne m'obéit pas sur-le-champ. Et comme il y a moins de pression, il est plus enclin à essayer. Je ne crie pas et le dîner est plus agréable pour tout le monde.

Je ne saisis pas tout de suite que le mot « strict » n'a pas le même sens pour les parents français et américains. Lorsque les Américains qualifient quelqu'un de strict, ils veulent généralement dire que la personne a un caractère autoritaire. L'image d'un enseignant revêche et sévère vient immédiatement à l'esprit. Je connais peu de parents américains qui utilisent ce mot pour se décrire. En revanche, la plupart des parents français s'en targuent volontiers.

Ils y mettent cependant un sens radicalement différent. Les parents français affirment être très stricts sur certains points et plutôt souples sur tout le reste. On revient au modèle du cadre : des limites fermes et beaucoup de liberté entre ces limites.

« Laissons l'enfant aussi libre que possible, sans lui imposer des règles sans intérêt », écrit Françoise Dolto dans *Les Étapes majeures de l'enfance*. « Laissons-lui seulement le cadre des règles indispensables à sa sécurité et il s'apercevra à l'expérience, lorsqu'il tentera de les transgresser, qu'elles sont indispensables et qu'on ne fait rien "pour l'embêter". » En d'autres termes, être strict sur quelques points rend les parents plus raisonnables et encourage les enfants à leur obéir.

Fidèles à la pensée de Françoise Dolto, les parents parisiens de la classe moyenne me disent qu'ils ne s'énervent généralement pas pour des petites bêtises. Ils n'y voient rien d'anormal pour des enfants de cet âge. « Si on réagit de la même façon à toutes les bêtises, comment peuvent-ils faire la différence entre ce qui est important et ce qui ne l'est pas ? » me demande mon amie Esther.

Pourtant ces mêmes parents avouent réagir immédiatement à certaines bêtises. Leurs zones de tolérance zéro sont variables, mais la plupart des parents que je connais expliquent que le respect des autres est un domaine non négociable. Ils font référence aux *bonjour*, *au revoir* et *merci* et au fait de parler poliment à ses parents et aux autres adultes.

La violence physique est un autre domaine où l'on ne négocie pas. On laisse souvent faire les enfants américains qui frappent leurs parents, même s'ils savent qu'ils n'en ont pas le droit. Les adultes français que je connais ne le tolèrent pas une seconde. Un jour, Bean m'a donné un coup devant Pascal, notre voisin, un célibataire bohème d'une cinquantaine d'années. D'habitude très coulant et décontracté, il s'est lancé dans un discours sévère sur pourquoi « on ne doit pas faire ça ». Sa soudaine conviction nous a toutes les deux stupéfaites.

Cet équilibre si français entre une attitude stricte sur quelques points et souple sur presque tous les autres est parfaitement illustré par l'heure du coucher. Quelques parents m'expliquent leur méthode : une fois que l'heure d'aller au lit a sonné, leurs enfants doivent rester dans leur chambre, mais ont le droit d'y faire ce qu'ils veulent.

J'essaie ce concept sur Bean, qui l'apprécie beaucoup. Elle ne réagit pas au fait d'être enfermée dans sa chambre, au contraire elle répète fièrement : « Je peux faire tout ce que je veux. » D'habitude, elle joue ou feuillette un livre, puis elle se couche toute seule.

Lorsque les garçons ont près de deux ans et qu'ils dorment dans des grands lits, je leur propose ce principe. Puisqu'ils partagent la même chambre, l'affaire provoque un peu plus de tapage... J'entends beaucoup de fracas de Lego. Mais tant qu'il ne paraît y avoir aucun danger, j'évite d'y retourner après leur avoir dit bonne nuit. Parfois, quand il se fait tard et qu'ils font encore beaucoup de bruit, je passe une tête et leur rappelle qu'il est l'heure de dormir, que je vais éteindre la lumière. Ils ne semblent pas y voir une violation du principe « on fait tout ce que l'on veut ». Généralement, ils sont épuisés et grimpent directement dans leur lit.

Pour éradiquer ma vision manichéenne de l'autorité, je rencontre Daniel Marcelli, chef du service de psychiatrie infanto-juvénile du centre hospitalier Henri-Laborit de Poitiers et auteur de plus d'une douzaine d'ouvrages psychanalytiques. Son avant-dernier livre, *Il est permis d'obéir*, s'adresse aux parents, mais évidemment il s'agit aussi d'une méditation sur la nature de l'autorité. Daniel Marcelli prend le temps de longuement développer ses arguments, citant Hannah Arendt et maniant les paradoxes avec délices, comme : les parents doivent dire oui la plupart du temps s'ils souhaitent avoir de l'autorité (c'est celui qu'il préfère). « Si vous interdisez tout le temps, vous êtes autoritaire », m'explique Daniel Marcelli entre café et chocolat. Le point principal de l'autorité parentale, poursuit-il, est d'autoriser les enfants à faire des choses, pas de les en empêcher.

Il donne l'exemple d'un enfant qui veut une orange, ou un verre d'eau, ou bien toucher un ordinateur. Si l'on en croit l'« éducation libérale » française contemporaine, l'enfant doit demander l'autorisation avant de toucher ou de prendre ces choses, commente-t-il. S'il approuve que l'enfant pose la question, il pense cependant que la réponse des parents devrait presque toujours être oui.

Les parents ne « devraient interdire que de temps en temps... parce que telle ou telle chose est fragile ou dangereuse. Mais fondamentalement, le travail des parents est d'apprendre à l'enfant à demander avant de prendre. »

Daniel Marcelli explique que cette dynamique cache un objectif à plus long terme avec ses propres paradoxes : si tout est bien fait, l'enfant atteindra finalement un point où il pourra alors choisir de désobéir.

« Le signe d'une éducation réussie est d'apprendre à un enfant à obéir jusqu'à ce qu'il puisse s'autoriser librement à désobéir de temps en temps. Car comment peut-on apprendre à désobéir à certains ordres si l'on n'a pas appris à obéir ? »

« La soumission est dévalorisante, explique Daniel Marcelli. Alors que l'obéissance permet à l'enfant de grandir. » (Selon lui, les enfants devraient aussi regarder un peu la télévision, afin de partager une culture commune avec leurs copains et copines.)

Si j'avais été élevée en France, où l'on étudie la philosophie au lycée, je saisirais sûrement plus facilement sa théorie sur l'autorité. Je comprends cependant qu'une partie du plaisir de construire un cadre stable pour les enfants est de les voir un jour le quitter et y revenir.

Daniel Marcelli reprend aussi un autre point que j'ai beaucoup entendu en France : sans limites, les enfants sont dévorés par leurs propres désirs. (« La nature de l'être humain est de ne pas avoir de limites », me dit-il.) Les parents français soulignent l'importance du cadre parce qu'ils savent que sans lui leurs enfants seront submergés par leurs impulsions. Le cadre les aide à contenir leur énergie et à la calmer.

Ceci expliquerait pourquoi mes enfants sont pratiquement les seuls à faire des caprices dans les parcs parisiens. Une crise a lieu lorsqu'un enfant est dépassé par ses propres désirs et ne sait plus comment s'arrêter. Les autres enfants ont l'habitude d'entendre « non » et de devoir l'accepter. Pas les miens. Mon « non » leur paraît incertain et faible. Il est impuissant face à l'escalade de leurs désirs.

Daniel Marcelli assure que le cadre n'empêche absolument pas les enfants d'être créatifs et « éveillés », « épanouis » comme diraient aussi les parents français. L'idéal français est précisément de promouvoir l'épanouissement de l'enfant dans les limites du cadre. Selon lui, seule une petite minorité de parents français pensent qu'il n'y a que l'épanouissement qui importe et ne fixent donc pas de cadre à leurs enfants. Son sentiment à l'égard de ce type de parents est on ne peut plus clair : « Leurs enfants ne vont pas bien du tout et sont désespérés. »

Je suis très impressionnée par cette nouvelle approche et déterminée à faire preuve d'autorité sans être autoritaire. Un soir, alors que je mets Bean au lit, je lui dis que je sais qu'elle a parfois besoin de faire des bêtises. Elle semble soulagée. C'est un beau moment de complicité.

« Tu peux le dire à Papa ? » me demande-t-elle.

Bean, qui après tout passe ses journées dans une école française, a un meilleur sens de la discipline que moi. Un matin que Simon est en déplacement professionnel, je suis en bas de l'immeuble avec les enfants. Nous sommes en retard. Je dois vite installer les jumeaux dans leur poussette, foncer à l'école déposer Bean, puis les amener à la crèche. Bien sûr, les garçons refusent de monter dans leur double engin à roulettes. Ils veulent marcher, ce qui nous prendra trop de temps. Pour couronner le tout, nous sommes dans la cour de l'immeuble et les voisins profitent de toute la scène.

Je rassemble toute l'autorité dont je suis capable avant d'avoir pris un café et insiste pour qu'ils montent dans la poussette. Peine perdue.

Bean regarde elle aussi mon manège et semble penser que je devrais pouvoir tenir deux petits garçons.

« T'as qu'à dire " un, deux, trois" », me lance-t-elle avec une irritation à peine contenue. C'est apparemment ce que font ses maîtresses lorsqu'un enfant peu coopératif refuse d'obéir.

Dire « un, deux, trois » n'est vraiment pas sorcier. Certains parents américains le font sûrement. Mais cela relève d'une logique typiquement française. « Cela donne du temps à l'enfant, c'est une marque de respect », explique Daniel Marcelli.[1] L'enfant devrait avoir le droit de jouer un rôle actif en obéissant, ce qui exige de lui laisser un peu de temps afin qu'il puisse réagir.

Dans *Il est permis d'obéir*, Daniel Marcelli donne l'exemple d'un enfant qui s'empare d'un couteau pointu. « Sa mère le regarde et lui dit, le visage "froid", le ton ferme et neutre, les sourcils légèrement froncés : "Pose ça !" Dans cet exemple, l'enfant regarde sa maman et ne bouge pas. Quinze secondes plus tard, sa mère ajoute, d'un ton plus ferme : "Tu le reposes tout de suite." Et dix secondes plus tard : "Tu as compris ?" »

Daniel Marcelli raconte que le petit garçon repose alors le couteau sur la table. « Le visage de la mère se détend, sa voix devient plus douce et elle lui dit : "C'est bien." Puis elle lui explique que c'est dangereux et que l'on peut se couper avec un couteau. » Daniel Marcelli souligne que même si l'enfant a fini par obéir, il a également tenu un rôle actif. Le respect était mutuel. « L'enfant a obéi, sa mère le remercie, mais sans excès, son enfant reconnaît son autorité... pour cela, il faut des mots, du temps, de la patience et une reconnaissance réciproque. Si sa mère s'était précipitée sur lui et lui

313

avait retiré vigoureusement le couteau des mains, il n'aurait pas compris grand-chose. »

Être le chef tout en écoutant et respectant son enfant n'est pas un équilibre facile à atteindre. Un après-midi, alors que j'habille Joey pour quitter la crèche, il s'effondre soudain en larmes. Je suis gonflée à bloc avec ma nouvelle résolution « c'est moi qui décide » et j'ai la foi d'une convertie. Je décide que c'est du même ordre qu'Adrien sur la balance chez le médecin : je vais le forcer à s'habiller.

Mais Fatima, sa puéricultrice préférée, entend notre raffut et nous rejoint dans la salle de change. Elle tente la tactique opposée. Joey fait peut-être tout le temps des crises à la maison, mais à la crèche c'est plutôt rare. Elle se penche vers lui et lui caresse le front.

« Qu'est-ce qu'il y a ? » lui demande-t-elle gentiment à plusieurs reprises. Elle ne considère pas cette crise comme l'expression abstraite et inévitable d'un enfant capricieux de deux ans, mais comme le désir d'exprimer quelque chose de la part d'un petit être rationnel.

Au bout d'une ou deux minutes, Joey se calme suffisamment pour expliquer, avec un méli-mélo de mots et de gestes, qu'il veut son bonnet dans le casier. Voilà toute la raison de ces pleurs ! (Je croyais qu'il l'avait déjà pris.) Fatima fait descendre Joey de la table à langer, puis le regarde aller vers son casier, l'ouvrir et en sortir son bonnet. Il est maintenant sage et prêt à partir.

Fatima n'est pas faible avec les enfants. Elle a beaucoup d'autorité sur eux. Pour elle, ce n'est pas parce qu'elle a patiemment écouté Joey qu'elle lui a cédé. Elle l'a calmé, puis lui a donné une chance d'exprimer ce qu'il voulait.

Malheureusement, les scénarios sont infinis et il n'y pas de règle pour chaque cas. Les Français ont une foule de principes contradictoires et quelques règles inflexibles. Il faut parfois écouter attentivement votre enfant et d'autres fois, le mettre simplement sur la balance. Il s'agit d'établir des limites, mais aussi d'observer son enfant, de tisser une relation de complicité et de s'adapter à différentes situations.

Pour certains parents, tout ceci devient sûrement naturel. Mais pour le moment, je me demande si je serai un jour naturellement capable de cet équilibre. C'est un peu comme les gens qui apprennent la salsa à trente ans et ceux qui l'apprennent en grandissant avec leur père. J'en suis encore à compter mes pas et à marcher sur les pieds des autres.

Je connais certains foyers américains où il n'est pas rare que l'enfant soit envoyé dans sa chambre à chaque repas, alors qu'en France, malgré les multiples petits rappels à l'ordre, être puni reste une affaire sérieuse.

Souvent, la punition consiste à aller dans sa chambre ou au coin. D'autres fois, les parents donnent une fessée. Je n'ai assisté que très peu de fois à des fessées à Paris, mais selon certaines de mes amies, elles sont plus fréquentes qu'on ne le croit. Lors du spectacle de *Boucle d'or et les trois ours*, la comédienne interprétant le rôle de la maman ours demande au public ce que mérite le bébé ours qui a fait des bêtises.

« La fessée ! » hurle en chœur la foule de petits. Au cours d'un sondage national[2], 19 % de parents français ont déclaré qu'ils donnaient « de temps en temps » des fessées à leurs enfants ; 46 % ont répondu « rarement », 2 % « souvent » et « jamais » pour les 33 % restants.[3]

Dans le passé, la fessée a certainement joué un rôle plus important dans l'éducation des enfants, en renforçant l'autorité des adultes. Mais les temps changent. Tous les experts français dans le domaine de l'éducation dont je lis les ouvrages s'y opposent.[4] Au lieu de la fessée, ils recommandent aux parents de dire « non ». À l'instar de Daniel Marcelli, ils expliquent que le « non » doit être utilisé avec modération. En revanche, une fois prononcé, il doit être ferme et définitif.

L'idée n'est pas nouvelle. Elle remonte en fait à Rousseau. « Accordez avec plaisir, ne refusez qu'avec répugnance, écrit-il dans l'*Émile* ; mais que tous vos refus soient irrévocables ; qu'aucune importunité ne vous ébranle ; que le non prononcé soit un mur d'airain, contre lequel l'enfant n'aura pas épuisé cinq ou six fois ses forces, qu'il ne tentera plus de le renverser. C'est ainsi que vous le rendrez patient, égal, résigné, paisible, même quand il n'aura pas ce qu'il a voulu. »

En plus du gène de la vitesse, Léo est né avec celui de la subversion.

« Je veux de l'eau, annonce-t-il un soir au dîner.

— Et le mot magique ? dis-je gentiment.

— De l'eau ! » réplique-t-il d'un air narquois. (Bizarrement, Léo – qui ressemble surtout à Simon – parle avec un léger accent anglais, alors que Bean et Joey ont tous les deux des intonations américaines.)

Établir un cadre pour ses enfants demande beaucoup d'efforts. Cela exige énormément de répétitions et d'attention au cours des premières années. Mais une fois qu'il est en place, il simplifie et apaise la vie de tout le monde (en tout cas, en apparence !). Dans les moments de désespoir, je lance à mes enfants, en français : « C'est moi qui décide ! » Prononcer cette phrase a déjà un étrange pouvoir fortifiant. Mon dos se redresse rien qu'en l'énonçant.

L'éducation à la française requiert également un changement de paradigme. J'ai tellement l'habitude de croire que tout tourne autour des enfants. Être plus « française » implique de déplacer le centre de gravité familial et de laisser mes propres désirs s'épanouir un peu eux aussi.

La sensation d'avoir un certain contrôle de la situation rend le fait d'avoir trois enfants nettement plus gérable. Un week-end de printemps où Simon est en déplacement, je laisse nos trois chérubins traîner tapis et couvertures jusqu'au balcon et se construire une sorte de salon marocain. Puis je leur apporte du chocolat chaud qu'ils sirotent assis sur leurs tapis.

Lorsque je raconte leur aventure à Simon, il me demande aussitôt : « Ça ne t'a pas trop stressée ? » Cela aurait certainement été le cas quelques semaines plus tôt : je me serais sentie dépassée par les enfants ou aurais été trop tendue pour en profiter. Il y aurait eu des cris et les voisins auraient largement pu en profiter (notre balcon donne sur la cour).

Mais maintenant que c'est moi qui décide, du moins un peu plus, avoir trois enfants qui boivent du chocolat chaud sur le balcon ne me semble plus insurmontable. Je me suis même assise pour prendre un café avec eux.

Un matin, j'accompagne Léo, sans son frère, à la crèche. (Simon et moi nous sommes divisé les tâches du matin.) Alors que nous descendons dans l'ascenseur, j'ai une sensation de terreur. Je décide de lui dire fermement qu'il n'y aura pas de scène dans la cour. Je lui présente cette nouvelle règle comme si elle avait toujours existé. Je l'explique avec vigueur en le regardant dans les yeux. Je lui demande s'il a bien compris et marque une pause pour lui laisser une chance de répondre. Après un moment de réflexion, il me dit que oui.

Lorsque nous ouvrons la porte vitrée de l'ascenseur et traversons la cour, le silence règne. Pas de cri, ni de gémissement. Juste un petit garçon très rapide qui me tire derrière lui.

CHAPITRE 14

LAISSEZ-LE VIVRE SA VIE

U n jour, une note est affichée à l'école de Bean : les parents des élèves de quatre à onze ans peuvent inscrire leurs enfants à un séjour de vacances dans les Hautes-Vosges, une région rurale à environ cinq heures de route de Paris. Le séjour, *sans* les parents, durera huit jours.

Je suis incapable de m'imaginer envoyer Bean, qui a cinq ans, en vacances pendant huit jours. Elle n'a jamais passé plus d'une nuit seule chez ma mère. Pour ma part, la première fois que j'ai fait une sortie de plus d'un jour – à Sea World, un parc aquatique – j'étais au collège.

Ce séjour est une nouvelle occasion de me rappeler que même si j'emploie maintenant le subjonctif et parviens à me faire respecter de mes enfants, je ne serai jamais vraiment française. Si je l'étais, je regarderais l'affiche et dirais, comme la maman à côté de moi, qui a elle aussi une fille de cinq ans : « Que c'est dommage, nous avons déjà quelque chose de prévu. » Aucun des parents français ne panique à l'idée de laisser leur enfant de quatre ou cinq ans partir vivre en groupe, douche et dortoir compris, pendant une semaine.

Je découvre bientôt que ce voyage n'est que le premier d'une longue série. J'avais dix ou onze ans la première fois que j'ai participé à un camp d'été. Mais en France, il y a des centaines de colonies de vacances pour les enfants dès l'âge de quatre ans. Dans la plupart des cas, les plus jeunes partent pour sept ou huit jours, à la campagne où ils font du poney, nourrissent des chèvres, apprennent des chansons et « découvrent la nature ». Pour les enfants plus âgés, il existe des colonies spécialisées en théâtre, kayak ou astronomie.

Donner aux enfants un certain degré d'indépendance et valoriser force intérieure et confiance en soi font clairement partie de l'éducation française. Les Français appellent cela l'*autonomie*. Et généralement, ils font le maximum pour que leurs enfants soient le plus autonomes possible. Physiquement autonomes, comme lorsqu'ils partent en séjours scolaires. Et émotionnellement autonomes, en les laissant se construire leur estime personnelle indépendamment des éloges des parents et d'autres adultes.

J'admire beaucoup de facettes de l'éducation à la française. J'ai essayé d'assimiler la façon française de manger, d'exercer l'autorité et d'apprendre à mes enfants à jouer tout seuls. Je me suis mise à parler longuement avec les bébés et à laisser mes enfants « découvrir » les choses par eux-mêmes, au lieu de les pousser à acquérir des compétences. Dans les moments de crise ou de confusion, je me demande souvent : que ferait une mère française ? Mais j'ai plus de problèmes à accepter ce qui découle de l'engouement français pour l'autonomie, comme par exemple les séjours scolaires. Évidemment, je ne veux pas que mes enfants dépendent de moi. Mais pourquoi aller aussi vite ? Doit-on les pousser si tôt à être autonomes ? Les Français ne vont-ils pas trop loin sur ce point-là ? Dans certains cas, la volonté de rendre les enfants autonomes semble se heurter frontalement aux instincts basiques qui m'incitent à les protéger et à tout faire pour qu'ils se sentent bien.

Les parents américains donnent leur indépendance aux enfants de façon très différente. Ce n'est qu'après avoir épousé Simon, un Européen, que je me rends compte que j'ai passé la plus grande partie de mon enfance à acquérir des techniques de survie. C'est difficile à imaginer en me voyant, mais je sais tirer à l'arc, redresser un canoë renversé, faire un feu sur le ventre de quelqu'un – en toute sécurité – et transformer un jean en gilet de sauvetage tout en écopant !

En tant qu'Européen, Simon n'a pas eu droit à cet apprentissage des techniques de survie en milieu extrême. Il n'a jamais appris comment planter une tente ou diriger un kayak. Il aurait déjà assez de mal à trouver l'entrée d'un sac de couchage. Il survivrait un quart d'heure dans le monde sauvage – et encore, s'il avait un livre.

L'ironie veut que j'aie acquis toutes ces techniques de survie dans des colonies de vacances très cadrées où mes parents avaient signé des décharges légales en cas de noyade. Et c'était bien avant qu'il y ait des webcams dans les salles de classe et des gâteaux d'anniversaire végétaliens sans noix.

Mais malgré leurs badges de scouts et leurs revers meurtriers, les enfants américains de la classe moyenne sont notoirement très protégés. « La tendance actuelle en termes de parentalité est de protéger les enfants de tout désagrément émotionnel ou physique », écrit Wendy Mogel, la psychologue américaine dans *The Blessing of a Skinned Knee*. Au lieu de laisser leurs enfants libres, les parents fortunés conseillés par Wendy Mogel « tentent d'armer leurs enfants d'une épaisse couche de compétences en leur faisant suivre quantité de leçons et en leur mettant la pression pour qu'ils soient les meilleurs ».

Si les Américains ne mettent pas autant l'accent sur l'autonomie, c'est parce qu'ils ne sont pas convaincus que ce soit une bonne chose. Nous avons plutôt tendance à croire que nous devons être le plus présents possible pour protéger nos enfants de tout danger et atténuer les turbulences émotionnelles. Depuis que Bean est née, Simon et moi plaisantons en disant que nous déménagerons tout simplement là où

Bean ira à la fac. Jusqu'au jour où je lis un article expliquant que certaines universités américaines organisent maintenant des « cérémonies de séparation » pour les parents des étudiants qui entrent en première année afin de bien leur faire comprendre que le temps des au revoir est venu.

Les parents français ne semblent pas avoir ce fantasme de contrôle sur leurs enfants. Certes, ils veulent les protéger, mais ils ne sont pas obsédés par de vagues risques éventuels. Quand elles voyagent, les femmes n'envoient pas tous les jours un e-mail à leur mari pour lui rappeler de verrouiller la porte d'entrée et de bien baisser l'abattant de la cuvette des toilettes (afin d'éviter qu'aucun enfant ne tombe dedans).

En France, la pression sociale encouragerait plutôt le contraire. Si un parent colle trop à son enfant ou semble s'immiscer dans tous les détails de ses expériences, il s'entendra sûrement dire quelque chose du genre : « Laisse-le vivre sa vie. » Mon amie Sharon, l'agent littéraire avec deux enfants, explique : « Ici, pousser un enfant au maximum pose problème. On croit plutôt qu'il faut laisser les enfants vivre leur vie. »

L'importance accordée à l'autonomie remonte à Françoise Dolto. « L'important, c'est que l'enfant soit en sécurité, autonome, le plus tôt possible, écrit-elle dans *Les Étapes majeures de l'enfance*. L'enfant a besoin de se sentir "aimé à devenir" sûr de lui dans l'espace, de jour en jour plus librement, laissé à son exploration, à son expérience personnelle et dans ses relations avec ceux de son âge. »

Françoise Dolto propose simplement de laisser l'enfant seul, en toute sécurité, afin qu'il se débrouille. Il s'agit aussi de le respecter en tant qu'être séparé de ses parents, capable de gérer des défis. Selon elle, quand il approche de ses six ans, il doit pouvoir faire seul tout ce qui le concerne à la maison et dans la société.[1]

La façon de faire française peut être dure à accepter, même pour les parents américains les mieux intégrés. Mon amie Andi, une peintre qui a vécu plus de vingt ans en France, se rappelle du moment où elle a appris que son fils – qui avait alors six ans – allait partir en séjour scolaire.

« Tout le monde te dit que c'est génial, parce qu'ils vont aller en *classe verte* en avril. Et toi, tu penses "Hemm, c'est quoi ça une *classe verte* ? Oh, une excursion. Et c'est une semaine ? Quoi ? Ça dure *une semaine* ? !" » Dans l'école de son fils, les séjours étaient optionnels jusqu'au CP. Par la suite, les vingt-cinq enfants de la classe étaient supposés partir en séjour d'une semaine tous les printemps.

Pour une mère américaine, Andi n'est pas vraiment du genre crampon. Elle n'arrivait pourtant pas à se faire à l'idée de cette « classe verte » – qui devait avoir lieu près de marais salants sur la côte Atlantique de la France. Son fils n'avait jamais dormi chez un copain et elle lui donnait encore sa douche tous les soirs. Elle ne pouvait pas imaginer qu'il puisse s'endormir sans qu'elle le borde. Elle appréciait sa maîtresse, mais elle ne connaissait pas les autres adultes qui devaient superviser le séjour – le neveu de l'institutrice, la responsable du centre de loisirs et « quelqu'un que connaissait la maîtresse », se rappelle-t-elle.

Quand Andi a parlé du séjour à ses trois sœurs aux États-Unis, elles ont complètement paniqué : « Tu n'es pas obligée de faire ça ! » se sont-elles écriées. L'une d'entre elles, avocate, lui a demandé : « Est-ce que tu as signé quelque chose ? » Andi raconte qu'elles s'inquiétaient surtout des risques de pédophilie.

Lors d'une réunion informelle à propos du séjour, une autre mère américaine de la classe a demandé à la maîtresse comment elle réagirait si un fil électrique tombait dans l'eau au moment où un enfant y mettait le pied. Andi se souvient des petits rires des autres parents. Elle était soulagée de ne pas avoir posé la question, mais elle reconnaît qu'elle reflétait ses propres « névroses cachées ». Le souci principal d'Andi – qu'elle n'osa pas exprimer à la réunion – était de savoir ce qu'il se passerait si son fils était triste ou contrarié durant le séjour. Quand cela arrivait à la maison, dit-elle, « j'essayais de l'aider à identifier ses émotions. S'il se mettait à pleurer sans savoir pourquoi, je lui demandais : "Tu as peur, tu es frustré, tu es en colère ?" C'était ma façon de faire. J'étais du genre "Bon, on va voir ça ensemble." »

L'importance accordée par les Français à l'autonomie s'étend bien au-delà des séjours scolaires. Mon cœur bondit fréquemment quand je vois des petits qui foncent à toute allure sur les trottoirs, leurs parents marchant tranquillement derrière eux. Ils leur font confiance pour s'arrêter au coin de la rue et les attendre. Cette vision me terrifie toujours, surtout lorsqu'ils sont sur des trottinettes.

Je vis dans un monde composé des pires scénarios. Lorsque je rencontre mon amie Hélène dans la rue et que nous nous arrêtons pour discuter, elle laisse ses trois filles s'éloigner un peu vers le bord du trottoir. Elle a confiance, elles ne vont pas se précipiter d'un coup sur la route. Bean ne le ferait sûrement pas non plus. Mais au cas où, je lui tiens quand même la main et la maintiens près de moi. Simon me rappelle que j'ai un jour refusé qu'elle s'asseye dans les tribunes d'un match de foot de peur qu'elle soit frappée par un ballon.

À de multiples petites occasions, je me dis que je devrais pouvoir aider mes enfants, alors qu'ils sont en fait censés se débrouiller tous seuls. Il m'arrive souvent de rencontrer dans la rue les puéricultrices de la crèche des garçons qui vont acheter du pain, accompagnées d'un groupe de petits. Ce n'est pas une sortie officielle, elles font simplement une promenade avec les enfants. Bean a fait des sorties scolaires au zoo et dans un grand parc à l'extérieur de Paris, dont je n'entends parler, par hasard, que des semaines plus tard (quand je l'amène justement au même zoo !). On ne me demande jamais de signer de décharges officielles. Les parents français ne craignent visiblement pas qu'il se passe quoi que ce soit de fâcheux lors de ces excursions.

Je ne suis même pas autorisée à aller dans les coulisses pour le spectacle de danse de Bean. Je m'assure qu'elle a bien une paire de collants blancs, seule et unique instruction donnée aux parents. Je n'ai jamais parlé à l'enseignante. Elle a une relation avec Bean, pas avec moi. Lorsque nous arrivons au théâtre, je la laisse entre les mains d'une assistante qui l'accompagne dans les coulisses.

Cela fait des semaines que Bean me dit : « Je ne veux pas être une marionnette. » Je n'étais pas sûre de bien comprendre, mais tout s'éclaire au lever de rideau. Bean avance sur la scène, costumée et maquillée avec une douzaine d'autres fillettes qui font des mouvements saccadés des bras et des jambes sur une chanson intitulée *Marionetta*. Les petites sont complètement désynchronisées (ça ne fait pas partie de la chorégraphie !). Elles ressemblent à des marionnettes fugitives qui auraient bu un peu trop de cognac.

Bean fait la démonstration qu'elle a mémorisé toute une chorégraphie de dix minutes sans que je sache quoi que ce soit. Lorsqu'elle sort des coulisses après le spectacle, je m'émerveille de sa performance. Mais elle paraît déçue.

« J'ai oublié de ne pas être une marionnette », dit-elle.

Il n'y a pas que dans leurs activités périscolaires que les enfants français font preuve de plus d'indépendance. Ils sont également plus autonomes dans leurs relations avec les autres. Les parents français ne semblent pas intervenir aussi vite que les Américains dans les disputes au parc ou dans les querelles entre frères et sœurs. Ils pensent que les enfants doivent se débrouiller pour régler ces situations de crise. Les cours de récréation françaises sont connues pour être de vraies mêlées générales, la plupart des enseignants regardant le chaos en restant postés à la périphérie.

Un après-midi que je vais chercher Bean à la maternelle, elle arrive de la cour avec une balafre rouge sur la joue. La coupure n'est pas profonde, mais elle saigne. Elle refuse de me dire ce qui s'est passé (mais elle n'a pas l'air inquiète et ne semble pas avoir mal). Sa maîtresse affirme ne rien savoir. Je suis pratiquement en larmes quand je m'adresse à la directrice de l'école qui ne sait rien elle non plus. Elles semblent surprises que j'en fasse une telle histoire.

Ma mère, qui est alors en visite chez nous, est médusée par cette négligence. Elle maintient qu'aux États-Unis, une blessure pareille entraînerait une enquête officielle, des appels des parents et de longues explications.

Ce genre d'incidents contrarie de toute évidence les parents français, mais ils n'en font pas non plus des tragédies grecques. « En France, nous aimons bien que les enfants se bagarrent un peu », me dit l'auteure et journaliste Audrey Goutard. « C'est notre côté français et méditerranéen. Nous aimons que nos enfants sachent défendre leur territoire et se disputent un peu avec les autres… Une certaine violence entre enfants ne nous gêne pas. »

Le refus de Bean de me dire qui lui a fait mal reflète certainement un autre aspect de cette philosophie de l'autonomie. « Trahir » quelqu'un – *rapporter* comme on dit en français – est très mal vu. Selon les théories de certains, cette habitude se serait développée en réaction aux dénonciations qui eurent cours pendant la Seconde Guerre mondiale. Lors de l'assemblée générale de copropriété de notre immeuble, dont beaucoup de propriétaires ont vécu la guerre, je demande si quelqu'un sait qui renverse notre poussette dans l'entrée.

« On ne rapporte pas », répond une vieille dame. Cela fait rire tout le monde. Les Américains eux non plus n'aiment pas les commérages. Mais en France, y compris entre enfants, savoir supporter quelques égratignures et tenir sa langue sont considérés comme des valeurs sûres. Même dans les familles, les gens ont le droit d'avoir leurs secrets.

« Je peux avoir des secrets avec mon fils qu'il ne dira pas à sa mère », me dit Marc, le golfeur français. Un jour, je vois un film français dans lequel un économiste français connu va chercher sa fille dans un commissariat de police parisien. Elle a été arrêtée pour vol à l'étalage et possession de cannabis. De retour, dans la voiture, elle se défend en déclarant qu'au moins elle n'a pas « balancé » l'ami qui l'accompagnait.

Cette culture du secret crée une vraie solidarité entre les enfants. Ils apprennent à compter les uns sur les autres et sur eux-mêmes, plutôt que se précipiter vers leurs parents ou leurs maîtresses. La vérité absolue n'est certainement pas autant vénérée qu'aux États-Unis. Marc et Robynne, sa femme américaine, me racontent un incident récent : leur fils Adrien, qui a maintenant dix ans, a vu un élève qui allumait des pétards à l'école. La pétarade a été suivie d'une grande enquête. Robynne a insisté pour qu'Adrien aille dire à la direction de l'école ce qu'il avait vu. Marc lui a alors conseillé de prendre en considération la réputation du garçon et la probabilité qu'il vienne lui casser la figure.

« Il faut mesurer les risques, dit Marc. S'il a plutôt avantage à ne rien faire, alors il vaut mieux se taire. Je veux que mon fils sache analyser les situations. »

Tout est fait pour que les enfants tirent les leçons de leurs expériences et je m'en rends clairement compte au cours des travaux dans l'appartement. Comme tous les parents américains que je connais, je veux que tout soit rigoureusement sans danger pour les enfants. Je choisis un revêtement en caoutchouc pour le sol de la salle de bains afin d'éviter qu'ils glissent sur le carrelage mouillé. Je tiens aussi absolument à ce que tous les appareils électroménagers soient équipés d'une sécurité enfant et que l'extérieur de la porte du four soit isolé de la chaleur.

Régis, l'entrepreneur, un Bourguignon plein de bon sens et de malice, me prend pour une folle. Il dit que la meilleure façon d'avoir un four « sans danger pour les enfants » est de les laisser le toucher une fois pour qu'ils se rendent compte que c'est chaud. Il refuse d'installer le revêtement en caoutchouc dans la salle de bains, argumentant que cela sera atrocement laid. Je capitule, mais seulement quand il mentionne la valeur de revente de l'appartement. Je ne cède pas d'un pouce sur la porte du four.

Le jour où je vais raconter une histoire en anglais dans la classe de maternelle de Bean, la maîtresse leur donne une brève « leçon » d'anglais juste avant que je commence. Elle montre un crayon aux enfants et leur demande de dire, en anglais, de quelle couleur il est. Un enfant de quatre ans répond à la question en parlant de ses chaussures.

« Ceci n'a rien à voir avec la question », le reprend la maîtresse. Je suis surprise par sa réaction. Je m'attendais à ce qu'elle trouve quelque chose de positif à dire, même si la réponse de l'enfant était très loin de la question. Je viens de la culture américaine où, comme le décrit Annette Lareau, « chaque pensée de l'enfant est considérée comme une contribution spéciale »[2]. En accordant de l'importance à tous les commentaires des enfants, même les plus décalés, nous essayons de leur donner confiance et de les aider à se sentir bien dans leur peau.

En France, cette façon d'éduquer les enfants sort clairement du lot. Je le constate un jour où j'accompagne Bean et les garçons jouer sur des trampolines installés aux jardins des Tuileries, près du Louvre. Chacun rebondit sur son trampoline à l'intérieur d'une zone entourée de barrières, sous les yeux des parents assis sur des bancs. Mais une mère a apporté une chaise à l'intérieur de l'enceinte des barrières et l'a posée en face du trampoline de son fils. Elle lance un « Waouh ! » à chacun de ses sauts. Avant même de me rapprocher pour l'entendre parler, je suis certaine qu'elle est anglophone.

Je le sais, parce que même si j'arrive à me retenir devant les trampolines, j'ai très envie de crier « Voup ! » chaque fois que l'un de mes enfants glisse sur un toboggan. Une abréviation efficace pour dire : « Je vois ce que tu es en train de faire ! C'est super ! Tu es fantastique ! » Et je m'extasie d'ailleurs de la même manière devant leurs pires dessins et créations. Je m'y sens absolument obligée afin de renforcer leur estime de soi.

Les parents français veulent eux aussi que leurs enfants aient confiance en eux et soient *bien dans leur peau*. Mais ils adoptent à ces fins une stratégie différente de l'américaine, voire carrément opposée. Les félicitations à tout va ne leur semblent pas toujours être la bonne solution.

Aux yeux des Français, les enfants ont confiance en eux lorsqu'ils sont capables de faire les choses tout seuls et de bien les faire. Une fois qu'ils ont appris à parler, les adultes ne les félicitent pas dès qu'ils ouvrent la bouche. Ils les complimentent simplement quand ils ont des propos intéressants et quand ils s'expriment bien. Selon la sociologue Raymonde Carroll, les parents français souhaitent apprendre à leurs enfants à « bien se défendre » verbalement. Elle cite l'une de ses sources : « En France, si l'enfant a quelque chose à dire, on l'écoute. Mais il ne doit pas être trop long s'il veut garder son public ; s'il fait trop durer, la famille termine les phrases pour lui. Cela lui donne l'habitude de mieux formuler ses idées avant de parler. Les enfants apprennent à parler vite et à dire des choses intéressantes. »[3]

Mais même quand les petits Français disent des choses intéressantes – ou donnent simplement la bonne réponse –

les adultes français ne font pas preuve d'un enthousiasme débordant. Dès que quelque chose est bien fait, ils ne bondissent pas en s'exclamant : « Super, beau travail ! » Quand j'accompagne Bean à la PMI pour une visite de contrôle, la pédiatre lui demande de faire un puzzle en bois ; Bean s'exécute. Le médecin regarde le puzzle terminé, puis fait quelque chose dont je suis par nature incapable, c'est-à-dire presque rien. Elle marmonne un faible « bon » – plutôt genre « on continue » que « c'est bien » – et poursuit la consultation.

Non seulement les enseignants et les figures de l'autorité ne félicitent pas quotidiennement les enfants, mais à ma grande déception, ils ne les couvrent pas non plus d'éloges auprès de leurs parents. J'espérais que ce soit une excentricité de la maîtresse quelque peu maussade de Bean en première année de maternelle. L'année suivante, elle a deux maîtresses, dont Marina, une jeune femme dynamique et très chaleureuse avec qui elle s'entend très bien. Mais quand je lui demande comment se débrouille ma fille, elle me répond que Bean est « très compétente ». (Je le tape dans Google Translate afin de m'assurer que je ne passe pas sur une nuance du mot *compétence* qui pourrait aussi signifier « excellence ». Mais non, cela ne signifie rien d'autre que « compétent ».)

Heureusement que je ne m'attends à rien de spécial lorsque Simon et moi rencontrons Agnès, l'autre maîtresse de Bean, à l'occasion du rendez-vous de fin de trimestre. Elle aussi semble ne pas vouloir mettre d'étiquette sur Bean, ni faire de commentaires généraux. Elle se contente d'un laconique « Tout va bien ». Puis elle nous montre la seule feuille d'exercices – sur des douzaines – que Bean a du mal à terminer. Je quitte le rendez-vous sans savoir comment ma fille se situe par rapport aux autres.

Après le rendez-vous, je suis énervée qu'Agnès n'ait rien dit de positif sur Bean. Simon souligne que les instituteurs français ne considèrent pas que cela fasse partie de leurs tâches. Le rôle d'Agnès est plutôt de mettre à jour d'éventuels problèmes. Si l'enfant a du mal sur un sujet, l'enseignant doit en informer les parents ; s'il se débrouille bien, il n'y a rien à dire.

Se concentrer ainsi sur le négatif plutôt que renforcer le moral de l'enfant en l'encourageant est une caractéristique bien connue (et souvent critiquée) du système scolaire français. Il est pratiquement impossible d'obtenir la note maximale de 20 sur 20 au baccalauréat français. Une moyenne de 14 sur 20 est considérée comme très satisfaisante et 16 sur 20 est un excellent résultat.

Grâce à des amis, je rencontre Benoît, père de deux enfants et professeur dans l'une des meilleures universités de France. Il me raconte que bien que son fils ait d'excellents résultats au lycée, il n'a jamais eu de commentaire plus positif sur ses copies que « Des qualités ». Selon Benoît, les enseignants français ne notent pas leurs élèves en les évaluant les uns par rapport aux autres, mais par rapport à un idéal qui n'est pratiquement jamais atteint.[4] Même pour une copie exceptionnelle, « les Français écriront "Correct, pas trop mal, mais il y a ceci et cela qui ne va pas" ».

Lorsque les élèves arrivent au lycée, poursuit Benoît, l'expression des sentiments et des opinions n'est pas du tout valorisée. « Si vous dites "J'aime ce poème parce qu'il me fait penser à une expérience que j'ai vécue", vous avez tout faux… Ce que l'on apprend au lycée, c'est à raisonner. On n'est pas supposé être créatif, mais avoir une pensée claire. »

Lorsque Benoît a pris un poste temporaire à Princeton, il a été surpris que les étudiants l'accusent de les noter trop sévèrement. « J'ai découvert qu'il fallait toujours écrire quelque chose de positif, même sur les pires copies », se souvient-il. Il y a même eu un incident, où il a dû se justifier d'avoir mis un D à un étudiant. Inversement, j'ai entendu parler de parents français se plaignant d'une professeure américaine qui enseignait dans un lycée français et donnait des notes entre 18 et 20 sur 20. À leurs yeux, cela signifiait que les cours étaient trop faciles et que ces notes n'avaient pas de valeur. »

Toutes ces critiques peuvent intimider les enfants. Une de mes amies a suivi sa scolarité dans des écoles françaises avant d'entrer dans un lycée américain à Chicago. Elle se souvient d'avoir été frappée de voir les élèves américains s'exprimer avec autant d'assurance en cours. Elle raconte que contrairement aux écoles françaises où elle avait grandi, les élèves n'étaient pas immédiatement critiqués parce qu'ils se trompaient ou parce qu'ils posaient des questions idiotes. Une autre amie, une médecin française qui vit à Paris, me parle avec enthousiasme du nouveau cours de yoga qu'elle prend avec une prof américaine. « Elle n'arrête pas de me dire que j'y arrive bien et que je suis belle ! » Jamais au fil de ses nombreuses années d'études elle n'a reçu autant de louanges.

En général, les parents français que je connais sont beaucoup plus encourageants que les enseignants. Ils félicitent leurs enfants et leur donnent des signes positifs pour soutenir leurs efforts. Malgré tout, ils ne les couvrent pas de félicitations comme le font les Américains.

Je commence à voir l'intérêt de ne pas être constamment aussi élogieux. Les éclairs de satisfaction que ressentent les enfants chaque fois que des adultes leur disent « c'est bien » peuvent – s'ils se répètent trop souvent – créer une dépendance au retour positif : les enfants finissent par toujours avoir besoin de l'approbation de quelqu'un d'autre pour être satisfaits. Et s'ils sont certains d'être félicités quoi qu'ils fassent, ils n'ont pas de raison de faire beaucoup d'efforts.

En bonne Américaine, j'ai besoin de résultats scientifiques pour être convaincue. Et je découvre à nouveau, cette fois-ci dans le domaine des félicitations, que les Français appliquent, en s'appuyant sur la tradition et leur intuition, ce que démontrent les dernières études scientifiques.

Dans leur livre, *NurtureShock*, paru en 2009, Po Bronson et Ashley Merryman écrivent que le vieil adage américain « éloge, estime de soi et performance brillent et s'évanouissent de concert » a été remis en question par une nouvelle recherche selon laquelle « trop d'éloges [...] altèrent la motivation des enfants ; ils se mettent à faire des choses uniquement pour recevoir des compliments et perdent de vue le simple plaisir de faire ».

Po Bronson et Ashley Merryman se réfèrent à des recherches qui montrent que lorsque des étudiants portés aux nues arrivent à l'université, ils deviennent « réfractaires aux risques et manquent d'autonomie. Ces jeunes préfèrent abandonner les études plutôt qu'avoir de mauvais résultats et ont beaucoup de mal à choisir une spécialisation. Ils ont peur de s'engager parce qu'ils craignent d'échouer. »[5]

Cette étude réfute également l'idée traditionnelle américaine selon laquelle les parents doivent amortir la déception de leurs enfants quand ils échouent en leur faisant des retours positifs. Une meilleure tactique est d'essayer de comprendre ce qui s'est mal passé, afin de donner aux enfants la confiance et les moyens nécessaires pour s'améliorer. Les écoles françaises sont peut-être un peu sévères, surtout dans les dernières années de lycée. Mais les maîtresses de Bean ont procédé de cette façon et cela reflète sans aucun doute les convictions des parents français.

Les Français semblent éduquer leurs enfants en appliquant une méthode scientifique, testant ce qui est efficace et ce qui ne l'est pas. En général, ils donnent l'impression de ne pas se laisser ébranler par ce qui *devrait* fonctionner et de rester très clairs sur ce qui fonctionne effectivement. Leur conclusion est qu'une juste dose d'éloges est bénéfique à l'enfant, mais qu'une dose trop élevée l'empêchera de vivre sa vie.

Au cours des vacances d'hiver, j'emmène Bean aux États-Unis. Lors d'une réunion de famille, elle se lance dans un véritable show qui consiste essentiellement à faire la maîtresse et donner des ordres aux adultes. C'est mignon, mais honnêtement pas brillant. Pourtant, petit à petit, tous les adultes présents dans la pièce regardent Bean et s'extasient bruyamment. (Très finement, elle glisse quelques phrases et chansons en français. Elle sait que ça marche à tous les coups !)

Quand son petit numéro est terminé, Bean rayonne, enchantée des compliments qu'elle reçoit. À mon avis, c'est le meilleur moment de son séjour. Et moi aussi, je rayonne ! Je prends personnellement les éloges qui lui sont adressés (j'en ai tellement manqué en France !). Durant le dîner, tout le monde autour de nous s'émerveille de son fantastique numéro.

C'est très bien en vacances, mais je ne suis pas sûre que j'apprécierais que Bean soit constamment portée aux nues. Évidemment, la sensation est agréable, mais cela vient avec son lot de conséquences, comme laisser son enfant, gonflé du sentiment de son importance, interrompre les adultes à tour de bras. Cela pourrait aussi sérieusement altérer son sens critique de ce qui est drôle et de ce qui ne l'est pas.

J'ai accepté l'idée que si nous restons en France, mes enfants n'apprendront certainement jamais à tirer à l'arc. (Dieu les garde d'une attaque d'Iroquois directement sortis du XVIIIe siècle !) Je les félicite moins qu'avant, mais m'adapter au point de vue français sur l'autonomie est beaucoup plus difficile. Bien sûr, je sais qu'ils ont une vie émotionnelle dissociée de la mienne et que je ne peux pas toujours les protéger du rejet et de la déception. Quoi qu'il en soit, l'idée qu'ils ont leur vie et que j'ai la mienne ne reflète pas mon état émotionnel. À moins que cela ne satisfasse pas mes besoins émotionnels...

Je dois pourtant reconnaître que mes enfants ont l'air beaucoup plus heureux quand je leur fais confiance et les laisse se débrouiller tout seul. Je ne leur tends pas un couteau en leur demandant de couper des tranches de pastèque. La plupart du temps, ils savent quand ils dépassent les limites. Mais je les laisse aller un peu au-delà, même s'il ne s'agit que d'apporter une assiette en faïence sur la table. Après ces petits exploits, ils sont plus calmes et plus heureux. Françoise Dolto avait certainement raison, l'autonomie est l'un des besoins les plus fondamentaux de l'enfant.

Elle avait sûrement aussi raison sur l'âge critique de six ans. Une nuit, une mauvaise grippe me force à me retirer sur le canapé du salon au milieu de la nuit – par respect pour Simon que ma toux empêche de dormir. Lorsque les enfants arrivent dans la salle à manger vers sept heures et demie, je peux à peine bouger. Je suis incapable de me lancer dans ma routine quotidienne et de préparer le petit déjeuner.

C'est donc Bean qui s'en charge. Je reste allongée sur le canapé, avec mes lunettes de soleil. Je l'entends ouvrir les tiroirs, mettre la table et sortir le lait et les céréales. Elle a cinq ans et demi et elle me remplace. Elle a même délégué du travail à Joey qui met les couverts.

Au bout de quelques minutes, Bean vient vers moi sur le canapé. « Le petit déjeuner est servi, mais il faut que tu fasses le café », me dit-elle. Elle est calme et très contente. Je suis impressionnée de voir à quel point être autonome la rend heureuse ou peut-être plus précisément, *sage*. Je ne l'ai ni félicitée, ni encouragée. Elle a simplement fait quelque chose de nouveau pour elle sans que j'intervienne et elle en est très fière.

L'idée de Françoise Dolto selon laquelle je dois faire confiance à mes enfants, afin que cette confiance et ce respect deviennent mutuels, est très séduisante. En réalité, c'est un soulagement. Le nœud d'interdépendance et d'inquiétude qui souvent lie les parents américains à leurs enfants nous paraît parfois inévitable, mais il n'est jamais agréable. Il ne semble pas être la meilleure base pour éduquer ses enfants.

Laisser les enfants « vivre leur vie » ne revient pas à les abandonner dans le monde sauvage (même si les séjours scolaires français me font exactement cet effet). Il s'agit de reconnaître qu'ils ne sont pas les dépositaires des ambitions de leurs parents, ni des projets que leurs parents doivent parfaire. Ils sont des individus à part entière, capables, avec leurs propres goûts, plaisirs et expériences du monde. Ils ont même leurs propres secrets.

Finalement, mon amie Andi a laissé son fils aîné partir en séjour scolaire dans les marais salants. Elle dit qu'il a adoré. Apparemment, il n'avait pas besoin d'être bordé tous les soirs ; c'était Andi qui en avait besoin. Lorsque son deuxième fils a atteint l'âge d'y participer lui aussi, elle l'a laissé faire, tout simplement.

Je finirai peut-être par m'habituer à ces séjours, mais pour le moment, je n'y ai pas encore inscrit Bean. Mon amie Esther me propose d'envoyer nos deux filles ensemble en colonie de vacances l'été prochain, quand elles auront six ans. Je trouve cela difficile à imaginer. Certes, je souhaite que mes enfants soient autonomes et heureux, qu'ils sachent s'adapter aux nouvelles situations, mais j'ai du mal à leur lâcher la main.

LE FUTUR EN FRANCAIS

Ma mère a finalement accepté l'idée que nous vivions de l'autre côté de l'océan. Elle apprend même le français, mais cela ne va pas aussi vite qu'elle le voudrait. Une de ses amies, qui a vécu au Panamá mais qui parlait un peu espagnol, lui suggère une technique qui l'a aidée : elle disait une phrase en espagnol au présent, puis hurlait le nom du temps désiré, « Je vais au magasin... *pasado* ! » signifiait qu'elle était allée au magasin, « Je vais au magasin... *futuro* ! » qu'elle irait plus tard.

J'interdis à ma mère d'appliquer cette technique quand elle est à Paris. Je suis la première surprise par ma réaction, mais j'ai maintenant une réputation à soigner. J'ai trois enfants dans l'école du quartier et des relations courtoises avec les poissonniers, les tailleurs et les propriétaires de cafés. Finalement, Paris m'a adoptée.

La ville ne me fait toujours pas tomber en pâmoison. Les échanges élaborés de bonjours me fatiguent ainsi que le vouvoiement distant avec toutes les personnes qui ne sont pas mes collègues ou des intimes. Vivre en France est un peu trop policé et n'aide pas à libérer mon originalité. Je me rends compte à quel point j'ai changé lorsqu'un matin dans le métro, je m'écarte instinctivement de l'homme assis à côté de l'unique siège libre parce que j'ai l'impression qu'il est mentalement dérangé. Quand j'y pense, mon seul indice est qu'il porte un short !

Quoi qu'il en soit, nous nous sentons maintenant chez nous à Paris. Comme disent les Français : « J'ai trouvé ma place. » M'être fait de merveilleuses amies facilite beaucoup la tâche. En fait, derrière leur apparence glacée, les Parisiennes ont tout autant besoin que les Américaines de se retrouver entre femmes. Elles cachent même un peu de cellulite. Ces amitiés ont fait de moi une authentique francophone. Je suis souvent surprise de m'entendre dire des phrases cohérentes en français au cours d'une conversation.

Regarder mes enfants devenir bilingues est aussi très excitant. Un matin, tandis que je m'habille, Léo montre mon soutien-gorge du doigt.

« C'est quoi ? me demande-t-il en anglais.

— *A bra.* »

Il montre immédiatement son bras. Il me faut une seconde pour comprendre ce qu'il veut dire : le mot français *bras*, qu'il a dû apprendre à la crèche, signifie « soutien-gorge » en anglais. Je lui pose des questions et découvre qu'il connaît pratiquement tout le vocabulaire français pour désigner les parties du corps.

Découvrir la sagesse de l'éducation à la française est ce qui m'a vraiment liée à la France. J'ai appris que les enfants sont capables d'être autonomes et de se conduire de façon réfléchie, ce qu'en tant que mère américaine je n'aurais peut-être jamais imaginé. Même si nous finissons par vivre ailleurs, je ne pourrais plus faire comme si je ne le savais pas.

Bien sûr, certains principes français sont plus faciles à appliquer en France. Quand aucun enfant ne grignote au milieu de la matinée au square, il n'y a pas de raison que les vôtres le fassent. Rester ferme sur les limites posées est également plus simple lorsque tous les adultes font plus ou moins respecter les mêmes (je demande souvent à Bean : « Est-ce qu'ils te laissent faire ça à l'école ? »).

Mais dans l'ensemble, l'éducation à la française ne dépend pas de l'endroit où vous vivez, ni de la présence de certains fromages dans votre réfrigérateur. Elle est aussi accessible à Cannes qu'à Chicago. Ce qu'il faut surtout, c'est que les parents changent leur façon de voir leur relation avec leurs enfants et ce qu'ils attendent d'eux.

Mes amies me demandent souvent si j'élève mes enfants comme des Français ou comme des Américains. Lorsque je suis avec eux en public, j'ai plutôt tendance à penser que la réponse se situe quelque part entre les deux : mal élevés si on les compare aux enfants français que je connais et plutôt très bien élevés si on les compare aux Américains.

Ils ne disent pas toujours *bonjour* et *au revoir*, mais ils savent qu'ils sont supposés le faire. Comme une vraie mère française, je le leur rappelle constamment. J'ai fini par accepter que cela fasse partie d'un processus permanent appelé *éducation* au cours duquel ils apprennent à respecter les autres et à attendre. Peu à peu, cette *éducation* semble s'installer.

Je poursuis mes efforts pour atteindre cet idéal français : être sincèrement à l'écoute de mes enfants sans me sentir obligée de céder à toutes leurs volontés.[1] Dans les moments de crise, je continue à lancer « C'est moi qui décide », pour bien rappeler à tout le monde que je suis la chef. Je considère que j'ai la responsabilité de ne pas laisser mes enfants se faire dévorer par leurs désirs. Mais j'essaie aussi de leur dire oui le plus souvent possible.

Simon et moi avons arrêté de retourner dans tous les sens la question de savoir si nous restons en France ou pas. Si nous restons, je ne sais pas trop à quoi m'attendre quand les enfants seront plus grands. Les parents français donnent visiblement beaucoup de liberté à leurs adolescents et semblent très terre à terre en ce qui concerne leurs vies privées et même leurs vies sexuelles. Les jeunes ont ainsi peut-être moins de raisons de se rebeller.

Apparemment, les adolescents français acceptent plus facilement que *papa* et *maman* aient eux aussi une vie privée. Après tout, leurs parents se sont toujours conduits de la sorte. Ils ne construisent pas toute leur vie autour de leurs enfants. Les petits Français grandissent en pensant qu'ils quitteront un jour le nid familial. Mais un jeune d'une vingtaine d'années peut vivre chez ses parents sans que ce soit une tragédie humiliante comme aux États-Unis. Chacun peut vivre sa vie.

L'été qui précède l'entrée de Bean en dernière année de maternelle, je me rends compte que j'ai l'éducation à la française dans la peau. Pratiquement toutes ses copines françaises passent plusieurs semaines de leurs vacances d'été chez leurs grands-parents. Je décide que nous devrions envoyer Bean à Miami chez ma mère (elle va venir à Paris de toute façon, elles pourront donc repartir ensemble en avion).

Simon s'y oppose. Et si Bean a le cafard parce qu'elle est loin, alors que nous sommes de l'autre côté de l'océan ? Je lui ai trouvé un stage de natation, mais elle n'arrivera qu'en cours de session. Est-ce qu'elle ne va pas avoir du mal à se faire des copains et copines ? Simon propose d'attendre encore un an, qu'elle soit un peu plus âgée.

Mais Bean n'est pas de cet avis, elle pense que ce voyage est une idée géniale. Elle nous assure qu'elle sera très bien avec sa grand-mère et qu'elle a très envie de faire ce stage. Simon finit par céder, comptant peut-être sur l'absence de Bean pour passer plus de temps au café. J'irai la chercher à Miami à la fin de son séjour.

Je ne donne que quelques instructions à ma mère : pas de porc, beaucoup de crème solaire. Je passe une semaine avec

Bean à préparer le sac qu'elle emportera avec elle dans l'avion. Nous avons un petit pincement au cœur quand je lui promets de l'appeler tous les jours.

C'est exactement ce que je fais. Mais dès que Bean arrive à Miami, elle est tellement absorbée par ses aventures qu'elle ne reste pas plus d'une ou deux minutes au téléphone. Je dois me satisfaire des comptes-rendus de ma mère et de ses amies. L'une d'entre elles m'écrit : « Elle a mangé des sushis avec nous ce soir, nous a appris quelques mots en français, nous a parlé des problèmes avec ses copines d'école avant d'aller se coucher avec un grand sourire. »

Quelques jours plus tard, l'anglais de Bean – qui était jusqu'alors d'une neutralité étrange avec parfois quelques intonations britanniques – s'est complètement américanisé. Elle a un vrai bel accent américain. Et elle profite largement de son statut d'expatriée. Ma mère me raconte qu'alors qu'elles écoutaient ses cassettes de français dans la voiture, Bean a déclaré : « Ce monsieur ne sait pas parler français. »

Elle essaie de comprendre ce qu'il se passe à Paris pendant son absence. « Est-ce que Papa est devenu gros ? Maman, vieille ? » me demande-t-elle au bout d'une semaine. Selon ma mère, elle raconte à tout le monde que je vais arriver à Miami, combien de temps je vais rester et où nous irons ensuite. Exactement comme le décrivait Françoise Dolto, elle a besoin à la fois d'être indépendante et de comprendre rationnellement le monde.

Lorsque je parle des vacances de Bean à mes amis, leurs réactions se divisent en deux camps nationaux. Les Américains disent que Bean est « courageuse » et me demandent comment elle gère la séparation. Aucun d'entre eux n'enverrait des enfants de son âge passer dix jours chez leurs grands-parents, surtout pas de l'autre côté de l'océan. En revanche, pour mes amis français, se détacher un peu est toujours bon pour tout le monde. Ils sont certains que Bean s'amuse bien toute seule et que je profite d'une pause largement méritée.

Les enfants devenant plus indépendants, Simon et moi nous entendons mieux. Il est toujours irritable et je suis toujours irritante. Mais il a décidé d'admettre qu'il appréciait ma compagnie et qu'il n'y avait pas de mal à être joyeux de temps en temps. Il lui arrive même parfois de rire à l'une de mes blagues. Bizarrement, il trouve l'humour de Bean hilarant.

« Quand tu es née, j'ai cru que tu étais un singe », lui dit-il un matin en jouant.

« Et toi quand tu es né, j'ai cru que tu étais un caca », lui réplique-t-elle. Simon rit tellement qu'il en a les larmes aux yeux. Je découvre enfin son humour préféré : la scatologie surréaliste.

Je ne me suis pas mise à raconter des blagues de caca boudin, mais j'ai fait d'autres concessions. Je harcèle moins Simon sur le moindre détail, même lorsque je le vois servir du jus aux enfants sans avoir secoué la bouteille. J'ai compris que, comme eux, il avait besoin d'autonomie. Tant pis si cela veut dire qu'il ne me reste qu'un verre de pulpe. Je ne lui demande plus à quoi il pense. J'ai appris à cultiver – et apprécier – la part de mystère de notre couple.

L'été dernier, nous sommes retournés dans la ville sur la côte où pour la première fois j'avais remarqué tous ces petits Français qui mangeaient tranquillement au restaurant. Cette fois-ci, nous ne sommes pas accompagnés d'un seul enfant, mais de trois. Au lieu de nous mettre dans des situations impossibles à l'hôtel, nous avons sagement loué une maison avec une cuisine.

Un jour, nous allons déjeuner tous ensemble dans un restaurant près du port. C'est l'une de ces journées d'été françaises idylliques où les façades blanchies à la chaux étincellent sous le soleil de midi. Et miraculeusement, nous en profitons tous. Nous passons notre commande dans le calme et dégustons nos plats les uns après les autres. Les enfants restent assis et mangent avec appétit – y compris du poisson et des légumes. Rien n'atterrit par terre. Je fais quelques petits rappels à l'ordre, mais je ne crie pas. Ce n'est pas aussi paisible qu'un dîner en tête à tête avec Simon, mais j'ai vraiment l'impression d'être en vacances. Nous prenons même le café à la fin du repas.

NOTES

Les petits Français ne jouent pas au frisbee avec leur pain !

1. Selon une étude réalisée en 2002 par l'International Social Survey Program, 90 % des adultes français soutenaient l'idée que « regarder un enfant grandir est la plus grande des joies ». Aux États-Unis, ils n'étaient que 85,5 % et 81,1 % au Royaume-Uni.

2. L'*overparenting* désigne un modèle d'éducation surinvesti où les parents veillent de façon excessive sur toutes les facettes et détails de la vie de leurs enfants et s'investissent exagérément dans leur éducation.

3. Le terme de parentalité a d'abord été utilisé, à la fin des années 1950, par des psychologues et des psychanalystes afin de décrire un processus psychique de maturation et d'appropriation de la fonction parentale.

Puis il a été repris par les personnes qui travaillaient avec les familles à la croisée du champ social, juridique et psychologique, comme un terme transdisciplinaire. Les sociologues l'ont ensuite adopté pour traiter de la « monoparentalité » et des relations parents-enfants dans les nouvelles configurations familiales. Le terme de « parentalité » a été consacré par l'INSEE en 1981, pour nommer une situation familiale de façon neutre, sans connotation normative.

La notion de parentalité, bien que largement utilisée par les politiques, les médias et les experts, demeure relativement indéfinie. L'expression permet aujourd'hui non seulement de désigner la fonction et les pratiques parentales, mais surtout de qualifier un nouveau « problème public » (redéfinition de la notion de parent, parentalité définie tour à tour comme l'expression de la diversité des configurations parentales ou de l'inquiétude sur les transformations de la famille, démission des parents vis-à-vis de l'éducation de leurs enfants).

345

Le Conseil de l'Europe définit la parentalité en ces termes : « L'ensemble des fonctions dévolues aux parents pour prendre soin des enfants et les éduquer. La parentalité est centrée sur la relation parent-enfant et comprend des droits et des devoirs pour le développement et l'épanouissement de l'enfant. »

4. Joseph Epstein, « The Kindergarchy, Every Child a Dauphin », *Weekly Standard*, 9 juin 2008. Epstein a peut-être même inventé le terme de *kindergarchy*.

5. Judith Warner décrit ce phénomène dans *Perfect Madness, Motherhood in the Age of Anxiety*, New York, Riverhead Books, 2005.

6. Selon le rapport du FBI, Uniform Crime Report, le taux de criminalité violente aux États-Unis a chuté de 43 % entre 1991 et 2009.

7. Alan B. Krueger, Daniel Kahneman, Claude Fischler, David Schkade, Norbert Schwarz et Arthur A. Stone, « Time Use and Subjective Well-Being in France and the U.S. », *Social Indicators Research* 93, 2009, pp. 7-18.

8. Le Dr Benjamin Spock (1903-1998) était un pédiatre américain précurseur (l'un des premiers pédiatres à étudier la psychanalyse pour essayer de comprendre les besoins des enfants et la dynamique familiale). Il publia en 1946 *Baby and Child Care*, un guide pour les futures et jeunes mamans, devenu un immense best-seller.

9. Selon les chiffres de l'OCDE de 2009, le taux de natalité français était de 1,9 ; le belge de 1,83 ; l'italien de 1,41 ; l'espagnol de 1,1 et l'allemand de 1,36.

Chapitre 1. *« Vous attendez un bébé ? »*

1. Pamela Druckerman, *L'Art d'être infidèle : Paris, New York, Tokyo, Moscou*, Éditions Saint-Simon, Paris, 2009.

2. Le régime Atkins est un régime amaigrissant proposé par le Dr Atkins. Il fait partie des régimes hypoglucidiques (pauvres en glucides).

3. Le SAT est un examen standardisé utilisé pour l'admission dans les universités américaines.

4. Le *multitasking* est le fait d'effectuer plusieurs choses en même temps.

Chapitre 2. *« Avec ou sans péridurale ? »*

1. Selon le rapport intitulé « Women on the Front Lines of Health Care : State of the World's Mothers 2010 », publié par Save the Children en 2010. Les chiffres sont issus de l'annexe du rapport : « The Complete

Mothers' Index 2010 », www.savethechildren.org/atf/cf/{9def2ebe-10ae-432c-9bd0-df91d2eba74a}SOWM-2010-Women-on-the-Front-Lines-of-Health-Care.pdf

2. La *doula* est une femme qui, grâce à son expérience et à sa formation, accompagne une femme enceinte au cours de sa grossesse, de son accouchement et pendant la période postnatale. La *doula* n'a pas de fonction médicale et n'est pas thérapeute. Elle travaille en complément du suivi médical choisi par les parents et soutient le travail des sages-femmes. La pratique est beaucoup plus répandue aux États-Unis qu'en France.

3. « Top des maternités » : www.maman.fr/top_des_maternites-1-1.html

Chapitre 3. « Elle fait ses nuits ? »

1. La méthode Ferber est une méthode d'apprentissage du sommeil qui consiste à créer un rituel affectif préalable au coucher de l'enfant, en le plaçant dans son lit alors qu'il est encore éveillé, afin qu'il apprenne de lui-même à s'endormir. Si l'enfant s'éveille et/ou pleure, les parents doivent attendre quelques minutes avant d'aller vérifier brièvement ce qui se passe (ils attendent chaque fois un peu plus longtemps).

2. Le maternage proximal est un mode d'éducation fusionnel de l'enfant qui préconise notamment l'allaitement prolongé, le co-dodo et le portage de bébé.

3. Jodi Mindell et *al.*, « Behavioral Treatment of Bedtime Problems and Night Wakings in Young Children : An American Academy of Sleep Medecine Review », *Sleep* 29, 2006, pp. 1263-76.

4. Teresa Pinella et Leann L. Birch, « Help Me Make It Through The Night : Behavioral Entrainment Of Breast Fed Infants Sleep Patterns », *Pediatrics* 91, 2, 1993, pp. 436-443.

Chapitre 4. « Attends ! »

1. Jonas Lehrer a raconté les expériences de Walter Mischel dans le magazine *New Yorker*, édition du 18 mai 2009.

2. Walter Mischel fait remarquer que même si les jeunes enfants français savent attendre, cela ne signifie pas pour autant qu'ils deviendront des adultes performants. Ils sont affectés par beaucoup d'autres éléments. Et si les Américains n'imaginent généralement pas que leurs petits sont capables d'attendre, ils leur font cependant confiance pour développer cette faculté plus tard. « Je pense qu'un enfant indiscipliné n'est pas

condamné à devenir un adulte indiscipliné, dit Walter Mischel. Ce n'est pas parce qu'un enfant jette de la nourriture à sept ou huit ans dans un restaurant [...] qu'il ne deviendra pas un grand homme d'affaires, un scientifique, un professeur ou je ne sais quoi d'autre quinze ans plus tard. »

3. Walter Mischel a découvert que les enfants pouvaient facilement apprendre à se distraire. Dans un test du Chamallow ultérieur, des expérimentateurs ont indiqué aux enfants qu'au lieu de penser à des Chamallow, ils devaient penser à quelque chose de joyeux comme se balancer sur une balançoire, poussée par Maman, ou bien faire semblant que ce soit simplement l'*image* d'un Chamallow. Avec cette nouvelle instruction, les temps d'attente ont considérablement augmenté. Ils se sont améliorés alors que les enfants savaient qu'ils essayaient de se duper eux-mêmes. Au moment où l'expérimentateur revenait dans la pièce, les enfants qui cherchaient des moyens pour se distraire depuis un quart d'heure engouffraient le Chamallow.

4. Jennifer Steinhauer, « Snack Time Never Ends », *New York Times,* 20 janvier 2010.

5. Marie-Anne Suizzo, « French and American Mothers' Childbearing Beliefs : Stimulating, Responding, and Long-Term Goals », *Journal of Cross-Cultural Psychology* 35, 5 septembre 2004, pp. 606-626.

6. National Institute of Child Health & Human Development (NICHD), Study of Early Child Care and Youth Development, 1991-2007, www.nichd.nig.gov/research/supported/seccyd/overview.cfm#initiating

7. Une étude réalisée en 2006 sur des couples canadiens, blancs, de classe moyenne, a établi que lorsque les enfants étaient avec eux – ce qui était souvent le cas –, il leur était impossible d'être pleinement ensemble en tant que couple. L'un des participants expliquait que lorsqu'il discutait avec sa femme, « [ils étaient] interrompus toutes les minutes ». Les auteurs ont conclu que « s'ils voulaient faire l'expérience d'être un couple, ils devaient s'éloigner des enfants ». Vera Dyck et Kerry Daly « Rising to the Challenge : Fathers' Role in the Negotiation of Couple Time », *Leisure Studies* 25, 2, 2006, pp. 201-217.

8. Citation de la psychologue Christine Brunet dans le *Journal des femmes*, 11 février 2005.

9. Citation d'Anne-Catherine Pernot-Masson dans *Votre enfant*, Lyonel Rossant, « Bouquins », Robert Laffont, 1994.

Chapitre 5. De tout petits humains

1. Un *playgroup* est un groupe de jeux organisé par les mères d'un quartier qui se retrouvent pour que leurs enfants jouent ensemble.

2. Élisabeth Badinter, *L'Amour en plus, histoire de l'amour maternel,* Flammarion, Paris, 1980, pp. 56-63.

3. *Ibid.*

4. Cité dans *L'Amour en plus, histoire de l'amour maternel,* Flammarion, Paris, 1980.

5. Baby Einstein est une gamme de jeux et de produits multimédias interactifs destinés aux enfants de trois mois à trois ans. Les thèmes principaux sont la musique, l'art et la poésie.

6. Marie-Anne Suizzo, « French and American Mothers' Childrearing Beliefs : Stimulating, Responding, and Long-Term Goals », *Journal of Cross-Cultural Psychology* 35, 5 septembre 2004, pp. 606-626.

7. *In Dolto, une vie pour l'enfance,* Télérama hors série, novembre 2008.

8. Dolto décida d'avoir un métier après avoir vu des femmes de son quartier, anciennement fortunées, venir mendier dans son école après avoir perdu leur mari au cours de la Première Guerre mondiale. « J'ai vu la décrépitude des veuves bourgeoises qui n'avaient pas de métier », expliqua-t-elle plus tard.

9. Françoise Dolto, *Lettres de jeunesse, correspondance 1913-1938,* Gallimard, 2003.

10. Souvenir du psychanalyste Alain Vanier rapporté dans *Dolto, une vie pour l'enfance,* Télérama hors série, 2008.

11. MIT, Massachussets Institute of Technology, institution de recherche et université américaine, spécialisée dans les domaines de la science et de la technologie, souvent considérée comme l'une des meilleures universités au monde.

12. Il s'agit de la psychologue Muriel Djéribi-Valentin. Elle était interviewée par Jacqueline Sellem pour un article intitulé « Françoise Dolto : An Analyst Who Listened to Children », paru dans *L'Humanité* en anglais et traduit par Kieran O'Meara, novembre 2008, www.humanite-inenglish.com/article1071

13. Marie-Anne Suizzo a établi que 86 % des mères parisiennes qu'elle avait interviewées « affirmaient expressément parler avec leurs nouveau-nés pour communiquer avec eux ». Marie-Anne Suizzo, « Mother-Child Relationship in France : Balancing Autonomy and Affiliation in Everyday Interactions », *Ethos* 32, 3, 2004, pp. 292-323.

14. Paul Bloom, « Moral Life of Babies », *New York Times Magazine,* 3 mai 2010.

15. Alison Gopnik écrit que ces nouvelles études « démontrent que les bébés et les très jeunes enfants savent, observent, explorent, imaginent et apprennent plus que nous ne l'imaginions ». Alison Gopnik est psychologue à l'université de Californie, à Berkeley, et auteure de *The Philosophical Baby.*

Chapitre 6. La crèche ?

1. Abby J. Cohen, « A Brief History of Federal Financing for Child Care in the United States », *The Future of Children : Financing Child Care* 6, 1996.

2. Plus tard, la dernière année de *preschool* a été intégrée dans le système scolaire public américain. Mais les crèches sont restées résolument privées. Les parents de la classe moyenne et les experts pensaient que les mères devaient s'occuper de leurs jeunes enfants. L'État n'était pas supposé s'immiscer dans cette étape de la vie familiale, à moins qu'« une famille – ou le pays lui-même – soit en crise », écrit A. J. Cohen.

La Grande Dépression de 1929 fut l'une de ces crises. En 1933, le gouvernement américain avait déjà mis en place des *nursery schools*/garderies, mais dans le seul et unique but de créer des emplois. A. J. Cohen note qu'un rapport de la White House Conference on Children de 1930 déclarait : « Personne ne doit croire que l'Oncle Sam va bercer les petits pour qu'ils s'endorment. » La plupart des garderies furent fermées une fois le pic de la Dépression passé.

Lorsque les États-Unis entrèrent dans la Seconde Guerre mondiale, une nouvelle crise du système de garde d'enfants éclata : qui allait s'occuper des bébés des femmes qui remplaçaient désormais les hommes à l'usine ? Entre 1942 et 1946, le gouvernement fédéral construisit des centres de garde d'enfants destinés aux enfants des mères qui travaillaient dans l'industrie militaire. La plupart se trouvaient en Californie, où était localisée une grande partie de la production d'armement. Au début, les centres ne coûtaient que cinquante cents par jour.

Lorsque la guerre fut finie, le gouvernement annonça qu'il fermait les centres afin que les mères puissent rentrer chez elles s'occuper de leur foyer. Certaines d'entre elles protestèrent. La première dame, Eleanor Roosevelt, écrivit : « Beaucoup pensèrent que les centres n'étaient qu'une mesure d'urgence en temps de guerre. Quelques-uns d'entre nous avaient le soupçon qu'il pouvait s'agir d'un besoin constant, que nous avions négligé dans le passé. » Certains centres furent financés pendant quelques années supplémentaires, mais la plupart finirent par être fermés.

Au cours des années 1960, de nouvelles pressions s'accentuèrent sur le gouvernement américain afin qu'il aide les parents à payer la garde de leurs enfants – voire même qu'il propose un système de garde. Une vague de nouvelles recherches scientifiques montraient également comment les désavantages rencontrés très tôt dans la vie de l'enfant persistaient en grandissant. Le programme préscolaire Head Start fut créé pour financer les écoles des enfants de trois à cinq ans les plus pauvres.

Notes

Évidemment, les mères de la classe moyenne voulurent aussi que leurs jeunes enfants bénéficient des avantages d'une éducation. Et le nombre de femmes travaillant augmentant, la question de la garde des enfants devint de plus en plus problématique. En 1971, le Congrès vota le Comprehensive Child Development Act. La loi avait pour objectif de professionnaliser les personnes travaillant dans le domaine de la garde d'enfants, de construire de nouveaux centres de garde d'enfants et de faire en sorte que la garde d'enfants de qualité soit disponible et financièrement accessible. Le président Nixon opposa son veto à cette loi, affirmant (dans un veto écrit par son conseiller Pat Buchanan) qu'elle avantageait l'« approche communale de l'éducation des enfants plutôt que l'approche familiale ». Une brillante invocation de la peur du communisme symptomatique de la guerre froide ainsi que de la vieille idée selon laquelle les mères devaient s'occuper elles-mêmes de leurs enfants.

Dans les années 1980, cette ambivalence au sujet des systèmes de garde d'enfants prit une nouvelle forme : des cas d'abus sexuels furent dévoilés dans différents centres de garde. Dans une série de cas très médiatisés, des propriétaires et employés de garderies et de crèches furent accusés de pédophilie, impliquant parfois même des cultes démoniaques et des passages dans des labyrinthes souterrains. Nombreuses de ces accusations s'avérèrent infondées et des condamnations furent annulées (les enfants avaient été contraints à faire de faux témoignages sous la pression de procureurs surinvestis). La journaliste Margaret Talbot écrivit que même les chefs d'accusation les plus extrêmes semblaient crédibles au début des années 1980, car les Américains n'aimaient pas que les mères de jeunes enfants aillent travailler : « Il y avait comme un soulagement sombre et défaitiste à échanger les doutes quotidiens au sujet de la garde des enfants contre les pires peurs – une histoire avec des monstres et pas simplement des humains qui ne s'occuperaient pas exactement comme nous le souhaitions de nos enfants ; un destin si atroce et hors du commun qu'aucun parent, quelle que soit sa vigilance, n'aurait pu prévenir. »

3. Lorsqu'il y eut des cas d'abus sexuels dans certains Child Development Centers dans les années 1980, le House Subcommittee du Military Personnel and Compensation tint des audiences afin d'ouvrir l'enquête sur l'ensemble du système. Ceci révéla les mêmes problèmes que dans le secteur privé : un turnover du personnel très élevé, des salaires bas, une absence parfois totale d'inspection (selon Gail L. Zellman et Anne Johansen dans « Examining the Implementation and Outcomes of the Military Child Care Act of 1989 »). Le Congrès vota alors le Military Child Care Act en 1989. Les règles précises que les partisans du système de garde réclamaient jusqu'alors y étaient recensées : une formation spécialisée pour le personnel d'encadrement des enfants, des experts en charge de surveiller tous les centres, et quatre inspections surprises par an.

4. En 2003, 72 % des Américains étaient d'accord sur le fait qu'« aujourd'hui, trop d'enfants étaient élevés dans des garderies / crèches », alors qu'ils n'étaient que 68 % en 1987, selon le Pew Research Center.

5. En 2009, un bulletin du maire de Paris déclarait que le personnel encadrant les enfants ne devait pas avoir de paroles péjoratives à propos des parents des enfants, de leurs origines ou de leurs apparences, et ce, même si l'enfant n'était qu'un nouveau-né ou si la remarque s'adressait à une autre personne. « Le message implicite de ce type de remarques est toujours intuitivement perçu par les enfants. Plus ils sont jeunes, plus ils comprennent ce qui se cache derrière les mots », expliquait le bulletin.

6. OCDE, « Starting Strong II : Early Childhood Education and Care », 2006.

7. NICHD Study of Early Child Care and Youth Development.

8. Jay Belsky, *Effects of Child Care on Child Development: Give Parents Real Choice*, http://www.mpsv.cz/files/clanky/6640/9_Jay_Belsky_EN.pdf

Chapitre 7. Bébé au sein

1. OCDE, « France Country Highlights, Doing Better for Children », 2009.

2. OMS, base de données mondiales sur l'alimentation du nourrisson et du jeune enfant, 2007-2008.

3. « Plus on se surveille souvent et attentivement, mieux on se contrôle », Roy F. Baumeister et John Tierney, auteurs de *Willpower: Rediscovering the Greatest Human Strength*, The Penguin Press, New York, 2011.

4. *Ibid.*

5. Dans une étude menée en 2004, des mères françaises et américaines devaient noter l'importance de « toujours placer les besoins du bébé au-dessus des leurs » sur une échelle de 1 à 5 ; la note des mères américaines était de 2,89 alors que celle des mères françaises était de 1,26. Marie-Anne Suizzo, « French and American Mothers' Childrearing Beliefs : Stimulating, Responding, and Long-Term Goals », *Journal of Cross-Cultural Psychology* 35, 5 septembre 2004, pp. 606-626.

6. Violaine Belle-Croix, « Géraldine Pailhas, des visages, des figures », *Milk Magazine,* 13 septembre 2010.

7. « Les Françaises savent qu'avoir une vie intérieure est sexy. Elle doit être nourrie, développée, chérie… », Debra Ollivier, *What French Women Know About Love, Sex and Other Matters of Heart and Mind,* Putnam Adult, 2009.

Notes

Chapitre 8. La mère parfaite n'existe pas

1. Un/e *fact-checker* est un/e « vérificateur/trice de faits » qui vérifie, après rédaction, les notes et les citations des journalistes. Les magazines et journaux américains en emploient depuis longtemps.

2. Compte tenu du baby-boom et du manque de places en crèche, certaines mères reçoivent jusqu'à cinq cents euros par mois de la part de l'État pour s'occuper de leurs enfants jusqu'à ce que le plus jeune atteigne l'âge de trois ans. Les mères ont également le droit de travailler à temps partiel au cours des trois premières années de leur enfant.

3. *Flashcards*, jeux de cartes pédagogiques pour apprendre les chiffres, les lettres, les formes, etc.

4. Dans *Perfect Madness* (*op. cit.*), Judith Warner se décrit après la naissance de son premier enfant : « Je parlais, chantais, inventais des histoires, prenais des voix rigolotes, racontais tout ce que l'on voyait en voiture et lisais des histoires durant les repas jusqu'à ce que je me rende compte – ma fille avait alors quatre ans et demi – que je m'étais transformée en une télévision humaine avec de si nombreux programmes pour enfants que j'avais l'impression de ne plus avoir de pensées personnelles. » page TK.

5. Les mères américaines considèrent que s'occuper d'un enfant est deux fois plus désagréable que les mères françaises. Alan B. Krueger, Daniel Kahneman, Claude Fischler, David Schkade, Norbert Schwarz et Arthur A. Stone, « Time Use and Subjective Well-being in France and the U.S. », *Social Indicators Research* 93, 2009, pp. 7-18.

6. Annette Lareau, *Unequal Childhoods : Class, Race and Family Life*, Berkeley, University of California Press, 2003.

7. *Ibid.*

8. Annette Lareau écrit que la plupart des familles de la classe moyenne qu'elle a observées avaient un rythme de vie frénétique : les parents travaillaient à temps plein, puis faisaient les courses, s'occupaient du bain et des devoirs et accompagnaient les enfants à toutes leurs activités. « Le rythme est tellement fou que la maison semble parfois devenir la seule chose qui nous rassemble », écrit-elle dans « Questions and Answers : Annette Lareau, Unequal Childhoods : Class, Race, and Family Life », http ://sociology.sas.upenn.edu/sites/sociology.sas.upenn.edu /files/Lareau_Question&Answers.pdf

9. Élisabeth Guédel Treussard, « Pourquoi les mères françaises sont supérieures », 24 janvier 2011, frenchmorning.com

10. *Playdate*, rendez-vous pris pour qu'un enfant vienne jouer chez un copain ou une copine.

11. Robert Pear, « Married and Single Parents Spending More Time with Children, Study Finds », *New York Times*, 17 octobre 2006.

Chapitre 9. « Caca boudin ! »

1. *The Basic Economic Security Tables for the United States 2010*, publié par Wider Opportunities for Women, 2010, www.wowonline.org/documents ?BESTIndexforTheUnitedStates2010.pdf

2. Elmo est l'une des marionnettes emblématiques de *Sesame Street / Rue Sésame*, programme largement regardé par les petits Américains.

3. Debra Ollivier, *What French Women Know About Love, Sex and Other Matters of Heart and Mind*, op. cit.

4. Halloween a lieu le 31 octobre. Les enfants se déguisent et passent de maison en maison pour demander des bonbons à leurs voisins en utilisant la formule « *Trick or treat /* Une friandise ou une farce ».

5. Thanksgiving est la grande fête familiale américaine, en mémoire des premiers colons. Elle a lieu le quatrième jeudi du mois de novembre. Le repas traditionnel est composé d'une dinde, de légumes et d'une *pumpkin pie /* tarte à la citrouille.

6. Le 4-Juillet, ou *Independence Day /* jour de l'Indépendance, est la fête nationale des États-Unis. Elle commémore la déclaration d'indépendance du 4 juillet 1776.

Chapitre 10. Deux pour le prix d'un

1. Film intitulé en anglais *The Bourne Identity.*

Chapitre 11. J'adore cette baguette

1. Jean M. Twenge, W. Keith Campbell et Craig A. Foster, « Parenthood and Marital Satisfaction : a Meta-Analytic Review », *Journal of Mariage and Family* 65, août 2003, pp. 574-583.

2. Dans une étude bien connue de 2004, des mères travaillant et vivant au Texas déclaraient que s'occuper des enfants était l'une des activités quotidiennes les moins agréables. Elles préféraient le travail ménager. Daniel Kahneman et *al.*, « A Survey Method for Characterizing Daily Life Experience : the Day Reconstruction Method », *Science*, décembre 2004.

3. Jean M. Twenge et *al.*, « Parenthood and Marital Satisfaction », *Journal of Mariage and Family* 65, août 2003, pp. 574-583.

4. Vera Dyck et Kerry Daly, « Rising to the Challenge : Fathers' Role in the Negotiation of Couple Time », *Leisuse Studies* 25, 2, 2006, pp. 201-217.

5. Les exercices de Kegel sont nommés ainsi d'après le Dr Arnold Kegel. Leur but est de tonifier l'un des muscles qui constitue le plancher pelvien, le muscle pubo-coccygien. Ils sont souvent conseillés pour la rééducation périnéale après l'accouchement.

6. Le *date night* est un rendez-vous pris pour passer la soirée avec un homme ou une femme. Le *date* est un rendez-vous, qu'il soit galant ou pas. C'est aussi la personne avec qui l'on sort, dans le sens littéral du terme (au cinéma, au restaurant, etc.). On peut donc avoir plusieurs *dates* à la fois.

7. Dans le Global Gender Gap Index de 2010, créé par le Forum économique mondial, les États-Unis se plaçaient au dix-neuvième rang et la France au quarante-sixième.

8. Selon les chiffres de l'Insee.

9. Selon le Bureau of Labor Statistics américain, nouvelle édition du 22 juin 2010, « American Time User Survey – 2009 Results », tableau 1 : le temps passé sur les activités primaires et le pourcentage de la population engagé dans chacune de ses activités, moyennes journalières par sexe, moyennes annuelles 2009. www.bls.gov/news.release/archives/atus_06222010.pdf.

10. Dans une étude de 2008, 49 % des hommes américains employés déclaraient qu'ils passaient autant de temps, ou plus, à s'occuper des enfants que leur partenaire. Mais seules 31 % des femmes étaient du même avis. Ellen Galinsky, Kerstin Aumann et James T. Bond, *Times are Changing : Gender and Generation at Work and at Home*, Families and Work Institute, 2008.

11. Selon Alan B. Krueger et *al.*, dans « Time Use and Subjective Well-Being in France and the U.S. » (*op. cit.*), les Françaises ont consacré environ 15 % de temps de moins que les Américaines aux tâches ménagères.

12. *Ibid.*

13. Denise Bauer, « Le temps des parents après une naissance », Drees, Études et résultats, avril 2006, www.sante.gouv.fr/IMG/pdf/er737.pdf

Chapitre 12. « Tu goûtes juste un peu »

1. Le Fruit Roll-Ups est un bonbon aux arômes de fruits présenté sous la forme d'un petit rouleau.

2. Nathalie Guignon, Marc Collet et Lucie Gonzalez, « La santé des enfants en grande section de maternelle en 2005-2006 », Drees, Études et résultats, septembre 2010.

3. Centers for Disease Control and Prevention, « Prevalence of Obesity Among Children and Adolescents : United States, Trends 1963-1965 through 2007-2008 ».

4. *Pickle*, légume qui a été conservé dans la saumure ou le vinaigre.

5. « France, Europe, the United States : What Eating Means to Us : interview with Claude Fischler and Estelle Masson », 16 janvier 2008, www.lemangeur-ocha.com

Chapitre 13. *C'est moi qui décide*

1. Dans une interview pour *Enfant Magazine*, « Comment réussir à se faire obéir ? », octobre 2009, pp. 78-82.

2. « Les Français et la fessée » par l'institut de sondage TNS Sofres/Logica pour *Dimanche Ouest-France*, 11 novembre 2009.

3. Mais 55 % ont également dit qu'ils étaient opposés à la fessée.

4. Marcel Rufo, un pédopsychiatre réputé installé à Marseille, dit : « Il y a deux générations de parents : celle d'hier qui a reçu des fessées et des claques et qui dit "Ça ne nous a pas traumatisés". Et puis il y a les parents d'aujourd'hui, que je trouve bien meilleurs, car ils sont plus dans la compréhension de l'enfant que dans l'interdit. Le rôle d'un parent est de donner son avis à l'enfant, de lui expliquer les choses. L'enfant l'acceptera. » *Le Figaro Magazine*, 20 novembre 2009, www.lefigaro.fr/actualite-france/2009/11/20/01016-20091120ARTFIG00670-deux-claques-pour-la-loi-antifessee-.php

Chapitre 14. *Laissez-le vivre sa vie*

1. Lorsque l'on a demandé à des mères françaises et américaines de noter l'importance qu'elles accordaient au fait de « ne pas laisser le bébé devenir trop dépendant de sa mère », les mères américaines ont attribué la note de 0,93 sur 5, alors que les Françaises ont donné la note de 3,36 sur 5. Marie-Anne Suizzo, « French and American Mothers' Childrearing Beliefs : Stimulating, Responding and Long-Term Goals », *Journal of Cross-Cultural Psychology* 35, 5 septembre 2004, pp. 606-626.

2. Raymonde Carroll écrit dans *Cultural Misunderstandings* que les parents américains « évitent autant que possible de critiquer leurs enfants, de se moquer de leurs goûts, ou de leur dire constamment « comment ils doivent faire les choses ».

3. *Ibid.*

4. Ceci crée un problème pour les chercheurs en sciences sociales lorsqu'ils essaient de comparer la vie en France et aux États-Unis. « Les Américains ont tendance à faire preuve de plus d'emphase lorsqu'ils évoquent leur bien-être », disent les auteurs de l'étude portant sur des femmes vivant dans l'Ohio et à Rennes. Les Américaines avaient plus tendance à choisir des extrêmes comme « très satisfaites » ou « pas du tout satisfaites », alors que les Françaises évitaient ces extrêmes. Les chercheurs en ont tenu compte pour ajuster leurs résultats. Cf. Alan B. Krueger, Daniel Kahneman, Claude Fischler, David Schkade, Norbert Schwarz et Arthur A. Stone, « Time Use and Subjective Well-Being in France and the U.S. », *Social Indicators Research* 93, 2009, pp. 7-18.

5. Po Bronson et Ashley Merryman, *NurtureShock : New Thinking About Children*, New York, Twelve, 2009, http ://abcnews.go.com/GMA/ Books/story ?id=8433586&page=7

Le futur en français

1. « Pour Françoise Dolto, un désir n'est pas un besoin, il ne doit pas être nécessairement satisfait, mais on doit l'écouter et en parler, c'est ce qui fait toute la différence », explique Muriel Djéribi-Valentin, dans « Françoise Dolto : An Analyst Who Listened to Children », paru dans *L'Humanité* en anglais et traduit par Kieran O'Meara, novembre 2008, www.humaniteinenglish.com/article1071

GLOSSAIRE FRANCAIS DE L' EDUCATION

Attends ! : un ordre que les parents français donnent à leurs enfants. « Attends » implique que l'enfant n'a pas besoin d'une gratification immédiate et qu'il peut se distraire tout seul.

Au revoir : ce qu'un enfant français doit dire quand il quitte un adulte. C'est l'un des quatre « mots magiques » que les enfants doivent utiliser. Voir *Bonjour*.

Autonomie : un mélange d'indépendance et d'assurance encouragé par les parents français dès le plus jeune âge de leur enfant.

Bêtise : un petit acte de désobéissance. Utiliser le terme de *bêtise* pour parler d'une « désobéissance » de l'enfant aide les parents à y répondre avec modération.

Bonjour : ce qu'un enfant doit dire quand il rencontre un adulte.

Caca boudin : un juron utilisé presque exclusivement par les petits de maternelle.

Cadre : une image visuelle décrivant l'idéal de l'éducation à la française qui revient à établir des limites fermes pour les enfants, tout en en leur donnant une immense liberté dans ces limites.

Caprice : un caprice est souvent accompagné de larmes. Les parents français pensent qu'il n'est pas bon de céder aux caprices.

Classe verte : un séjour de classe annuel, qui peut avoir lieu dès le CP, au cours duquel les élèves passent généralement une semaine à la campagne, à la montagne ou à la mer. Les instituteurs et d'autres adultes ont la charge des enfants.

Colonie de vacances : des centaines de séjours de vacances sont organisés pour les enfants dès qu'ils ont quatre ans, sans leurs parents, et généralement à la campagne.

Complicité : la compréhension mutuelle que les parents français et les personnes qui s'occupent de leurs enfants essaient de développer avec ces derniers dès la naissance. La complicité implique que même les petits bébés sont des êtres rationnels avec qui les adultes peuvent avoir des relations réciproques et respectueuses.

Crèche : un centre de garde d'enfants à temps plein subventionné et supervisé par le service public. Les parents français de la classe moyenne préfèrent généralement les crèches aux assistantes maternelles.

Doucement : l'un des mots que les parents, nounous et auxiliaires de puériculture disent souvent aux petits enfants. « Doucement » implique que les petits sont capables d'avoir un comportement contrôlé et conscient.

Doudou : l'objet rassurant qu'ont tous les jeunes enfants. D'habitude il s'agit d'un animal en peluche tout mou.

École maternelle : elle commence en septembre de l'année des trois ans de l'enfant.

Éducation : la façon dont les parents français élèvent leurs enfants.

Enfant roi : un enfant aux exigences excessives qui est toujours le centre de l'attention de ses parents et qui ne sait pas gérer la frustration.

Équilibre : quand aucune facette de la vie – y compris celle d'être parent – ne prend le dessus sur les autres.

Éveillé/e : l'un des idéaux des parents français pour leurs enfants. Un autre serait qu'ils soient sages.

Gourmand/e : quelqu'un qui mange quelque chose en trop grande quantité et trop vite, ou trop de tout.

Goûter : le *snack* de l'après-midi pour les enfants. Ils le prennent vers seize heures. Le goûter est le seul *snack*/grignotage de la journée.

Faire les gros yeux : l'expression de remontrance que les adultes français adressent aux enfants pour leur signaler qu'ils doivent arrêter de faire une bêtise.

Maman-taxi : une mère qui passe la plupart de son temps libre à accompagner ses enfants à leurs activités extrascolaires. Ce n'est pas un signe d'équilibre.

N'importe quoi : un enfant qui fait n'importe quoi agit sans limites ou sans respecter les autres.

Non : à dire avec fermeté, sans l'ombre d'une hésitation.

Profiter : apprécier l'instant.

Punir : être puni est sérieux et important.

Rapporter : les enfants et adultes français n'apprécient pas que l'on rapporte.

Sage : ceci s'applique à un enfant qui sait se contrôler ou qui est absorbé dans une activité. Au lieu de dire qu'un enfant est « *good* / bon », les parents français disent qu'il est « sage ».

Tétine : il n'est pas rare de voir un enfant français de trois ans avec sa tétine à la bouche.

BIBLIOGRAPHIE

ABCs of Parenting in Paris, 5ᵉ édition, dirigée par James, Emily, MES-SAGE Mother Support Group, 2006. www. messageparis.org.

Antier, Edwige, « Plus on lève la main sur un enfant, plus il devient agressif », *Le Parisien*, 15 novembre 2009.

Auffret-Pericone, Marie, « Comment réussir à se faire obéir ? », *Enfant*, octobre 2009, p. 91-96.

Badinter, Elisabeth, *L'Amour en plus : Histoire de l'amour maternel*, Flammarion, Paris, 1980.

Badinter, Elisabeth, *Le Conflit : la Femme et la Mère*, Flammarion, Paris, 2010.

Belsky, Jay, « Effects of Child Care on Child Development: Give Parents Real Choice », mars 2009. Texte issu du discours donné lors de la Conférence des Ministères européens des Affaires familiales, Prague, février 2009.

Benhold, Katrin, « Where Having It All Doesn't Mean Having Equality », *New York Times*, 11 octobre 2011.

Bloom, Paul, « Moral Life of Babies », *New York Times Magazine*, 3 mai 2010. www.nytimes.com/2010/05/09/magazine/09/babies-t.html.pagewanted=all

Bornstein, Marc H., S. Tamis-LeMonda, Catherine, Pecheux, Marie-Germaine, et W. Rahn, Charles, « Mother and Infant Activity and Interaction in France and in the United States: A Comparative Study », *International Journal of Behavioral Development*, 1991, p. 21-43.

Bronson, Po, et Merryman, Ashley, *NurtureShock: New Thinking About Children*, Twelve, New York, 2009.

363

Calhoun, Ada, « The Battle over "Cry It Out" Sleep Training », *Salon.com*, 17 mars 2010.

Carroll, Raymonde, *Cultural Misunderstandings: The French-American Experience*, University of Chicago Press, Chicago, 1990.

CIA, *The World Factbook*. www.cia.gov/library/publication/the-world-factbook/

Cimpian, Andrei, Arce, Holly-Marie C., Markman, Ellen M., et Dweck, Carol S., « Subtle Linguistic Cues Affect Children's Motivation », *Association for Psychological Science*, n° 18, 2007.

Cohen, Abby J., « A Brief History of Federal Financing for Child Care in the United States », *The Future of Children: Financing Child Care*, n° 6, 1996, p. 26-40.

Cohen, Michel, *The New Basics*, Harper Paperbacks, New York, 2004.

Clerget, Stéphane, et Laufer, Danièle, *La mère parfaite, c'est vous*, Hachette, Paris, 2008.

Dolto, Françoise, *Les étapes majeures de l'enfance*, Gallimard, Paris, 1994.

Dolto, Françoise, *Lettres de jeunesse : Correspondance 1913-1938*, Gallimard, Paris, 2003.

Dolto, Françoise, et Lévy, Danielle Marie, *Parler juste aux enfants*, Gallimard, Paris, 2002.

De Leersnyder, Hélène, *L'Enfant et son sommeil*, Robert Laffont, Paris, 1998.

Direction de la recherche, des études, de l'évaluation et des statistiques (DREES), « Le temps des parents après une naissance », avril 2006.

Dyck, Vera, et Daly, Kerry, « Rising to the Challenge: Fathers' Role in the Negociation of Couple Time », *Leisure Studies*, n°25, 2006, p. 201-17.

Eisenberg, Arlene, Murkoff, Heidi E., et Hattaway, Sandee, *What to Expect: The Toddler Years*, Simon and Schuster, Londres, 1996.

Epstein, Jean, « Parents, faites-vous confiance ! », interview pour www.aufeminin.com, 7 octobre 2009.

Franrenet, Sandra, « Quelles punitions pour nos fripons ? » www.madame.lefigaro.fr/societe/quelles-punitions-pour-nos-fripons-280211-13725, 28 février 2011.

Bibliographie

Galinsky, Ellen, Aumann, Kerstin, et Bond, T. James, « Times Are Changing: Gender and Generation at Work and at Home » (rapport), *Families and Work Institute*, 2009.

Gerkens, Danièle, « Comment rendre son enfant heureux ? », interview avec Aldo Naori, *Elle*, 26 février 2010.

Girard, Isabelle, « Pascal Bruckner à Laurence Ferrari : Le mariage ? Un acte de bravoure », *Madame Le Figaro*, 11 septembre 2010.

Guiliano, Mireille, *French Women Don't Get Fat*, Alfred A. Knopf, New York, 2005.

Hausmann, Ricardo, Tyson, D. Laura, et Zahadi, Saadia, *The Global Gender Gap Report 2010*, World Economic Forum, Genève, 2010.

Hulbert, Ann, *Raising America:Experts, Parents, and a Century of Advice About Children*, Vintage Books, New York, 2004.

Institut national de la statistique et des études économiques (INSEE), « Evolution des temps sociaux au cours d'une journée moyenne », 1986 et 1999. www.insee.fr/fr/themes/tableau.asp?ref_id=natccf05519

Kahneman, Daniel, et Krueger, Alan B., « Developments in the Measurement of Subjective Well-Being », *Journal of Economic Perspectives,* n° 20, 2006, p. 3-24.

Kamerman, Sheila, « Early Childhood Education and Care: International Perspectives », témoignage réalisé à l'occasion du Comité du Sénat américain sur la santé, l'éducation, le travail et les pensions, Washington D.C., 27 mars 2001.

Kamerman, Sheila, *A Global History of Early Childhood Education and Care*, Unesco, 2006.

Krueger, Alan B., Kahneman, Daniel, Fischler, Claude, Schkade, David, Shwarz, Norbert, et Stone, Arthur A., « Time Use and Subjective Well-Being in France and the U.S. », *Social Indicators Research,* n° 93, 2009, p. 7-18.

Krueger, Alan B., ed. *Measuring the Subjective Well-being of Nations: National Accounts of Time Use and Well-being*, University of Chicago Press, Chicago, 2009.

Lareau, Annette, *Unequal Childhoods: Class, Race and Family Life*, University of California Press, Berkeley, 2003.

Lareau, Annette, « Questions and Answers About Unequal Childhoods ». www.sociology.sas.upenn.edu/a_laeau2.

Lemangeur-ocha.com, « France, Europe, the United States: What Eating Means to Us: Interview with Claude Fischler and Estelle Masson », posté en ligne le 16 janvier 2008.

Marbeau, J. B. F., *The Crèche or a Way to Reduce Poverty by Increasing the Population*, trad. Vanessa Nicolai, Montreal, 1994 (travail original publié en 1845). Traduction du PDF fournie par Larry Prochner, Université d'Alberta.

Marcelli, Daniel, *Il est permis d'obéir*, Albin Michel, Paris, 2009.

Mairie de Paris, « Mission d'information et d'évaluation sur l'engagement de la collectivité parisienne auprès des familles en matière d'accueil des jeunes enfants de moins de trois ans », 15 juin 2009.

Melmed, Matthew, « Statement submitted to the Committee on Education and Labor, U.S. House of Representatives, Hearing on Investing in Early Education: Improving Children's Success », Washington D.C., 23 janvier 2008.

Military.com, « Military Child Care ». www.military.com/benefits/resources/family-suport/child-care

Mindell, Jodi, « Behavioral Treatment of Bedtime Problems and Night Wakings in Young Children: AASM Standards of Practice », *Sleep*, n°29, 2006, p. 1263-76.

Mischel, Walter, *A History of Psychology in Aut*obiography, ed. G. Lindzey et Runyan, W. M., American Psychological Association, Washington D.C., 2007.

Mogel, Wendy, *The Blessing of a Skinned Knee*, Scribner, New York, 2001.

Murkoff, Heidi, Eisenberg, Arlene, et Eisenberg Hattaway, Sandee, *What to Expect When You're Expecting*, Workman, New York, 2002.

National Institutes of Health, « Child Care Linked to Assertive, Noncompliant, and Aggressive Behaviors; Vast Majority of Children Within Normal Range », 16 juillet 2003.

Organisation for Economic Co-operation and Development, « Education et accueil des jeunes enfants », mai 2003.

Ollivier, Debra, *What French Women Know: About Love, Sex, and Other Matters of the Heart and Mind*, G. P. Putman's Sons, New York, 2009.

Parker, Kim, « The Harried Life of the Working Mother », Pew Research Center, 1ᵉʳ octobre 2009. www.pexresearch. org/pubs/

1360/working-women-conflicted-but-few-favor-return-to-traditional-roles.

Pernoud, Laurence, *J'élève mon enfant*, Éditions Horay, Paris, 2007.

Pew Global Attitudes Project, « Men's Lives Often Seen as Better: Gender Equality Universally Embraced, but Inequalities Acknowledged », 1er juillet 2010.

Pinella, Teresa, et Birch, Leann L., « Help Me Make It Through the Night: Behavioral Entrainment of Breast-Fed Infants' Sleep Patterns », *Pediatrics*, n° 91, 1993, p. 436-43.

Prochner, Larry, « The American Creche: "Let's Do What the French Do, but Do It Our Way" », *Contemporary Issues in Early Childhood*, n° 4, 2003, p. 567-85.

Richardin, Sophie, « Surfez sur les vagues du désir ! », *Neuf Mois*, février 2009, p. 49-53.

Rossant, Lyonel, et Rossant-Lumbroso, Jacqueline, *Votre enfant : Guide à l'usage des parents*, Robert Laffont, Paris, 2006.

Rousseau, Jean-Jacques, *Émile ou De l'éducation* (1762), Garnier, Paris, 1961.

Rousseau, Jean-Jacques, *Émile ou De l'éducation*, Sioux Falls, S.D., NuVision Publications LLC, 2007. www.nuvision publications.com/Print_Books.asp?ISBN=159547840X

Sawica, Leslie, sous la direction de, *Le Guide des nouvelles mamans*. Brochure gratuite réalisée avec l'aide du ministère français de la Santé, 2009.

Senior, Jennifer, « All Joy and No Fun », *New York*, 12 juillet 2010.

Sethi, Anita, Mischel, Walter, Aber, J. Lawrence, Shoda, Yuichi, et Rodriguez, Monica Larrea, « The Role of Strategic Attention Deployment in Development of Self-regulation: Predicting Preschoolers' Delay of Gratification from Mother-Toddler Interactions », *Developmental Psychology*, n° 36, novembre 2000, p. 767-77.

Skenazy, Lenore, *Free-range Kids*, Jossey-Bass, San Francisco, 2009.

Steingarten, Jeffrey, *The Man Who Ate Everything*, Vintage Books, New York, 1997.

Suizzo, Marie-Anne, « French and American Mothers' Childrearing Beliefs: Stimulating, Responding, and Long-Term Goals »,

Journal of Cross-Cultural Psychology, n° 35, septembre 2004, p. 606-26.

Suizzo, Marie-Anne, « French Parents' Cultural Models and Childrearing Beliefs », *International Journal of Behavioral Development*, n° 26, 2002, p. 297-307.

Suizzo, Marie-Anne, « Mother-Child Relationships in France: Balancing Autonomy and Affiliation in Everyday Interactions », *Ethos*, n° 32, 2004, p. 292-323.

Suizzo, Marie-Anne, et Bornstein, Marc H., « French and European American Child-Mother Play: Culture and Gender Considerations », *International Journal of Behavioral Development*, n° 30, 2006, p. 498-508.

Talbot, Margaret, « The Devil in the Nursery », *New York Times Magazine*, 7 janvier 2001.

Thirion, Marie, et Challamel, Marie-Josèphe, *Le Sommeil, le rêve et l'enfant : de la Naissance à l'adolescence*, Albin Michel, Paris, 2002.

Turkle, Sherry, *Psychoanalytic Politics: Jacques Lacan and Freud's French Revolution*, The Guilford Press, New York, 1992.

Turkle, Sherry, « Though Love », introduction à Dolto, Françoise, *When Parents Separate*, David R. Godine, Boston, 1995.

Twenge, Jean M., Campbell, W. Keith, et Foster, Craig A., « Parenthood and Marital Satisfaction: A Meta-Analytic Review », *Journal of Marriage and Family*, n° 65, août 2003, p. 574-83.

Unicef, « Child Poverty in Perspective: An Overview of Childhood Well-being in Rich Countries », bulletin Innocenti, n° 7, 2007. Centre de recherche UNICEF Innocenti, Florence, Italie.

U.S. Bureau of Labor Statistics, « American Time-Use Survery Summary », résultats 2009.

Warner, Judith, *Perfect Madness: Motherhood in the Age of Anxiety*, Riverhead Books, New York, 2005.

Zellman, Gail L., et Johansen, Anne, *Examining the Implementation and Outcomes of the Military Child Care Act of 1989*, Rand Corporation, Santa Monica, Californie, 1998.

Zigler, Edward, Marsland, Katherine, et Lord, Heather, *The Tragedy of Child Care in America*, Yale University Press, New Haven et Londres, 2009.

REMERCIEMENTS

Tous mes remerciements à Élisabeth Badinter pour la compréhension chaleureuse qu'elle a réservée à cet ouvrage.

Je remercie également Aurèle Cariès et Sophy Thompson des éditions Flammarion de m'avoir fait confiance.

Ma gratitude va aussi à mon agent, Suzanne Gluck, ainsi qu'à Ann Godoff et Virginia Smith de Penguin Press et Marianne Velmans de Doubleday.

Thanks à ma brigade de mamans-lectrices : Christine Tacconet, Brooke Pallot, Dietlind Lerner, Amelia Relles, Sharon Galant et l'héroïque Hannah Kuper qui a lu les chapitres sur la grossesse alors qu'elle avait ses premières contractions.

Pour leur soutien continu, souvent sous la forme de repas ou d'hébergement, tous mes remerciements vont à Adam Kuper, Sapna Gupta, Mark Gevisser, Adam Ellick, Jeffrey Sumber, Patrick Weil et Adelyn Escobar. Merci à mes collègues de la *Rue Bleue* pour leur camaraderie, leurs trucs de parents et leurs leçons pour apprendre à apprécier de déjeuner.

Je dois beaucoup à de nombreuses familles françaises qui m'ont laissée passer du temps avec elles, ainsi qu'à toutes les personnes qui me les ont présentées : Valérie Picard, Cécile Agon, Hélène Toussaint, William Oiry, Véronique Bouruet-Aubertot, Gail Negbaur, Lucie Porcher, Emilie Walmsley, Andrea Ipaktchi, Jonathan Ross, Robynne Pendariès, Benjamin Benita et Laurence Kalmanson. Tous mes remerciements à la crèche cour Debille et la crèche Enfance et Découverte, et surtout à Marie-Christine Barison, Anne-Marie Legendre, Sylvie Metay, Didier Trillot, Alexandra Van-Kersschaver et Fatima Abdullarif. Un remerciement tout particulier à la famille de Fanny Gerbet.

Avoir un mari qui maîtrise mieux que moi ce que je fais est aussi une très grande chance. Je n'aurais pu écrire cet ouvrage sans les encouragements et la tolérance de mon époux, Simon Kuper. Il a critiqué toutes les versions et m'a ainsi permis d'améliorer mon écriture.

Enfin, merci à Léo, Joel et Leila.
Voilà ce que maman faisait dans son bureau. J'espère qu'un jour vous penserez que cela en valait la peine.

TABLE DES MATIERES

Composition et mise en page

NORD COMPO
m u l t i m é d i a

CET OUVRAGE
A ÉTÉ ACHEVÉ D'IMPRIMER
SUR CAMERON
PAR L'IMPRIMERIE NIIAG
À BERGAME (ITALIE)
EN DÉCEMBRE 2012

N° d'édition : L.01EPMN000637.N001
Dépôt légal : janvier 2013